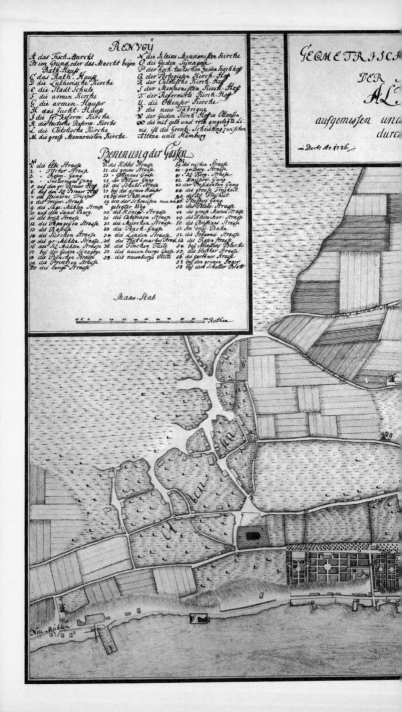

PETRA OELKER,
Jahrgang 1947, arbeitet als freie Journalistin. Sie hat
bereits zahlreiche Jugend- und Sachbücher veröffentlicht, u. a. «Nichts als eine Komödiantin – Die
Lebensgeschichte der Friederike Caroline Neuber»
(1993) und «Neue Mütter – neue Töchter. Von der
Kunst, über den eigenen Schatten zu springen». Ihr
erster Roman «Tod am Zollhaus» (rororo 22116) er-
oberte auf Anhieb die Taschenbuch-Bestsellerlisten.

ro
ro
ro

PETRA OELKER

*Der Sommer
des Kometen*

EIN HISTORISCHER
KRIMINALROMAN

ROWOHLT TASCHENBUCH VERLAG

Historische Karte von Altona Seite 2/3
mit freundlicher Genehmigung des
Staatsarchivs der Freien und Hansestadt Hamburg
Detailausschnitt Seite 90/91
Hamburg-Karte Seite 42/43
Kartenausschnitte: D. Ahmadi/P. Trampusch

9. Auflage Februar 2003

Originalausgabe
Veröffentlicht im Rowohlt Taschenbuch Verlag
GmbH, Reinbek bei Hamburg, März 1998
Copyright © 1998 by Rowohlt Taschenbuch Verlag
GmbH, Reinbek bei Hamburg
Alle Rechte vorbehalten
Umschlaggestaltung any.way, Cathrin Günther
Abbildung: Suhr, «Rundgang auf St. Pauli», Aquarell 1820
fotografiert von Philipp Grassmann/
mit freundlicher Unterstützung von W. Thöle – Staatsarchiv Hamburg
Foto der Autorin auf Seite 4:
Copyright © by Kristina Jentzsch
Satz Caslon 540 (Linotronic)
Druck und Bindung Clausen & Bosse, Leck
Printed in Germany
ISBN 3 499 22256 6

Für Monika und Winfried

Was ist Vernunft? Der Wahnsinn aller. Was ist Wahnsinn?
Die Vernunft des einzelnen. Was nennt ihr Wahrheit?
Die Täuschung, die Jahrhunderte alt geworden.
Was Täuschung? Die Wahrheit, die nur eine Minute gelebt.

Baruch de Spinoza

Gegen die Erde gibt es keinen Trost als den Sternenhimmel.

Jean Paul

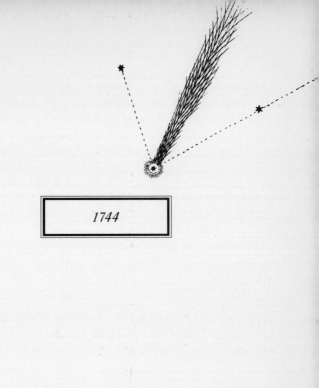

1744

Sie blickte auf ihre Hände und wunderte sich, daß sie aussahen wie immer. So wie vor vier Wochen, wie vor drei Monaten, wie vor einem Jahr. Dann mußte auch ihr Gesicht aussehen wie immer. Wie im letzten September. Das wußte sie nicht, denn in der kleinen Reisekiste, die man ihr eilig gepackt hatte, war kein Spiegel. Sie war sicher, daß er nicht einfach vergessen worden war. Niemand sollte sie sehen, nicht einmal sie selbst. Sie hätte sich gerne noch einmal gesehen. Aber vielleicht war auch das nur eitel. Sie hatte gesündigt, unverzeihlich und unaufhebbar. Sie war verlassen worden, und man hatte sie fortgeschickt. Es machte jetzt keinen Sinn mehr, zurückzuschauen.

Sie hob den Kopf und sah über das Meer in den Himmel, und zum erstenmal, seit sie auf diesem Schiff erwacht war, hatte sie keine Angst.

Heute würde sie allem entkommen. Allem, was sie sich und den anderen angetan hatte. Sie würde Ruhe finden. Und vielleicht konnte Gott ihr verzeihen. Gott war gut und voll der Gnade, so hatte sie es gelernt. Sie war sich nicht mehr sicher, ob die Menschen ihm darin tatsächlich nacheiferten. Aber auch das war wohl nur ein eitler Gedanke.

Die Segel des Dreimasters blähten sich stolz, der Wind trieb das Schiff ruhig, aber eilig über das Meer. Als sie zum erstenmal an Deck gekommen war, mitten in der Nacht vor drei, nein, vor vier Nächten, war ihr als erstes die Stille aufgefallen. Zu Hause, wenn der Wind von der Elbe kam und um das alte Haus mit den hohen Giebeln jagte, heulte er doch immer so laut. Er zerrte an den Ästen der großen Buche vor ihrem Fenster, und es klang, als brächte er ganze Scharen von Geistern und Kobolden mit, vom Meer im Norden, von den weiten Heideflächen im Süden oder aus der Tiefe des breiten Flusses. Ihr Vater hatte ihr einmal erklärt, warum es auf einem Segelschiff, selbst wenn es vom Wind gejagt wird, so still ist. Weil ein Schiff, so hatte er gesagt, niemals schneller ist als der Wind, der es über das Meer treibt. Das Rauschen höre nur, wer schneller sei, wie ein Reiter im Galopp, oder wer sich gegen den Wind bewege. Der Lärm in den Ohren, hatte er noch hinzugefügt, sei eine Warnung, denn wer sich gegen den Wind stelle, wer ihn gar überholen wolle, laufe immer Gefahr, zu fallen. Der gerade herrschende Wind sei stets stärker, wer auf See lebe, zweifele niemals daran.

Dieses Schiff, sie wußte nicht einmal seinen Namen, flog sicher mit dem Wind über das Meer nach Süden. Da war nichts als ein Rauschen, ein Singen in der Leinwand, nur das Tauwerk und die Taljen, ein anscheinend unentwirrbares, tatsächlich aber wunderbar geordnetes Gefüge, schlugen an die Wanten, an die Reling und an die Masten, die wie dicke spitze Finger in den Himmel wiesen.

Die Reling war niedrig. Es würde ganz einfach sein. Sie war dankbar, daß die See so ruhig war, denn auch wenn sie am Wasser aufgewachsen war, hatte sie es immer gefürchtet. Wegen seiner unberechenbaren Kraft und wegen der Geschichten, welche die Leute erzählten, diese Geschichten von fremdartigen wilden Wesen, die auf dem Meeresgrund lebten. Als Kind hatte sie immer wieder davon gehört, mit wohligem Grausen, denn das feste Land unter den Füßen verlieh Mut. Aber nun machte sie die Erinnerung an die unheimlichen Mächte der Tiefe schaudern.

Sie sah zu den Sternen auf und bedauerte, daß sie so wenig über sie wußte. Seit Urzeiten halfen sie, den Weg über die Meere zu finden. Und ganz ohne Zweifel waren sie auch schön. Aber ihr kaltes Flimmern war von grausamer Schönheit. Waren sie nicht noch beängstigender als das Meer? Das schien nur unendlich, aber es gab doch immer irgendwo eine Küste, die Hoffnung auf Heimkehr. Die Welt der Sterne hingegen war unendlich – wie leicht regten sich angesichts dieser Unendlichkeit Zweifel daran, daß es einen Gott gab. Und das Vertrauen in Gottes Existenz brauchte sie heute mehr denn je.

Sie erhob sich von der Kiste, auf der sie gesessen und in den Himmel gestarrt hatte, und trat an die Reling. Das Wasser glitzerte schwarz.

«Ich bin sehr froh, daß es Euch bessergeht.» So sanft die Worte waren, so fest war der Griff der Hand, die sich um ihren Ellbogen schloß. «Verzeiht, wenn ich in Eure Gedanken einbreche. Aber ich bin so kurz vor Morgengrauen oft schlaflos, und ... Nun, ich dachte, vielleicht geht es Euch ebenso ...?»

Sie mußte sich nicht umsehen, sie hatte die Stimme des Kapitäns sofort erkannt. Sie klang rauher als sonst, aber das lag gewiß an der frühen Stunde, und er ließ ihr keine Zeit darüber nachzudenken.

«Ihr betrachtet die Sterne», fuhr er fort, ohne ihren Arm loszulassen, und sie dachte, daß seine Hand wärmer sein müßte. Aber sie war kalt, wie auch ihre eigenen Hände, und plötzlich spürte sie, daß sie fror. Obwohl es doch immer unangenehm war zu frieren, machte dieses Frösteln, das seine Berührung hervorrief, ihr Herz seltsam leicht.

«Ja», sagte sie, «die Sterne. Ich weiß fast nichts über sie.»

Er ließ ihren Arm immer noch nicht los, aber der Griff seiner Hand wurde sanfter.

«Kommt mit mir zum Bug, ich werde Euch den Sirius zeigen. Er ist der hellste von allen, und der Tröster auf See. Wußtet Ihr, daß auf See jeder einen Tröster braucht? Selbst wenn die Nächte so warm sind wie diese?»

Ohne ihre Antwort abzuwarten, führte er sie über das Deck. Sein Schritt war sicher, das Wiegen des Schiffes, das sie immer wieder schwanken ließ, schien er nicht wahrzunehmen. Wie lange mochte er schon auf Schiffsplanken zu Hause sein? Zehn

Jahre? Zwanzig? Sie sah ihn an, prüfend, als sähe sie ihn zum erstenmal. Er war nur ein wenig größer als sie, und sein Gesicht mit den schmalen Lippen, den tiefliegenden Augen unter kräftigen dunklen Brauen, der vom Leben auf dem Meer gegerbten Haut, war dem ihren nah. Ein Gesicht, das nichts verriet.

Einen Moment lang dachte sie an die Wesen in den kalten Untiefen, von denen die Leute erzählten, daß einige zuweilen für einen Sommer auftauchten und in Menschengestalt über die Meere jagten. Aber sie ließ sich willig führen.

Obwohl er ihren Blick gespürt haben mußte, hatte der Kapitän ihn nicht erwidert. Er sah nach Süden, dorthin, wo sich das Vorsegel vor dem Nachthimmel blähte.

Entschlossen straffte sie den Rücken, knüpfte die losen Bänder ihrer weißen Haube und folgte seinem Blick. Sie atmete tief, fühlte die feuchte Salzluft auf ihrem Gesicht und fand plötzlich gleichgültig, was gestern gewesen war und was morgen sein würde. Jetzt stand sie auf diesen wiegenden Planken, gehalten von einer kalten Hand, unter einem Himmel, der aussah wie ein unendliches, von Juwelensplittern besetztes Samttuch, erdrückend und verheißungsvoll zugleich.

Morgen blieb genug Zeit. Oder übermorgen. Es waren noch vier Nächte bis Lissabon.

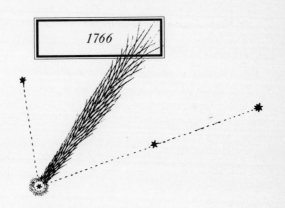

1766

1. KAPITEL

Der Mann und das Pferd mochten sich nicht. Das sah man gleich, wenn man auch nur ein wenig von Pferden und von Männern verstand. Beide zogen störrisch die Oberlippe über die Zähne, der Reiter hielt die Zügel zu kurz, die Trense schnitt ins schaumige Maul, und der große Apfelschimmel tänzelte immer wieder steifbeinig mit dem breiten Hinterteil zur Seite. Der Mann schwitzte. Das Pferd auch. «Verdammt, Paladin, benimm dich wie ein anständiger Gaul», knurrte der Reiter schließlich, «wir sind ja bald zu Hause.»

Eigentlich hieß das Pferd Gret, aber er nannte alle seine Pferde Paladin, und alle hörten bereitwillig auf den Namen, den er vor zwanzig Jahren seinem ersten Pony gegeben hatte. Nur dieses nicht. Wahrscheinlich, weil es gar nicht seines, sondern nur eins aus dem Mietstall an der Finckentwiete war. Johann Friedrich Struensee, so hieß der Reiter, war der Stadtphysikus von Altona, und natürlich besaß er auch ein eigenes Pferd, aber das hatte sich von einer Kolik in der letzten Nacht noch nicht erholt und stand dösend und rülpsend in seinem Stall an der Königstraße.

Ein dünner Blitz zitterte über den trüben Nachmittagshimmel, und obwohl der Donner ausblieb, hatte Paladin nun wirklich genug. Entschlossen stemmte er die Vorderbeine in den Sand und blieb mit einem Ruck stehen. Zornig sprang Struensee aus dem Sattel, eine Staubwolke wirbelte auf und legte sich klebrig auf Pferd und Reiter.

«Na gut, du dummes Tier, machen wir eben eine Pause. Obwohl du sie nicht verdient hast.»

Er ließ die Zügel los, und der Apfelschimmel trottete, von der harschen Kritik völlig unbeeindruckt, über die von der brennenden Sonne fast verdorrte Wiese zu den Linden und Kastanien, die entlang den Bahnen der Reepschläger Schatten boten.

Struensee war die Pause recht. Der Weg zwischen Hamburg und Altona, sonst um diese Stunde voller Fuhrwerke und Kutschen, Reiter und Fußvolk, lag öde unter der verhangenen Sonne. Er lehnte sich an einen dicken Stamm, blickte zurück auf die Wälle und die Türme der Stadt, aus der er gerade gekommen war, und atmete tief den Honigduft der Linden ein. Trotzdem glaubte er noch immer die fauligen Gerüche aus den Fleeten und engen Gassen und Höfen Hamburgs zu riechen. Wahrscheinlich war es nur der ranzige Gestank, der von Roosens Tranbrennereien am nahen Flußufer herüberzog.

Die alte Hafenstadt an der Elbe, keine halbe Stunde zu Fuß durchs freie Feld entfernt, sah schön aus. Die spitzen roten Dächer, eines am anderen ohne Lücke, und die hohen Türme der großen Kirchen hinter den von hundertjährigen Ulmen gekrönten Wällen zeigten Reichtum, aber auch die Enge, in der sich die Menschen wie in einem riesigen Ameisenhaufen zwischen den Befestigungen drängten. Natürlich war das Wetter schuld daran, daß in den armen Vierteln um St. Jakobi und St. Michaelis wieder das Fieber Einzug gehalten hatte. Der Tod machte gierig Beute. Vielleicht würden die Senatoren diesmal begreifen, daß das Fieber nicht vom Himmel fiel und einzig durch Gottes Fügung die Viertel und Häuser der Reichen verschonte, sondern aus dem ganz irdischen Dreck kroch, und daß dringend etwas geschehen mußte.

Er stand auf, streckte sich und holte die Flasche aus der Satteltasche, die Gräfin Schimmelmann ihm aufgedrängt hatte, als er das Palais nahe der Michaeliskirche verließ. Das Wasser, nicht aus den modrigen Fleeten, sondern frisch und klar aus den Harvestehuder Quellen und immer noch kühl vom Eiskeller unter der herrschaftlichen Küche, war das reinste Lebenselixier. Er nahm einen großen Schluck, goß den Rest in seinen Dreispitz und hielt ihn dem Apfelschimmel unters Maul.

«Aber wenn du weiter so herumtänzelst, mußt du es sofort wieder ausspucken, du launisches Vieh.» Er klopfte den schmutzigen Hals des Pferdes, blinzelte durch das müde Laub der Bäume zum bleiernen Himmel hinauf und seufzte. Alle waren in diesen Wochen ein wenig verrückt, warum nicht auch die Tiere? Der Mai des Jahres 1766 war ein wahrer Wonnemonat gewesen, doch der Juni hatte sich vom ersten Tag an als übler Gewittermonat gezeigt. Die Sonne zog Tag für Tag träge über den stets verhangenen Himmel, selbst in den Nächten blieb die Luft drückend schwül, in den Hamburger Fleeten stand das Wasser, und der faulige Geruch lag wie eine Glocke über der Stadt. Nur kurz aufbrausende, unberechenbare Gewitterstürme unterbrachen hin und wieder die seit zwei Wochen herrschende Flaute, ohne die dringend nötige Erfrischung mitzubringen. Kein Wunder, daß die Menschen durchdrehten. Viele Schiffe waren überfällig, weil der Wind schlief. Die meisten lagen vor Cuxhaven fest, einige hatten es bis Glückstadt geschafft, und die Kaufleute überlegten, Wagen elbabwärts zu schicken, um wenigstens die kostbareren Teile ihrer Frachten nach Hamburg zu holen. Es hieß, in einigen Raffinerien würde schon der Rohzucker knapp. Die Nerven der Leute lagen bloß, in den Schenken am Hafen und in der Neustadt saßen Fäuste und Messer locker. Und der Pesthof hinter den Reeperbahnen – seit die letzte Seuche vor Jahrzehnten Europa verlassen hatte, das Hamburger Hospital für Sieche, Blöde und Wahnsinnige – war überfüllter denn je.

Wieder einmal war Struensee froh, daß das Schicksal ihn nicht nach Hamburg, sondern nach Altona gesandt hatte. Natürlich besuchte er gerne das Theater und die Konzerte in der größeren Stadt, er genoß die Sonntagnachmittage bei seinem Freund Reimarus, mit dem sich so herrlich streiten ließ, aber in Altona lebte es sich freier. Zwar war die Stadt sechsmal kleiner, doch es gab keine Mauern, keine bedrängende Enge hinter streng bewachten Toren, die das Gemüt so reizte und das Blut so ungeduldig machte.

Der Blick des jungen Mannes wanderte nach Süden über die Elbe, die bleiern zwischen ihren grünen Inseln schwappte. Auf einer der größten, auf Finkenwerder, streckte der kurze dicke Turm der neuen Kirche nicht viel mehr als seine Wetterfahne übers Ried, davor mühten sich ein paar Ewer mit schlaffen Segeln und knarzenden Rudern flußaufwärts zum Hamburger Hafen.

Er blickte weiter nach Westen nach Altona. Nur zwei Türme, vom Rathaus und von St. Trinitatis, überragten die Ziegeldächer. All die anderen Kirchen der Mennoniten, Reformierten, Katholischen, Juden und wer sonst noch in der freizügigeren dänischen Stadt Zuflucht gefunden hatte, duckten sich unauffällig zwischen den Mauern.

Struensee zog die weiten Ärmel seines weißen Hemdes, die er wegen der Hitze aufgekrempelt hatte, wieder herunter und griff nach dem Rock aus blaßblauem Tuch. Entschlossen rollte er ihn zusammen und stopfte ihn in die Satteltasche. Stadtphysikus hin oder her, heute war nicht der Tag für ordentliche, sondern für möglichst wenig Kleider.

«Komm, Paladin, du stolzer Renner», sagte er und schwang sich in den Sattel, «in zehn Minuten sind wir zu Hause.»

Vielleicht lag es an der geteilten Wasserration, vielleicht war das Pferd auch einfach zu schläfrig, um noch Widerstand zu leisten. Es trottete brav über den staubigen Weg, warf nur einen verächtlichen Blick auf den trüben Teich an der Grenze und trug seinen Herrn durch das Nobistor, nicht viel mehr als eine bescheidene hölzerne Grenzmarkierung zwischen hamburgischem und dänischem Gebiet, nach Altona hinein.

Der Arzt brachte den Apfelschimmel in den Mietstall zurück, nahm seine Tasche und machte sich auf den Heimweg in die Königstraße. Dort wollte er ein frisches Hemd anziehen, um anschließend der neuen Gebärstation im Zuchthaus einen Besuch abzustatten.

In der Neuenburgsgasse stand die Luft. Auch über Altona, sonst kaum minder geschäftig und lärmend als Hamburg, hatte die schwüle Hitze eine eigentümlich explosive Stille gelegt. Hinter einem Hoftor gackerten ein paar Hühner, irgendwo beschimpften sich kurz und kräftig eine tiefe und eine hohe Stimme, eine dicke schwitzende Frau schob ihre mit Körben tropfender frischer Wäsche beladene Karre die Gasse hinunter. Plötzlich sauste ein kleines schwarzgeflecktes Schwein panisch quiekend an Struensee vorbei, eine ganze Horde von Kindern rannte lärmend hinterher. Sie sahen ihm eins wie das andere aus: alle blond, alle rotznasig, alle in staubigen Kleidern und ohne Schuhe. Er erkannte nur einen kleinen Rotschopf, der trotz seines steifen Beines wacker hinter den anderen herflitzte. Im letzten Jahr hatte er das Faulfieber überlebt, obwohl selbst Struensee, der nie an den Tod glauben wollte, ihn schon aufgegeben hatte.

«Lorenz», rief er und erwischte den Jungen gerade noch am Ärmel. «Was ist los, wo wollt ihr alle so schnell hin? Das Schwein einfangen?»

«Ach was, das Schwein! Laß mich los, Doktor. Laß mich doch los!»

«Hat's ein Unglück gegeben?»

«Kein Unglück. Akrobaten sind da. Die machen was vorm Rathaus. Hörst du nicht die Flöte? So laß mich doch los, die anderen ...»

Struensee gab ihn frei und sah dem flink davonhumpelnden Jungen nach. Hoffentlich hatte er ein paar besondere Gaben mitbekommen, sonst würde er immer der letzte sein, und der erste, den man bei Gaunereien wiedererkannte und schnappte. Rote Haare, ein steifes Bein, der Vater beim Walfang irgendwo vor Grönland verlorengegangen – ein Wunder, daß er mit seiner Mutter und den vier Geschwistern noch nicht in den Armenhäusern am westlichen Stadtrand gelandet war.

Nun hörte er die Flöte auch, und ihrem ein wenig schrägen Klang folgend bog er in den weiten Marktplatz ein.

Eine dichte Menge stand im Halbkreis Schulter an Schulter vor dem Rathaus, das – sieben Doppelfenster breit und fast so hoch wie St. Trinitatis – zu den stolzesten Gebäuden der Stadt zählte. Der Pranger mit der groben steinernen Säule stand nur wenige Schritte entfernt hinter seinem eisernen Gitter. Struensee, den es vor diesem Ort öffentlicher Demütigung ekelte, bemerkte erleichtert, daß er heute leer war.

Er konnte die Akrobaten hinter all den Menschen nicht sehen. Er sah nur ein Kind mit weißblonden Kräusellocken, das auf der Brüstung zwischen den Säulen unter dem hohen Balkon, der den Eingang überdachte, mit hochrotem Kopf und runden Backen in die Flöte blies. Aber das war ihm genug. Schnell drängte er sich durch die Menschenmauer, und wenn zuerst auch gemurrt wurde, teilte sich die Menge bereitwillig, sobald man ihn erkannte. Struensee war erst 28 Jahre alt, aber schon seit fast acht Jahren Stadtphysikus. Unter seinen Kollegen und auch unter den Pastoren hatte der Amts- und Armenarzt sich zwar viele Feinde gemacht, aber von den ganz Armen und den ganz Reichen wurde er verehrt oder zumindest respektiert.

Vor den Akrobaten drängten sie sich nun alle ohne Unterschied. Auf dem von vier dünnen Säulen getragenen Balkon vor dem Ratssaal im ersten Stock lehnten sich sogar zwei Ratsdiener gemeinsam mit Bürgermeister Baur einträchtig über die Balustrade. Die Perücken, bei dieser Schwüle unerträgliche Requisiten ihrer Amtswürde, hatten alle drei wie Hüte unter den Arm geklemmt. Struensee grinste. Er war schon immer von der heilsamen und verbindenden Wirkung der Künste überzeugt gewesen.

Eine Ballerina, ein schlankes Mädchen in engem rotem Mieder über einem weißen, duftig flatternden Rock, die dicken blonden Locken zu kunstvollen Zöpfen aufgeflochten, sprang gerade in einem letzten großen Wirbel über einen feisten Mann in einer grasgrünen Weste und einer bunten weiten Hose, der gottserbärmlich jammernd im Staub lag. Dann verneigte sie sich graziös, half dem Dicken wieder auf die Beine, und ehe das Volk mit dem Klatschen und Johlen fertig war, sprangen ein Mann und ein Knabe in die Mitte.

Der Mann, nur wenige Jahre jünger als Struensee, war groß und schlank und bewegte sich wie einer, der sich seines Körpers ganz sicher ist.

«Allez!» rief er, und das Kind, das einige Schritte abseits gestanden hatte, hüpfte mit leichten Sprüngen auf ihn zu, wirbelte im Flickflack durch die Luft, fand noch im Flug die Hände des Mannes und stand fest auf dessen breiten Schultern. Beifall brandete auf. Mit einem gewagten Salto landete das Kind, fast so rotschöpfig wie der kleine Lorenz, wieder auf der Erde direkt vor der ersten Reihe der Zuschauer. Kreischend und lachend wich die Menge zurück, und schon ging es weiter. Bälle sausten durch die Luft, ein roter, ein grüner, ein gelber, ein schwarzer, flogen hoch hinauf und hin und her zwischen den Händen des Mannes und des Jungen. Aber der war nicht schnell genug, und als zwei Bälle auf den staubigen Boden rollten, sprang Struensee in den Kreis, nahm sie blitzschnell auf, und nun – die Altonaer konnten es nicht fassen – flogen die Bälle zwischen den breiten Händen des Akrobaten und den schmalen des Arztes hin und her, hin und her, bis der Akrobat sie in einem furiosen Finale ganz hoch hinauf warf und endlich blitzschnell einen nach dem anderen einfing.

Der Hut, mit dem der Junge nach dem Spektakel herumging, wurde an diesem Tag besonders großzügig gefüllt.

«Du hast es nicht verlernt, Struensee», sagte der Mann mit den Bällen immer noch atemlos, als die Menge sich langsam zerstreute.

Struensee wischte sich mit dem Ärmel seines Hemdes lachend den Schweiß von der Stirn und boxte den Akrobaten freundschaftlich gegen die Schulter.

«Mir war immer klar, daß ich diese Kunst einmal brauchen würde. Ich hatte zwar mehr an die Zeit gedacht, nachdem sie mich als Arzt davongejagt hätten, aber was soll's? Wenn ich meine Patienten so zum Lachen bringe, ist das doch noch besser.

Wahrscheinlich habe ich mich gerade um ein paar fette Honorare gebracht. Aber du bist gut geworden, Rothländer. Viel besser als ich. In Halle hast du ständig alles fallen lassen.»

«Das ist ein paar Jahre her. Inzwischen hatte ich einen guten Lehrer. Titus ist außerdem viel geduldiger als du.»

Der dicke Mann mit dem strohgelben Haar, der gerade noch als verlachter Galan jammernd im Schmutz gelegen hatte, klopfte sich grinsend auf die Brust. «Den besten. Und irgendwas mußte Sebastian ja bei uns lernen. Die Verse wollen ihm nie recht innig von den Lippen. Gibt's hier nichts zu trinken, Doktor? Wenn ich nicht bald den Altonaer Staub aus dem Hals bekomme, verdurste ich. Wo ist Rosina?»

Rosina, die Ballerina, hatte sich einen schicklicheren Rock aus kornblumenblauem Tuch über ihr Tanzkleid gezogen. Nun wickelte sie die silberne Flöte, der das Kind unter dem Rathausbalkon so schräge Töne entlockt hatte, in ein weiches Tuch und legte sie behutsam in einen hölzernen Kasten.

«Wir kommen schon», rief sie, «die Kinder müssen auch etwas trinken. Fritz platzt vom Flöteblasen gleich der Kopf. Geht es Ihnen gut, Monsieur Struensee?»

Aber sie sah ihn nicht an und erwartete auch keine Antwort, sondern strubbelte dem Jungen liebevoll durch die weißblonden Kringellocken. «Mach nicht so ein Gesicht, Fritz. Das war zwar noch nicht perfekt, aber schon viel besser als das letzte Mal. Wir werden weiter üben, und jeden Tag klingt es ein bißchen schöner.»

Am Abend wurde in allen Schenken Altonas darüber gesprochen, daß der Physikus jongliere wie ein Fahrender, und daß er zudem mit einigen von denen, die seit einer Woche über Melzers Kaffeehaus neben der Theaterscheune an der Elbstraße wohnten, im Alten Ratskeller an der Kirchenstraße eingekehrt sei. Eigentlich habe der Wirt die Komödianten nicht hereinlassen wollen, aber Struensee habe ihn nur lachend beiseite geschoben und gleich «für mich und meine ehrenwerten Gäste» den besten Tisch besetzt. Dem Wirt sei nichts anderes übriggeblieben, als

den Physikus, den er wegen seiner zänkischen Galle nicht ver-
ärgern durfte, höflich zu bedienen. Samt seiner ehrenwerten
Gäste. Es sei übrigens ganz manierlich zugegangen, selbst die
beiden Knaben, von denen der eine, der rötliche, nicht ein
Wort geredet habe, wußten mit Messer und Gabel, ja, selbst
mit dem Mundtuch, umzugehen, ganz anders als man es von
Komödianten erwarte. Der Physikus sei nun mal ein seltsamer
Kauz, und so einer habe seltsame Bekanntschaften. Man hätte
nur zu gerne gewußt, woher.

Danach hätte man Struensee nur zu fragen brauchen. Er
schämte sich nie für seine Freundschaften. Den Akrobaten,
den er mit dessen Familiennamen Rothländer angesprochen
hatte, und der von den Komödianten, zu denen er seit einigen
Jahren gehörte, nur Sebastian genannt wurde, kannte er aus
Halle. Dort hatten beide studiert. Als Sebastian an die Universität kam, war Struensee schon in seinem letzten Jahr. Er hatte
den ruhigen, immer etwas gebeugt erscheinenden Jungen vom
Land gleich gemocht, und die Entschlossenheit, mit der der
Jüngere sich so verschiedenen Wissenschaften wie der Theolo-
gie, der Juristerei und, von dem neuen Freund animiert, der
Kunst des Jonglierens widmete, hatte ihm, dem ewigen Spöt-
ter, imponiert.

Im vergangenen Frühjahr hatte die Beckersche Komödiantengesellschaft, wie sie nach ihrem Prinzipal Jean Becker hieß,
in Hamburg Furore gemacht, weil sie half, einen Mörder zu
fangen und einen weiteren Mord zu verhindern. Damals hatte
Struensee in dem geschmeidigen Akrobaten und, zugegeben,
nicht besonders gefälligen Deklamierer, den alten Freund wie-
dererkannt. Er hatte nicht gefragt, warum er, der aus guter
Familie kam und an einer der besten deutschen Universitäten
studiert hatte, Komödiant geworden war. Aus dem blassen, etwas
kraftlosen Studiosus war ein selbstbewußter fröhlicher Mann geworden, immer noch ruhig, aber nicht mehr verschlossen und
melancholisch. Das genügte ihm. Struensee war in jenen Wochen oft nach Hamburg geritten, er hatte in der Theaterbude an

der Neustädter Fuhlentwiete gesessen und sich amüsiert, er hatte nach der Vorstellung mit den Komödianten in der Schenke *Zum Bremer Schlüssel* gesessen und sich noch mehr amüsiert.

Struensee freute sich, daß die Komödianten gerade in diesem trüben Monat zurückgekehrt waren. Er brauchte ein wenig Vergnügen, auch wenn er nicht wußte, woher er die Zeit dazu nehmen sollte. Das Wetter machte zu viele krank.

Eigentlich hatte er es eilig, wie immer, aber nichts und niemand hätte ihn daran gehindert, die Komödianten nach Hause zu begleiten, um die anderen Mitglieder der Gesellschaft zu begrüßen. Zu Hause, das bedeutete für ein paar Wochen die Mietwohnung in der Elbstraße, gleich neben der großen Scheune, die in Altona an reisende Komödianten, Puppenspieler, Ballett- oder Operntruppen vermietet wurde.

Satt – es hatte mit süßem Eierrahm und Mandeln gebackenes Krebsfleisch gegeben – und erfrischt von kühlem Zitronenwasser, schlenderten der Physikus und die Komödianten durch den Rosengang und die Fischerstraße. In Sustermanns Gang mußten sie sich an einem hoch mit Heu beladenen Fuhrwerk vorbeidrängen, dessen Räder wegen des starken Gefälles am Geesthang gerade von zwei Frauen mit dicken Steinen blockiert wurden. Schließlich erreichten sie den Fischmarkt, von dem aus sich die Elbstraße, das quirlige Altonaer Zentrum für Handel und Schifffahrt, flußabwärts erstreckte. Fische durften nur bis um halb zehn am Morgen verkauft werden, und die Ewer der Fischer waren um diese Nachmittagsstunde längst wieder nach Neumühlen, Övelgönne oder Finkenwerder verschwunden. Nur im Schatten der Fischmarktwache, auf deren First ein in Eisen gegossener Kranich über Ruhe, Ordnung und reelle Geschäfte wachte, hockten noch einige Ottenser Bäuerinnen neben ihren Körben. Die meisten waren schon leer, aber es gab immer noch Erdbeeren, junge Zwiebeln, grüne Bohnen, Spargel, Eier und weißen Käse.

Rosina blieb am Brunnen stehen, tauchte beide Hände ins Wasser und lächelte zu der steinernen Minerva hinauf, die auf dem achteckigen Podest inmitten des Beckens thronte. Sie kühlte ihre Arme, schöpfte mit beiden Händen Wasser und ließ es über die Füße der Schutzherrin des Handwerks, der Weisheit und der Künste laufen.

«Bring uns Glück», flüsterte sie, «bring uns bitte Glück.»

Die Elbstraße begleitete den Lauf des Flusses bis zum Ende der Stadt. Nahe dem Fischmarkt war sie zur Landseite dicht von Kontor- und Wohnhäusern der reichen Kaufleute und Handwerksmeister, der Reeder und Schiffbauer gesäumt. Die Durchfahrten in die Höfe gaben den Blick frei in die Werkstätten und Lager. An der Wasserseite trotzten ein paar Speicher der Flut. Auf den Landnasen zwischen den von hölzernen Anlegerbrücken, die man hier ‹Vorsetzen› nannte, gesäumten Hafenbecken hatten die Sägereien und Werften ihren Platz.

Auf der Elbstraße herrschte der übliche rege Alltagsbetrieb. Auch wenn in diesen Tagen kein neues Schiff mit Ware von Frankreich, Portugal, England oder den nördlichen und östlichen Ländern einlief, sondern nur ein paar Großsegler an den Ankern dümpelten und auf den Wind warteten, der sie elbabwärts zum Meer bringen sollte, blieb das Leben doch nicht stehen. Fuhrwerke drängten sich mit Handkarren, Boten eilten mit neuer Post zu den Kontoren, ein paar Mägde trugen schwere Körbe in ihre Küchen. Alles machte der goldbeschlagenen Kutsche Platz, die, unterwegs zu einem der reichen Häuser hinter den Gärten an der Palmaille, die Hälfte der Straße einnahm. Eine Hand in silberweißen Spitzenhandschuhen schob sich durch das Fenster und winkte Struensee einen müden Gruß zu, den er lächelnd mit einer kleinen Verneigung erwiderte.

Es roch nach Holz, Teer, Firnis und brackigem Wasser, der faulige Geruch der Maische von den Brauereien mischte sich mit dem süßlichen von den Zuckersiedereien, und vor der weit geöffneten Tür von Melzers Kaffeehaus an der Ecke zum Brauerhof duftete es herb nach Kaffee und Tabakrauch. Der Lärm der Hämmer und Sägen von den Reeden und Sägereien am Ufer wurde nur von den streitenden Stimmen übertönt, die aus den geöffneten Fenstern im zweiten Stock über dem Kaffeehaus drangen.

«Sie sind sich noch immer nicht einig», rief Rosina ärgerlich, raffte ihre Röcke und lief, immer zwei Stufen auf einmal und von Sebastian, Titus und den Jungen gefolgt, die steile Treppe hinauf. Struensee hatte sich zwar ein etwas ruhigeres Wiedersehen vorgestellt, aber für einen ordentlichen Streit war er immer zu haben.

Helena, das kastanienrote Haar in zorniger Unordnung, stand, die Hände in die Hüften gestemmt, mitten im Zimmer und funkelte ihren Ehemann aus blitzendgrünen Augen an.

«Du bist der Prinzipal», schrie sie, «wer sonst soll sich darum kümmern? Gib's doch zu! Du bist nur zu feige, in das stinkfeine Bürgerhaus zu gehen und danach zu fragen. Was aus uns wird, ist dir völlig egal ...»

«Hör auf, Helena», rief Rosina, die Türklinke noch in der Hand, «halb Altona kann euch hören, und ich hoffe sehr, daß alle denken, ihr probt für ein neues Stück.»

«Neues Stück! Du weißt genau, daß es wahrscheinlich gar nicht existiert. Und daß dieser Verrückte, der uns aus Braunschweig, und wir haben gute Geschäfte gemacht in Braunschweig, sehr gute sogar, daß dieser Verrückte inzwischen offenbar so verrückt geworden ist, daß sie ihn ins Irrenhaus gesperrt haben. Guten Tag, Doktor Struensee, wie reizend, daß Ihr uns besucht», fuhr sie mit ruhiger, äußerst sittsamer Stimme fort. Helena, erste Heroine, Königin und Göttin in Komödie und Tragödie auf der Bühne der Beckerschen Komödiantengesellschaft, war eine große Schauspielerin. Auch die raschesten Stimmungswechsel gelangen ihr perfekt.

Struensee lachte verblüfft, und Helena lachte mit ihm. Alle lachten, auch wenn Jean, der immer noch wie ein geprügelter Hund auf der Bank am Fenster hockte, nicht besonders fröhlich, sondern vor allem erleichtert klang. Er liebte Helena, mal mehr, mal weniger, und er kannte ihre Ausbrüche gut. Zwar hatten sie erst im letzten Sommer geheiratet, doch waren sie schon seit vie-

28

len Jahren ein Paar. Er hätte es niemals zugegeben, aber er wußte genau, daß sein Theaterunternehmen ohne sie schon lange bankrott gewesen wäre.

Die Beckersche war eine von den kleineren Komödiantengesellschaften, die durch das Land zogen, und immer dort spielten, wo man es ihnen erlaubte. Zur Ackermannschen, die nun in Hamburg als erste ein eigenes Theater hatte, gehörten fast zwanzig Mitglieder, die ebenso berühmte Kochsche war kaum kleiner. Aber auch Jeans Truppe galt schon lange mehr als die bunten Spaßmachergrüppchen, die auf den Jahrmärkten derbe Stegreifspiele ohne Sinn und Handlung aufführten. Dabei verstanden sie sich auch auf die alten Späße. Titus war ein wirklich begnadeter Hanswurst, ohne ihn wären die Bänke vor der Bretterbühne ganz gewiß sehr viel leerer gewesen, aber die lustigen Einlagen gaben nur den bunten Rahmen für die echten Dramen und Komödien. Die Kiste, bis zum Rand mit Stücken in ordentlichen Versen gefüllt, war ihr größter Schatz. Und wenn auch an den Höfen des Adels immer noch die italienischen Operisten bevorzugt wurden, begannen viele Bürger in den Städten das Theater, wie es die Ackermannsche, die Kochsche oder auch die Beckersche Gesellschaft zeigte, zu schätzen. Jean sehnte sich zwar manchmal nach den guten alten Zeiten, in denen so lästige Dinge wie Proben und Auswendiglernen, vor allem das Auswendiglernen, nicht nötig gewesen waren, aber er war doch stolz, zu denen zu gehören, die aus der Bühne eine Stätte der Kunst machten. Natürlich mußte man die Werke der großen Dichter wie Molière, Gellert oder Corneille ein wenig zurechtschneidern, weil sie oft gar zu gelehrt und lang waren, und mit einem lustigen Vorspiel anreichern. Aber er fand es doch sehr erhebend, dem Volk einen Spiegel vorzuhalten. Auch wenn das Volk es nicht immer verstand oder zu würdigen wußte. So war das Volk eben.

Außer Helena, Jean, Rosina, Titus und Sebastian gehörten noch Rudolf und Gesine zu Jeans Gesellschaft. Ein Ehepaar, brav und unauffällig wie ein Armenschullehrer und seine fromme Frau. Auf der Bühne waren sie die besten für die wakkere Tante der liebreizenden Heroine, den treuen Diener des Helden. Hinter der Bühne erwies sich Gesine als geschickte Schneiderin, mit ein wenig Flitter und ein paar Stücken alten Samtes schuf sie die edelsten Roben. Rudolf machte aus der löcherigsten Scheune eine haltbare Theaterbude und war ein großer Zauberer, wenn es darum ging, mit Licht und Donner Illusionen zu erschaffen. Und mit seiner Flugwerkkonstruktion konnte er Engel und Teufel, Göttinnen und Helden in wildem Sturz über den Theaterhimmel sausen lassen. Vor lauter Blitz und Donner vergaßen die Zuschauer, daß es sich um Menschen aus Fleisch und Blut handelte.

Dann waren da noch Fritz und Manon, die Kinder von Rudolf und Gesine. Und Muto, der Junge, von dem niemand wußte, woher er kam. Sie hatten ihn vor drei Jahren in einer dunklen Straße in Leipzig gefunden, mitten im Winter, halb erfroren und so zerschlagen, daß niemand glaubte, er würde wieder heil und ganz werden. Die alte Lies pflegte ihn mit ihren Kräutern und ihrer Heilkunst aber doch gesund, nur die Sprache fand er nicht wieder. Vielleicht hatte er auch nie gesprochen, das wußten sie nicht. Sie brachten ihn ins Waisenhaus, wie es ihre Pflicht war, doch als sie einige Tage später Leipzig verließen, entdeckten sie ihn unter der Plane des letzten Wagens. Sie wollten ihn zurückbringen, aber das Kind klammerte sich mit still schreienden, angstvollen Augen an Sebastian, und Jean entschied in seltener Entschlossenheit, daß ein Komödiantenwagen immer noch ein besseres Schicksal für ein Kind bedeute als ein Waisenhaus, und daß ein weiterer kleiner Esser sie auch nicht ärmer machen könne. So blieb Muto bei ihnen, immer an Sebastians Seite, als wäre der sein selbsterwählter Vater. Die grimmige alte Lies hatte sie im letzten Sommer verlassen, ein Verlust, den jeder auf seine eigene Art schmerzlich spürte.

Als die Komödianten nun um den großen Tisch saßen und sich aus der Kirschweinkaraffe bedient hatten, erfuhr Struensee den Grund für Helenas Wut.

Es war vier Wochen her, sie spielten gerade in Braunschweig, in dieser theaterliebenden Stadt, die das Komödienhaus keinen Abend leer stehen ließ, da bekam Jean einen Brief aus Hamburg. Er war auf gutem dicken Papier geschrieben und sah auch sonst aus, als komme er aus einem reichen Haus. Der Absender hatte mit ‹Lysander Julius Billkamp, Dichter› unterschrieben. Das hatte Helena gleich mißtrauisch gemacht, denn so durfte sich schließlich nur ein von den Universitäten gekrönter berühmter Poet nennen, und dieser war völlig unbekannt.

«Aber du wolltest ja nicht hören», schnaubte sie.

«Wenn ich immer gleich auf dich hören würde, kämen wir nie weiter. Du warst sogar dagegen, daß wir Rosina . . .»

«Das ist Unsinn, Jean», fiel ihm Rosina ins Wort. «Helena war nur am ersten Tag dagegen, mich bei euch aufzunehmen, und dazu hatte sie gute Gründe. Außerdem ist es fast sechs Jahre her. Nun erzähl Sebastians Freund endlich von unserem Pech. Vielleicht hat er eine Idee, die uns weiterhilft. Schließlich ist er Arzt, er wird sich auch mit kranken Seelen auskennen.»

«Habt ihr ihm noch nicht davon erzählt?»

Rosina schüttelte den Kopf.

«Nein, Helena», seufzte sie, «wir haben wohl eine ganze Weile im Alten Ratskeller zusammengesessen, aber Sebastian und sein gelehrter Freund mußten erst einmal von alten Zeiten schwärmen.»

Struensee hätte viel lieber erfahren, wie Rosina zu ihrem seltsamen Beruf gekommen war. Ganz offensichtlich war sie genausowenig wie Sebastian auf dem Komödiantenkarren geboren, das hatte er schon im letzten Jahr festgestellt. Aber er lehnte sich zurück und hörte zu.

Der fremde Briefschreiber hatte zunächst viel Platz des kostbaren Papiers auf Lobpreisungen der Beckerschen Gesellschaft verwendet, deren Mut und hohe Kunst, so stand es da, er im letzten Mai ausführlich zu bewundern Gelegenheit gehabt habe. Dann forderte er sie auf, möglichst schnell nach Norden zu reisen, denn er habe ein Stück geschrieben, das niemand als sie

31

aufführen könne. Es glänze nicht nur durch die formidablen Verse, sondern auch durch die brisante Begebenheit, von der er darin erzähle. Es sei eine wahre Begebenheit, die sich vor langer, aber nicht zu langer Zeit zugetragen habe, und weil ganz gewiß jeder davon erfahren wolle, werde das Theater wochenlang ausverkauft sein.

«Hat er geschrieben, worum es darin geht?» Bis jetzt fand Struensee die Geschichte nicht besonders aufregend.

«Nein», fuhr Jean fort, «aber für mich als Künstler, der nicht nur spielen, sondern das Volk belehren und aufklären ...»

«Jean!» Helenas Augen begannen wieder gefährlich zu blitzen.

«Nun ja, ich will fortfahren. Er trug uns auf, nicht in Hamburg, sondern in Altona Wohnung zu nehmen, damit der Inhalt nicht vor der Zeit durch die Proben bekannt würde.»

«Als würde nicht jeder Klatsch schneller als die Börsennachrichten zwischen Altona und Hamburg hin- und hergehen.»

Jean ignorierte Rosinas Einwurf mit der gehörigen Grandezza. «Altona war mir sehr recht, denn seit Ackermann im letzten Sommer sein großes Theater im Opernhof am Gänsemarkt eröffnet hat, ist für uns in Hamburg zuwenig Platz. Um es kurz zu machen: Wir brachen unser sehr einträgliches Gastspiel in Braunschweig ab, beluden die Wagen und machten uns auf den Weg. Es war eine beschwerliche Reise, das könnt Ihr glauben, die Hitze und der Staub ...»

«Jean!» Zum tausendstenmal fragte Helena sich, warum sie diesen eitlen, larmoyanten Komödianten nur so liebte.

«Staub, ich sagte Staub!» Er leerte mit einem Schluck sein Glas und schenkte sich mit aufreizender Akkuratesse nach. «Wir erreichten die Stadt, immerhin diesmal ohne auch nur ein Rad zu brechen, weil auf den Straßen selbst das größte Schlammloch nur noch staubig ist, mieteten diese Wohnung, eine gute, aber doch sehr teure Wohnung, und wanderten gleich am nächsten Tag nach Hamburg.» Er tupfte sich seufzend mit einem Spitzentuch die Stirn. «Monsieur Billkamp lebt tatsächlich in einem sehr rei-

32

chen Haus in der Gröninger Straße, vier Etagen hoch, breit wie ein Dom und aus schönstem Stein. Er ist auch nicht, wie Helena, die nie an das Gute zu glauben vermag, vermutet hatte, ein Diener oder Hilfsschreiber. Nein, Monsieur Billkamp ist ein sehr reicher Mann, der sich schon vor Jahren von seinen Geschäften zurückgezogen und ganz der Dichtkunst hingegeben hat . . .»

«Ja, aber leider ist ihm die zu Kopf gestiegen», unterbrach ihn seine Frau, der Jeans Rede viel zu langsam ging. «Er hat die Wohnung wechseln müssen. Nein, natürlich haben sie uns gar nicht erst in den Salon gelassen, irgendein Wichtigtuer mit dikken silbernen Knöpfen auf der Weste, von dem wir überhaupt nicht wissen, wer er war, sagte, wir könnten gleich wieder gehen. Monsieur Billkamp sei erkrankt, und es sei nicht anzunehmen, daß er vor dem Winter wieder gesund werde. Vor dem Winter! Der Sommer hat gerade erst angefangen.»

Sie griff nach dem *Altonaer Mercurius*, der frisch aufgeschnitten auf dem Tisch lag, und fächelte sich erregt.

«Mehr war nicht aus ihm herauzubekommen. Erst Jakobsen, der Wirt vom *Bremer Schlüssel* – Ihr erinnert Euch gewiß an Titus' alten Freund in der Neustädter Fuhlentwiete –, bei dem wir ratlos und durstig einkehrten, hat das Rätsel für uns gelöst. Ihr müßtet die Geschichte eigentlich kennen, in Hamburg wurde viel davon geredet. Billkamp ist tatsächlich ein Dichter, auch wenn das außer ihm niemand so recht glaubt, auf alle Fälle schreibt er viel Papier voll und deklamiert jedem, der ihm nicht rechtzeitig entkommt, seine Verse. Vor zwei oder drei Wochen, keiner weiß genau, wann es anfing, begann er plötzlich wirr zu reden. Er tat niemandem etwas zuleide, und da sowieso die meisten der Ansicht sind, daß er nicht besonders ernst zu nehmen sei, kümmerte es zunächst keinen. Als er aber versuchte, auf den Turm von St. Petri zu klettern, um allen zu zeigen, daß Gott ihm die Gabe zu fliegen gegeben habe, beschloß sein Vetter, offenbar sein einziger Verwandter, ihn vor sich selbst zu schützen. Kurz und gut, er lieferte ihn im Pesthof vor den Wäl-

33

len ab, in diesem gräßlichen Anwesen, in dem die Hamburger ihre Siechen wegschließen. Ich finde das sehr befremdlich. Hätte ich einen Vetter und so viel Geld, würde ich ihn um keinen Preis in diesem Haus einschließen lassen, das selbst bei kühlem Wetter meilenweit stinkt und vom Schreien und Stöhnen der armen Verwirrten widertönt.»

Sie holte tief Luft. Das war selbst für Helena eine lange Rede gewesen. Es war plötzlich still im Zimmer, nur eine Hummel brummte auf der Suche nach dem Fenster. Alle sahen Struensee erwartungsvoll an.

«Und jetzt habt ihr kein Stück, das ihr aufführen könnt.»

«Natürlich haben wir ein Stück, viele Stücke, Tragödien, Komödien, Ballette oder Schäferspiele, das wißt Ihr doch. Aber wir haben für ihn und sein blödes Stück Braunschweig aufgegeben, und er hat uns ein besonderes Honorar zugesichert. Das brauchen wir jetzt dringend. Dieser wandelnde Silberknopf, gewiß sein Herr Vetter, behauptete, er wisse nichts von einem neuen Stück. Wir brauchen es aber, und Billkamps Brief ist so gut wie ein Vertrag, sagt Sebastian.»

Struensee zupfte sich nachdenklich an der etwas groß geratenen Nase und nickte. «Billkamp, sagt Ihr? An den Namen kann ich mich zwar nicht erinnern, ich habe schon große Mühe, mir die meiner Patienten zu merken. Aber doch, ich habe von der Geschichte gehört. Warum besucht ihr ihn nicht im Pesthof? Gegen eine geringe Gebühr kann da jeder hinein, sonntags gleich nach dem Gottesdienst pilgern ganze Familien zur Unterhaltung in diese Gruselkabinette und weiden sich am Elend der Kranken. Ihr habt immerhin einen Grund.»

«Das hat Jakobsen auch vorgeschlagen», sagte Titus, der die Geschichte längst leid war und bis zu diesem Moment in einer Ecke gedöst hatte. «Jakobsen kennt sich aus, ein guter Wirt hört von allem, was in der Stadt geschieht. Ich bin auch gleich mit Helena hingegangen, aber sie haben uns nicht eingelassen. Ausnahmsweise war der Grund nicht, daß wir Komödianten sind. Da kommt offenbar tatsächlich jeder hinein, selbst so übles Volk wie wir. Aber speziell unser Dichter sei nicht zu besuchen, sagte der Torwächter. Nicht für uns und auch sonst für niemanden.»

Wieder nickte Struensee. Wer genug Geld hatte, konnte seinen Verwandten dort eine Einzelzelle abseits der großen Säle mieten, und wenn die Wächter ab und zu mit einem Fäßchen Branntwein und einem halben Goldstück versorgt wurden, ließen sie die Gaffer nicht hinein.

«Der Pesthof gehört den Hamburgern», erklärte er. «Als Stadtphysikus von Altona habe ich da nichts zu suchen, es sei denn, es handelt sich um einen meiner dänischen Patienten, die in Hamburg leben.»

«Gibt es in Altona keinen Wahnsinn?» fragte Sebastian spöttisch.

«Doch», Struensee lachte. «Und nicht nur bei diesem Wetter. Aber wir sperren alle, die uns aus welchem Grund auch immer stören, einfach gemeinsam ins Zuchthaus in der Kleinen Mühlenstraße. Das ist zwar ständig überfüllt, aber so ist es eben am billigsten. Vielleicht kann Rohding helfen, er hat sicher Patienten dort. Ich will sehen, was ich tun kann.»

Nachdem er gegangen war, blieb Rosina am Fenster stehen und sah ihm nach, wie er sich mit großen, leichten Schritten, die Ärmel hochgeschoben und die Jacke über der Schulter, durch das Gedränge auf der Elbstraße schob und in einer Seitenstraße verschwand. Sie hätte ihn gerne noch einiges gefragt. Wie es den Herrmanns' am Neuen Wandrahm ging, zum Beispiel.

2. KAPITEL

Claes Herrmanns blinzelte träge in die Sonne, die in breiten Streifen durch die Fenster in Jensens Kaffeehaus fiel und sich in den bläulichen Tabakschwaden brach. Es war die Stunde nach Börsenschluß, und das Kaffeehaus war wie stets um diese Zeit gedrängt voll. Die Stimmen der Männer verschmolzen in Claes' Ohren zu einem breiten, vieltönigen Summen. Er löffelte den Zuckersatz aus seiner Tasse und fand, er sei ein glücklicher Mann.

Sein Handelshaus, eines der größten in Hamburg, florierte trotz der schwierigen Zeiten, die die Hamburger Kaufleute seit dem Ende des Krieges erlebten, in dem sich die größten europäischen Mächte sieben Jahre lang um ihre ertragreichsten Provinzen und Kolonien geschlagen hatten. Sein ältester Sohn war im letzten Herbst aus der Lehre in Bergen heimgekehrt und im Herrmannsschen Kontor mittlerweile unersetzlich, zum einen wegen seines guten Gespürs für Geschäfte und Menschen, zum anderen wegen seines heiteren Naturells. Von dem war in den letzten Tagen zwar nicht viel zu spüren, aber das würde sicher vergehen.

Und er hatte Anne. Seine Ehe mit der jungen Frau von der Insel Jersey war noch kein Jahr alt, aber er konnte sich nicht mehr vorstellen, wie das Leben ohne sie gewesen war. Dunkel, dachte er, die letzten Jahre mußten sehr dunkel gewesen sein. Nun war es hell, und er fühlte, daß er mit ihr alle Stürme, die noch auf ihn warteten, überstehen konnte.

«Herrmanns! Du träumst!»

36

Werner Bocholt sah ihn mißbilligend an. Vor vielen Jahren hatten sie miteinander lateinische Verben konjugiert, nun führten beide große Handelshäuser, und Claes war an dreien von Bocholts Schiffen beteiligt.

«Ich möchte dir Thies Kosjan vorstellen. Er lebt auf Madeira und bereist nun unseren Norden. Gerade hat er mich gefragt, ob viele von uns am Geschäft mit den afrikanischen Sklaven teilhaben. Ich weiß davon nichts, aber was meinst du?»

Bocholt kam immer gleich zur Sache. Er war ein etwas spröder, aber stets verbindlicher Mann und gewitzter Reeder. Natürlich wußte er ebensogut wie Claes vom Sklavenhandel, doch bei brenzligen Angelegenheiten hielt er seine Meinung gerne zurück. Die beiden Männer setzten sich Claes gegenüber und sahen ihn erwartungsvoll an.

«In der Hanse war es von jeher verboten, mit Sklaven zu handeln», sagte Claes mit einem spöttischen Blick auf Bocholt, der ganz unbeteiligt an seinem rechten Ärmel herumzupfte.

«Die Hanse gibt es nicht mehr», antwortete Bocholts Begleiter, und auch in seiner Stimme schwang sanfter Spott. Er schien der einzige, der in diesen Tagen in Hamburg nicht schwitzte. Seine gebräunte Haut verriet, daß er Sonne und Hitze gewöhnt war. Er mochte einige Jahre älter als Claes und Bocholt sein, trotzdem war sein ungewöhnlich kurzes Haar schlohweiß. Claes hatte erst auf den zweiten Blick erkannt, daß es nicht gepudert war. Er war nicht sehr groß und nicht mehr ganz schlank, aber unter seinem exzellent geschnittenen taubengrauen Rock steckten ganz eindeutig kräftige Muskeln. Dieser Mann verbrachte sicher nicht alle seine Tage im Kontor.

«Nein», antwortete Claes lächelnd, «die Hanse gibt es schon lange nicht mehr. Aber die meisten von uns fühlen sich vielen der alten Regeln immer noch verpflichtet, weil sie gut und richtig sind. Kein Hamburger Kaufmann transportiert Sklaven auf seinen Schiffen.»

«Das würde Euch gewiß schwerfallen», antwortete der andere mit seiner weichen Stimme, die ganz leicht von einem fremden

Akzent gefärbt war. «Eure Schiffe fahren ja nicht weiter als bis an die spanische Küste. Oder, falls sie den Barbaresken, wie Ihr sie nennt, entkommen, durchs Mittelmeer.»

Claes fühlte sich plötzlich unbehaglich. Vielleicht lag es an dem Blick der hellbraunen, fast grünlich schimmernden Augen des Mannes, vielleicht auch an diesem unerfreulichen Thema, das Claes in seiner Zufriedenheit störte.

«Ich meine nicht auf eigenen Schiffen», fuhr der andere beharrlich fort, «ich denke eher an stille Teilhaberschaften an holländischen, englischen oder dänischen Schiffen. Dänemark beginnt mit Altona ja gleich vor Eurer Tür.»

«Ich habe mich nie für solche Teilhaberschaften interessiert, und ganz gewiß auch mein Vater nicht. Ich will nicht behaupten, daß niemand von uns hier in Hamburg an diesen unchristlichen Geschäften beteiligt ist, aber vielleicht fragt ihr besser im Dänischen. Oder in Holland und England.»

Von St. Petri schlug es dreimal, und Claes erhob sich. «Es wird Zeit für mich, mein Sohn erwartet mich längst im Kontor. Wir sehen uns morgen in der Commerzdeputation, Bocholt.» Er legte dem Kaufmann flüchtig die Hand auf die Schulter und nickte Kosjan einen Gruß zum Abschied zu. «Es hat mich gefreut, Euch kennenzulernen, gewiß treffen wir uns bald wieder. Wie lange bleibt Ihr in Hamburg?»

«Bis der Wind mich wieder davontreibt», lächelte Kosjan. «Ich bin in der glücklichen Lage, viel Zeit zu haben, und nach so vielen Jahren im Süden kann ich mich einfach ein bißchen hier im Norden herumtreiben.» Er erhob sich und reichte Claes die Hand. «Es wäre mir eine Ehre, wenn Ihr an einem der nächsten Abende im Baumhaus mein Gast sein würdet.»

Warum nicht, dachte Claes, als er wenig später das große, mit eleganten Schnitzereien geschmückte Portal zu seinem Haus am Neuen Wandrahm aufschob. Kosjan war zwar ein etwas befremdlicher Charakter, aber er fand es immer interessant, Menschen aus Ländern zu treffen, die er selbst nie bereist hatte.

Wenn er sich als ein angenehmer Gesellschafter erweisen sollte, könnte er ihn für einen Abend nach Harvestehude einladen, auch Anne freute sich immer über Besuch aus der Ferne. Am besten fragte er Bocholt morgen genauer, wer der Fremde war und woher er ihn kannte.

Er schritt durch die angenehm kühle Diele die wenigen Stufen zum Kontor hinauf und öffnete die Tür. Die Tische der Lehrlinge im vorderen Raum waren verwaist. Sicher hockten sie noch für ein spätes Mittagessen in der Küche. Die Tür zum hinteren Raum, in dem die beiden Herrmanns, Vater und Sohn, arbeiteten, stand weit offen. Es duftete nach Jasmin, nur ganz leicht, aber er erkannte das Lieblingsparfum seiner Frau sofort. Sie war hier gewesen, und nicht nur das, sie hatte ihm auch einen der voll erblühten Zweige aus dem Garten in Harvestehude ans Fenster gestellt. Noch vor einem Jahr hätte er Blumen in seinem Kontor für unpassend gehalten. Er lächelte. Anne St. Roberts, die seit dem letzten September Anne Herrmanns hieß, hatte viel mehr Neues in sein Leben gebracht als ab und zu ein paar Blüten für sein Kontor.

Er schloß behutsam die Tür. Christian saß an seinem Tisch, vor ihm lagen Speicherlisten und Rechnungsbücher, aber anstatt daran zu arbeiten, starrte er aus dem Fenster. Claes gestand sich ein, daß er seinen Sohn äußerst wohlgeraten fand. Christian Herrmanns war groß und schlank, ohne ungelenk zu wirken, die Mode der taillierten Röcke und engen Kniehosen schien anders als für manche seiner beleibteren Freunde, extra für ihn erfunden. Mit seinen grauen Augen, der geraden, eher zarten Nase und dem walnußbraunen ungepuderten Haar glich er seiner jüngeren Schwester Sophie beinahe wie ein Zwilling. Sophie lebte seit dem letzten Sommer mit ihrem Mann in Lissabon, und Claes vermißte immer noch ihren fröhlichen Lärm.

Christian bemerkte seinen Vater nicht, er war mit seinen Gedanken ganz offensichtlich weit fort. Als Claes sich leise räusperte, schrak er zusammen.

«Ach, du bist es, Vater. Wie war es an der Börse?»

Claes ignorierte die Frage, die ihm als eine leere Floskel erschien.

«Hast du jemand anderen erwartet?»

«Nein, natürlich nicht.»

Der Blick des jungen Mannes konzentrierte sich, und er bemühte sich um seine übliche heitere Miene. «Du solltest mal diese Abrechnungen für die Zuckerlieferungen an Marburger überprüfen. Irgend etwas stimmt da wieder nicht, aber ich kann es nicht herausfinden.»

Claes nahm den Rechnungsbogen, legte ihn aber gleich wieder achtlos auf den Tisch.

«Ich hatte erwartet, dich in Jensens Kaffeehaus zu treffen, mein Sohn. Sonst läßt du doch keine Gelegenheit aus, den Salonlöwen zu spielen. Nein, nein, guck nicht so betreten. Das stört mich ja nicht. Im Gegenteil, ich muß zugeben, daß ich stolz bin wie ein alter Gockel, wenn ich sehe, wie beliebt du bist, und zwar nicht nur bei den Damen. Also. Warum bist du nicht gekommen?»

«Hier ist viel zu tun, und ich dachte, das sei wichtiger.»

«Das Kaffeehaus gehört auch zu deiner Arbeit. Da wird ja nicht nur Kaffee getrunken und Billard gespielt, da werden oft mehr Geschäfte und Handelsbeziehungen gepflegt als in der Börsenhalle, auch wenn es Neulingen nicht so scheint. Außerdem ist es nicht nur unsere Nachrichtenbörse, man trifft da auch immer wieder Reisende aus der ganzen Welt. Es kann nur von Vorteil sein, mit Fremden zu reden, sonst wird unser Denken noch genauso eng wie die Mauern um die Stadt. Natürlich mußt du selbst entscheiden, wie du deine Arbeit machst, aber es ist mir sehr wichtig, daß du auch mit jener Art unserer Arbeit vertraut wirst. Und daß die Leute den zukünftigen Chef unseres Hauses noch besser kennenlernen.»

«Natürlich, Vater, entschuldige. Morgen werde ich dasein.»
Das klang nicht sehr enthusiastisch, und Claes sah seinen Sohn, wie schon oft in den letzten Tagen, prüfend an. Christian war erst im vergangenen Herbst zur Hochzeit seines Vaters aus der

Lehre in Bergen zurückgekommen. Vier Jahre war er fort gewesen und inzwischen erwachsen, aber doch immer noch der gleiche energische, stets freundliche Junge. Er steckte voller Ideen und brachte einträgliche neue Kontakte in den Norden und bessere zu den englischen Textilmanufakturen mit. Vielleicht entschied er manchmal ein wenig forsch, aber das konnte den Geschäften, die schon lange im alten Trott liefen, nur guttun.

Claes Herrmanns, 45 Jahre alt und Herr eines der ältesten und größten Handelshäuser in Hamburg, dachte zwar nicht daran, sich zur Ruhe zu setzen, aber seine Aufgaben in der Commerzdeputation waren zeitraubender, als er vor der ehrenvollen Wahl angenommen hatte. Und natürlich wünschte er sich viel mehr Zeit für Anne. Seine Hoffnung, Christian werde sich als fähig erweisen, einen Teil der Geschäfte selbständig zu führen, war nicht enttäuscht worden. In ein paar Jahren würde Christian genug Erfahrung haben, um die Grenze zwischen kaufmännischem Wagemut und Leichtsinn besser zu erkennen, und bis dahin konnte das eine oder andere falsch eingeschätzte Geschäft das Haus Herrmanns kaum ruinieren.

Er selbst war nicht anders gewesen, als er vor mehr als zwei Jahrzehnten von seiner Lehre in London ins väterliche Kontor zurückkehrte. Und wie an die Stürme seiner ersten Jahre als Hamburger Kaufmann erinnerte er sich auch daran, daß er zu viele Fragen seines Vaters stets als erdrückend empfunden hatte.

«Gut, Christian, also morgen. Wenn wir am Vormittag das Nötige besprochen haben, kannst du uns auch gleich an der Börse vertreten.»

Er hatte erwartet, daß Christian sich über diese Auszeichnung freuen würde, doch sein Sohn nickte nur und beugte sich wieder über die Papiere.

«So heiße Wochen bist du von Bergen sicher nicht gewöhnt. Wenn dich die Schwüle zu sehr bedrückt, komm doch heute abend mit mir nach Harvestehude ins Gartenhaus. Anne wird sich freuen.»

nach Eppendorf

Dragoner-stall

Pilatuspool

Bäckerbreitergang

Poolstraße

Hütten

Peterstraße

Kornträger

nach St. Pauli
und Altona

Millern-
tor

Neuer Steinweg

Groß-
neumarkt

Alt. Steinweg

Elbstraße

Zeug-
haus

Mühlstraße

St. Michaelis

Herrengraben

Kuhberg

Krayenkamp

Herrengr. fleet

Admiralität

Bastion
Albertus

Eichholz

Schaar-
markt

Alsterfleet

Herrlichkeit

Johannisbollwerk

Brauerknechtgraben

Kajen

Waisen-
haus

Vorsetzen

Baumwall

Baumhaus

Blockhaus
Neptunus

Keh

Niederbaum

① Rathaus und Gericht
② Börse

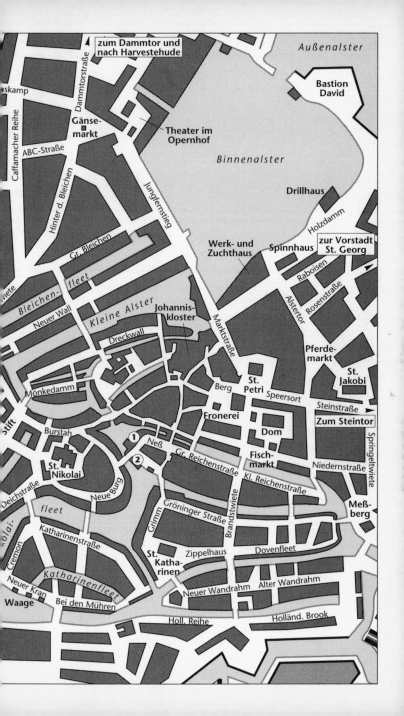

Claes' Angebot sollte nicht mehr als eine freundliche Geste sein, denn in den letzten Wochen hatte sich Christian fast jeden Abend mit seinen Freunden auf den Wällen, auf dem Altan des Baumhauses oder zum Rudern auf der Alster getroffen, wie es unter den jungen Leuten in der Stadt an warmen Sommerabenden üblich war. Aber als er zwei Stunden später das Kontor im Stammhaus am Neuen Wandrahm verließ, schloß sein Sohn sich ihm an.

Sie lenkten ihre Pferde über die Jungfernbrücke zum Katharinenkirchhof, überquerten die Grimm-Insel und erreichten die noch engeren uralten Gassen nahe Rathaus und Börse hinter der Trostbrücke. Von St. Petri hatte es schon sechs geschlagen, die Straßen leerten sich.

Selbst am Jungfernstieg wehte heute nicht der sonst übliche frische Wind von dem großen See, zu dem die schmale Alster schon vor vielen Generationen gestaut worden war, dennoch atmete es sich freier, wenn man die engen Straßen mit ihren hochaufragenden Häuserschluchten hinter sich ließ. Claes erinnerte sich, daß in seiner Kindheit noch überall in der Stadt Gärten und kleine Felder das verschachtelte Häusermeer unterbrochen hatten. Die waren nun fast alle verschwunden, kaum ein Fleck in der Stadt, der inzwischen nicht bebaut war, meistens drei- oder vierstöckig, aber auch höher, denn Baugrund war in der von den Wällen eingeschnürten Stadt rar und teuer. Nur in der Neustadt gab es noch ein paar kleine Gärten und Gemüsefelder. Wer es sich leisten konnte, mietete oder kaufte einen Garten in den Billeniederungen vor dem Steintor und in den Vierlanden oder neuerdings, so wie die Herrmanns, auch am näheren Westufer der Außenalster.

Die beiden Herrmanns lenkten ihre Pferde langsam durch die flanierenden Menschen unter den Linden der breiten Promenade. Sie grüßten nach links und rechts, bis ihnen Baumeister Sonnin entgegenkam, ein paar gerollte Bauzeichnungen unter dem Arm und wie immer in staubiger Jacke, und Claes seine Stute zügelte. Sonnin war ein Querkopf, ein genialer Tüftler mechanischer Apparate, ein eigensinniger Baumeister und vor allem ein alter Freund.

«Nehmt Ihr wieder Arbeit mit nach Hause, Sonnin?» fragte Claes.

Der Baumeister schüttelte den Kopf mit der staubigen, etwas struppigen Perücke: «Nein, ich gehe noch nicht in meine Klause in der Neustadt. Da ist es mir heute abend zu stickig. Aus den Höfen hat es schon vor dem Frühstück so gestunken, als faule da eine ganze Ziegenherde vor sich hin. Nein, ich mache es wie die meisten meiner lieben Mitbürger, ich halte mich möglichst nah am Wasser, immer in der Hoffnung, einen Windhauch zu erwischen. Und Ihr? Unterwegs ins neue Haus?»

«Richtig. Kommt doch mit, alter Freund. Vor den Wällen fühlt man sich an so einem Abend wie auf einem anderen Kontinent.»

«Sehr freundlich. Aber ich bleibe lieber beim schwitzenden Volk.» Sonnin grinste über das ganze spitznasige Gesicht. Es freute ihn, daß einer wie Claes Herrmanns in Deputationen gewählt wurde und bei der Verwaltung der Stadt wenigstens ein bißchen uralten hanseatischen Staub aufwirbelte, wenn auch zu Sonnins Bedauern nicht in der Baudeputation. Dennoch ließ er keine Gelegenheit aus, über Ämter und Würden des Freundes zu spotten.

«Aber bestellt Madame Anne meine vorzüglichsten Grüße, und wenn Ihr auch am Sonntag zwischen Rhabarber und Rittersporn weilt, will ich Euch gerne in Eurem grünen Refugium heimsuchen. Ah, da kommt Reimarus mit seiner Tochter. Lebt wohl und vergeßt meine Grüße nicht.»

Auf dem Gänsemarkt herrschte Trubel. Vor der Wache priesen ein paar Händler, die vor der zu großen Konkurrenz am Jungfernstieg hierher ausgewichen waren, ihre Waren an, aber die meisten Leute drängten sich um einen äußerst befremdlichen Mann. Die Enden eines violetten Stirnbandes waren in sein nahezu schwarzes Haar gebunden, das ihm offen über die Schultern hing. Er stand in der Mitte des Marktes, mit ausgebreiteten Armen, den Kopf weit in den Nacken gelegt, die

Augen zum Himmel erhoben, als suche er hinter dem gelblich-grauen Dunst, der den Himmel bedeckte, das klare Blau des nördlichen Sommers. Er stand einfach da, unbeweglich und schweigend.

«Wer ist das? Haben wir einen Wind- und Regenrufer in der Stadt?»

«Nein, Vater.» Zum erstenmal an diesem Nachmittag lachte Christian. «Das ist ein Kometenbeschwörer. Er steht schon seit Tagen da, meistens nachmittags und oft stundenlang. Weiß der Himmel, wie er so lange seine Arme ausgestreckt halten kann. Na ja, mit dem Himmel ist er ja im Bunde, jedenfalls glaubt das eine ganze Menge von Leuten. Habt ihr im Kaffeehaus tatsächlich nur von Geschäften gesprochen?»

«Von diesem Gespenst jedenfalls kein Wort. Dabei wird da sonst jede Wunderlichkeit kurz- und kleingeredet. Und er? Steht er nur herum, oder redet er auch?»

«Ab und zu redet er auch, vornehmlich von Reue und Buße. Aber es sind wohl mehr die Leute aus den Hinterhöfen der Neustadt und von Jakobi, die ihm zuhören. Er sagt, daß sich ein Komet am Himmel zeigen werde, und dann sei es aus mit Sodom und Gomorra an Elbe, Alster und Bille. In Preußen und im Dänischen auch, aber da ist er sich nicht ganz so sicher.»

Claes grinste. «Und was weiß er Nützliches über das Hannoversche hinter der Elbe?»

«Bisher nichts, doch vielleicht hat der Komet, der da kommen soll, ihm noch nicht alles verraten. Ich finde ihn ganz unterhaltsam, aber Struensee sagt, man müßte ihn aus der Stadt jagen, die Leute seien sowieso schon verrückt von dem Wetter. Ich denke, es gibt eigentlich keinen Grund, er nimmt nicht mal Geld.»

Das allerdings fand Claes erstaunlich. «Solange er nicht zum Sturm auf das Rathaus aufruft – laß ihn doch herumstehen und seine Geschichten erzählen.»

Er schnalzte mit der Zunge, und gerade als sich sein Fuchs mit leisem Schnauben in Bewegung setzte, öffnete der seltsame Prophet die Augen. Es waren helle Augen, ihr Blick traf Claes und ließ ihn nicht los. Die Augen folgten ihm noch, als der Kaufmann unwillig die Fersen in die weichen Flanken des Pferdes drückte und davonritt.

Sie ritten die Dammtorstraße hinauf, passierten einige hochbeladene Wagen, die sich vor dem Tor stauten, saßen ab und führten ihre Pferde duch den halbdunklen Gang des Tores. Die Wachen salutierten und knallten steifrückig mit den Hacken, der Zollprüfer verbeugte sich und fegte dabei mit seiner Mütze den Staub der Straße. Claes war von jeher gewöhnt, daß die Leute ihn respektvoll behandelten, doch die Aufmerksamkeit, die ihm zuteil wurde, seit er Deputierter war, verursachte ihm oft Unbehagen. Er war nun einmal kein Fürst, sondern ein Bürger, wenn auch in dieser Stadt, die keinem Fürsten unterstand, einer der ersten. Und einer der reichsten. Das allerdings bereitete ihm ein ganz entschiedenes Wohlgefallen.

Schließlich ließen sie die lärmende, stickige Hitze der Stadt hinter sich. Claes hatte einige Jahre in England gelebt und halb Europa bereist, er kannte Venedig, Livorno, Lissabon, Bordeaux und Amsterdam, im Osten führten ihn seine Geschäfte bis nach Warschau, St. Petersburg und Archangelsk. Dennoch hatte er fast sein ganzes Leben in Hamburg verbracht, und damit war er sehr zufrieden. Für ihn gab es keine schönere Stadt, doch immer, wenn er sie durch eines der vier großen Tore in den mächtigen Festungswällen verließ, spürte er dieses beunruhigende Gefühl von Übermut, sobald er die Tore passierte. Ein ganz und gar unpatriotisches Gefühl, von dem er niemals jemandem erzählte. Seit er im letzten Herbst das Haus und den Garten in Harvestehude gekauft hatte, war dieses Gefühl stärker denn je.

Er fand das unsinnig, schließlich ging es nicht in die Freiheit verheißende Ferne, sondern nur eine gute Viertelstunde die Außenalster hinauf, in die Arme seiner Frau, von der er niemals wieder, um keinen Preis, frei sein wollte. Im vergangenen Jahr hatte er vor lauter Stolz und Sturheit fast ihre Liebe und sogar ihr Leben verspielt. Er wußte nicht, ob er das Glück verdiente, das er in ihrer Nähe fühlte, aber er hatte schnell aufgehört, darüber nachzudenken. Er genoß es einfach.

Seit diese mörderische Schwüle über der Stadt lag, lebte er mit Anne ständig in Harvestehude. Das Backsteinhaus mit dem kleinen Glockenturm war nicht so weitläufig wie das behäbige, gleichwohl vornehme und ehrwürdige Bürgerhaus, das sein Vater vor vierzig Jahren auf der Wandrahminsel nahe dem Hafen gebaut hatte. Aber es war licht und bequem, und inmitten des großen Gartens empfand er den Aufenthalt dort nach der Enge der Stadt als Labsal. Anne ging es nicht anders. Immerhin hatte sie die ersten 35 Jahre ihres Lebens auf der wahrhaft lieblichen Insel Jersey verbracht. Und weil er in diesen Tagen nicht, wie sonst, ab und zu von seinem Schreibtisch aufstehen konnte, um seine Frau in den Wohnräumen über den Kontoren wenigstens für einige Minuten zu besuchen, hatte er es am Abend stets besonders eilig, die Stadt zu verlassen. So auch heute, doch als er sah, daß der Wirt vorm Gasthaus *Alte Rabe* hinter den Klosterbleichen ein paar Tische in den Schatten einer Eiche gestellt hatte, beschloß er, sich diesmal zu gedulden.

«Komm, Junge» – unversehens fiel er wieder in die Anrede aus Christians Kinderzeit. «Laß uns ein Glas Erdbeerbowle trinken. Das Essen wird noch nicht fertig sein», fügte er nach einem Moment hinzu, «und Anne hat es nicht gerne, wenn man bei den Vorbereitungen stört.»

Sie ließen die Pferde am Alsterufer grasen, warfen ihre Röcke und Hüte ins Gras und setzten sich in den lichten Schatten des alten Baumes. Das Gasthaus war eine hübsche Kate aus sauberem Fachwerk unter einem tiefgezogenen Dach. Ein noch kleineres Nebenhaus stand auf schwarzen Pfählen halb im Wasser. Es war von allerlei angebauten Schuppen verschiedenster Größe umgeben und sah aus wie eine geduldige Mutter, der all ihre dicken Kinder am Rockzipfel hingen. Darin wohnte der Fährmann, der ganz allein das Recht hatte, Reisende zum anderen Ufer nach St. Georg überzusetzen. Claes blinzelte und entdeckte das Ruderboot mit dem kleinen runden Dach auf vier

Pfosten in der Mitte des Sees. Nur ein Fahrgast saß im Heck des Bootes. Offenbar hatte er besonders gut bezahlt. Der Fährmann ruderte, als ginge es um sein Leben.

Nachdem Claes ein wenig über das Wetter, den schlechten Besuch in Ackermanns Theater und den einen oder anderen Klatsch von der Börse geplaudert und endlich noch das zweite Glas Bowle bestellt hatte, kam er zur Sache. Es fiel ihm schwer, denn es war in seiner Familie nicht üblich, über so unvernünftige Dinge wie Stimmungen oder Gefühle zu sprechen, aber er fand, er habe Christians Melancholie nun lange genug beobachtet, und wenn er auch nicht glaubte, daß Väter die richtigen Vertrauten für die Geheimnisse einundzwanzigjähriger Söhne waren, überwog die Sorge die Diskretion.

«Ich will dich nicht bedrängen, Christian, du weißt, daß das nicht meine Art ist. Aber den ganzen Winter und Frühling warst du so fröhlich, so voller Energie ...»

Ein ganz schlechter Anfang, der nichts als einen Vorwurf erwarten ließ. Er löffelte umständlich eine Erdbeere aus seinem Glas und suchte nach besseren Worten. Da hielt er gefürchtete Reden vor dem Senat und in der Commerzdeputation, führte Geschäftsverhandlungen wie ein Fuchs und vermochte doch nicht, seinem Sohn eine einfache Frage zu stellen.

«Willst du wissen, warum ich so schlecht gelaunt bin, Vater?» Sie sahen einander an, und Claes dankte Gott für diesen Sohn. Der hatte ein freies Gemüt. Er selbst hätte sich eher die Zunge abgebissen, als vor seinem Vater dieses Zugeständnis zu machen, das zugleich ein Angebot des Vertrauens bedeutete.

«Ich bin froh, daß du mich fragst.» Christian lächelte schüchtern und löste seine Halsbinde, als dürfe er endlich wieder frei atmen. «Ich bin froh, weil du mir damit den Anfang abnimmst. Seit Tagen will ich mit dir darüber sprechen, aber ich wußte nicht, wie, und fand auch nie den rechten Augenblick.»

Sein Blick glitt über das sanfte Ufer des Sees, doch er sah weder die Schwäne, die mit ihren grauen Jungen durch das stille Wasser glitten, noch die Dächer von St. Georg am jenseitigen

Ufer. Alles Leichte, alles Lächeln war wieder aus seinem Gesicht verschwunden.

«Wenn du Schulden hast . . .»

«Nein, keine Schulden. Ich bin zwar ein lausiger Spieler, aber es macht mir auch nicht genug Spaß, als daß ich nicht zur rechten Zeit aufhören könnte.»

«Hast du ein Mädchen . . . nun, man nennt das allgemein ‹in Schwierigkeiten gebracht›? Das läßt sich sicher regeln.»

«Falsch, Vater, ganz falsch. Ich bin mindestens so ehrbar wie du. Das liegt uns wohl, manchmal denke ich: leider, im Blut. Hör auf zu raten, hör mir lieber zu. In einem hast du recht, es geht um ein Mädchen. Aber nicht um so eines, wie du vermutest. Sie ist auch nicht in dieser Art von Schwierigkeiten. Im Gegenteil, sie ist noch ehrbarer als ich, was wirklich nicht zur Lösung des Problems beiträgt, aber ich fange am besten am Anfang an.»

Das Mädchen, ein wahrer Engel, von bestrickender Sanftmut und mit einer Taille wie eine Libelle, ihr Haar von goldenem Braun wie Buchweizenhonig und ihre Wangen rosig wie, ach, eben wie die schönste Mairose in Annes Garten, ihre Stimme... An dieser Stelle seufzte Christian, und Claes war gewiß, daß er gleich von ihren Kirschlippen sprechen würde. Aber das tat sein Sohn nicht.

«Sie bewegt sich wie eine Elfe», fuhr er fort, «und selbst auf Schlittschuhen . . .»

«Auf Schlittschuhen? Die Elbe war zuletzt im Februar zugefroren, und auch auf die Alster hat sich schon im frühen März niemand mehr gewagt. Wie lange kennst du sie? Und warum weiß ich nichts von ihr?»

Christian ließ sich von dem Anflug väterlicher Strenge nicht beeindrucken.

«Du hast ganz recht. Wir kennen uns, seit die Elbe zuletzt zugefroren war, seit dem 23. Februar, um es genau zu sagen. Es war kurz nach dem Krach in der Commerzdeputation und genau in der Zeit, als die *Maria van Steen* als verschollen galt. Du warst

50

ständig beim Rat und in der Admiralität, und damals gab es auch noch keinen Grund, sie dir vorzustellen. Und nun», seufzte er düster, «ist es sowieso zu spät.»

Er hatte Lucia, so hieß die zarte Ursache seiner Melancholie, an jenem sonnigen, aber bitterkalten Februartag auf der Elbe vor Altona zum erstenmal gesehen. Zwei Knaben waren bei ihr, ihre Brüder, wie er später erfuhr, und einander an den Händen haltend glitten alle drei schnell wie der Wind über das blanke Eis. Zuerst hatte er ihr Lachen gehört, ihr helles und das tiefere, etwas brüchige der beiden Jungen. Die Mütze des größeren wehte davon, und sie jagten ihr nach. Der Rummel, der sich stets einstellte, wenn die Elbe «stand», wie die Hamburger es nannten, wenn der breite Fluß vom nördlichen bis zum südlichen Ufer und um alle Inseln herum zugefroren war, fehlte an jenem Tag. Der Wind war einfach zu scharf. Den dreien schien das nichts auszumachen. Und dann wehte eine Bö erst die Mütze direkt vor Christians Füße und dann das Mädchen direkt in seine Arme. Er fing sie auf, und so hatte es angefangen.

Obwohl er schon andere Mädchen in den Armen gehalten hatte, nicht nur beim Eislaufen, glaubte er etwas völlig Neues, etwas ganz und gar Unerhörtes zu erleben. Aber das Mädchen griff nur eilig nach der Mütze, rief ihm eine fröhliche Entschuldigung für die Karambolage zu und war schon wieder übers Eis davon.

Niemand von Christians Freunden hatte sie erkannt, aber einer meinte, er habe sie neulich mit ihrer Familie in Altona gesehen, vor der Mennonitenkirche am Ende der Großen Freiheit, aber vielleicht sei es auch eine andere gewesen, wen solle man denn unter all den warmen Schals und Hauben erkennen?

«Eine Mennonitin?»

«Ja, Vater. Aber das wußte ich da noch nicht, und es war und ist mir auch jetzt völlig egal.»

Claes nickte. «Natürlich. Erzähl weiter.»

Es dauerte einige Wochen, bis er sie wiedersah. Der März ging schon zu Ende, der Wind im ersten zarten Grün verwandelte die

Zweige der Trauerweiden am Strom in fließendes Nixenhaar. Huflattich und Schlüsselblumen blühten an den Bächen, und die alles verhüllenden Schals blieben in den Schränken. Nicht, daß er seit jenem Februartag vor Sehnsucht keinen Schlaf mehr gefunden hatte, aber das feine, vom kalten Wind gerötete Gesicht, die gewölbten Brauen über den lachenden Augen, die ganze, über das Eis davongleitende anmutige Gestalt hatten sich ihm tief eingeprägt, ebenso wie dieses Gefühl, das er in dem kurzen Moment empfunden hatte, als er sie in den Armen hielt.

An einem jener milden Märztage ritt er mit dem jüngeren Matthew gerade durch das Nobistor nach Altona hinein, als der die Zügel anzog und vom Pferd sprang. Er begrüßte einen hageren, schwarzgekleideten älteren Mann, der mit seiner Familie gerade aus der Großen Freiheit, in der die Katholischen und die Mennoniten ihre Gotteshäuser hatten, in die Reichenstraße eingebogen war. So wurde Christian ihrer Familie vorgestellt, sie verriet mit keinem Blick und mit keinem Wort, daß sie sich an ihn erinnerte, und später erfuhr er, daß sie große Sorge gehabt hatte, er könne sie vor ihren Eltern danach fragen. Das Schlittschuhlaufen war nämlich nur ihren Brüdern erlaubt, und ihr Verstoß gegen das strikte Gebot hätte unangenehme Folgen gehabt.

Jeremy Matthew kannte ihren Vater, der mit seiner Londoner Familie Geschäfte gemacht hatte. Er war ein ehemaliger Kapitän, Josua Stedemühlen, der viele Jahre in Bristol, der großen Hafenstadt an der englischen Westküste, gelebt und sich erst vor zwei Jahren in Altona niedergelassen hatte. Ein streng wirkender Mann, um viele Jahre älter als seine Frau, die allerdings nur wenig milder erschien.

Von da an traf er Lucia häufiger. Matthew nahm ihn mit zum Tee in das schlichte, aber eindeutig reiche Haus der Stedemühlens an der Palmaille, und er wurde dort zurückhaltend, doch freundlich empfangen. Besonders Madame Stedemühlen, die sich zuerst so spröde gezeigt hatte, kam ihm bald mit besonders großer Freundlichkeit entgegen. Allerdings ahnte sie nicht, daß er Lucia keineswegs nur in ihrem Salon, sondern auch an den warmen Sonntagnachmittagen im Mai in den Gärten hinter der Admiralitätsweide traf.

Christian leerte sein Glas, die Bowle war längst schal geworden, und schwieg.

«In den Gärten», sagte Claes aufmunternd. Christians Geschichte hatte ihn seltsam berührt. Sie erinnerte ihn an eine vergessen geglaubte Liebe, die kurz, äußerst innig und doch bitter gewesen war. Aber das war lange her, er war damals kaum älter gewesen als sein Sohn, und die heutigen Sitten, dazu zählten auch Verbindungen über die Grenzen der Religionen hinweg, waren längst nicht mehr so streng wie in seiner Jugend.

«Ja», fuhr Christian fort, und es klang ein wenig trotzig. «In den Gärten. Es sind wunderschöne Gärten, weißt du? Ganz natürlich, um nicht zu sagen, ein wenig wild, aber voller Duft und Farben. Sie liegen schon auf Hamburger Gebiet, doch weit vor den Wällen, wir fühlten uns dort sehr frei.»

«Wie frei?»

«Ach, Vater! Nicht, was du denkst. Wieso denkst du so etwas überhaupt immer? Wir waren nie allein, fast nie jedenfalls, und ich würde es nie wagen, zu weit zu gehen. Aber ihre Eltern haben gedacht, daß sie diese Nachmittage mit ihrer Freundin Marianne verbringt. Sie hüten ihre Tochter wie das kaiserliche Siegel und hätten ihr nie erlaubt, an unseren vergnügten, sie würden sagen: leichtfertigen Nachmittagen teilzuhaben.»

«Und nun haben sie es herausbekommen, ein Donnerwetter gehalten und ihr diese Nachmittage verboten», fuhr Claes fort. Allmählich begann ihn der Hunger zu quälen.

«Schlimmer», murmelte Christian verzagt, «viel schlimmer. Ich darf sie nie, niemals mehr treffen. Und das Haus der Stedemühlens ist mir für immer verschlossen. Bis in Gottes Ewigkeit, hat sie gesagt.»

«Wer?»

«Madame Stedemühlen. Sie ist schrecklich fromm.»

Das Unglück in Gestalt von Lucias zürnender Mutter hatte Christian allerdings nicht in jenem wilden, wohlduftenden Garten, sondern in der ordentlichen Diele des Stedemühlenschen Hauses getroffen. Er war immer nur als Jeremy Matthews Begleiter dort gewesen, aber an diesem Tag, vorgestern, um es genau zu sagen, wurde Jeremy aufgehalten und hatte den Freund gebeten, vorauszureiten und seine Verspätung zu entschuldigen. Lucia kam gerade die Treppe herunter, als der Diener ihn einließ, und sie vergaß, wer weiß schon, warum, alle Vorsicht und flog direkt in seine Arme. So fand Lucias Mutter, die den Gast begrüßen wollte, ihre Tochter innig umschlungen von einem jungen Mann, mit dem sie nicht einmal verlobt war.

Bis dahin hatte er niemals mehr als ihre Hände geküßt, aber auch wenn es anders gewesen wäre, hätte Christian nie für möglich gehalten, was dann geschah.

«Hinaus», schrie die bisher gastfreundliche und stets beherrschte Frau. «Hinaus!»

Wütend riß sie ihre Tochter zurück und stieß ihn wie einen Dieb und Gotteslästerer vor sich her zur Tür. Christian stotterte Entschuldigungen, wollte erklären, beschwichtigen, aber sie gab ihm keine Gelegenheit, und er stolperte unter ihrem letzten Stoß auf die Straße.

«Wagt nie wieder, dieses Haus zu betreten! Niemals wieder! Bis in Gottes Ewigkeit.» Es war das letzte, was er hörte, dann flog die Tür ins Schloß.

Natürlich hatte er tapfer geklopft, um Lucia in dieser Situation nicht allein zu lassen und um doch noch zu erklären, daß seine Absichten nur ehrbar, sogar äußerst ehrbar waren. Aber die Tür blieb verschlossen.

«Die Frau ist verrückt!»

Claes saß vor Empörung aufrecht, beide Hände auf die Oberschenkel gestemmt, auf der Stuhlkante. Einen Herrmanns auf diese Art vor die Tür zu setzen, das hatte noch niemand gewagt.

«Vielleicht ist sie das, vielleicht auch nicht. Ich kenne mich mit den Sorgen der Mütter nicht so aus. Aber wie kann sie nur denken, wir hätten etwas Unrechtes getan?»

Das konnte sich Claes sehr genau vorstellen, aber es war nun nicht der richtige Moment, darüber zu sprechen. Später allerdings mußte er das dringend nachholen. Offenbar waren in Bergen die Sitten familiärer als in Hamburg.

«Und was sagt dein Freund Jeremy?» fragte er mit immer noch etwas lauter Stimme.

«Den lassen sie seither auch nicht mehr vor.»

«Gütiger Himmel! Und Thomas Matthew? Hat er als der ältere Bruder nicht versucht, zu vermitteln?»

«Das konnte er nicht.» Christian schüttelte den Kopf. «Thomas ist vorige Woche nach London und Bristol abgereist. Wegen der Flaute mußte er mit der Kutsche nach Emden fahren, dort liegt die *Lady of the Severn*. Wahrscheinlich ist er jetzt schon mitten im Ärmelkanal. Er kommt frühestens in sechs Wochen zurück. Glaubst du, er wird sehr wütend sein?»

«Nein, das glaube ich nicht. Thomas ist kein Pharisäer, und außerdem liebt er jede Art von Drama.»

Claes stand energisch auf und griff nach seinem Rock.

«Dann werde ich mich darum kümmern. Es mag ja sein, daß du Madame Stedemühlens Zartgefühl sträflich verletzt hast, aber das muß sie mir doch erklären, warum eine Umarmung meines Sohnes in einer Diele, dazu am hellichten Nachmittag, gleich zu einem Hinauswurf für alle Zeiten führen muß.»

«Jemand ist hinausgeworfen worden? Wie interessant. Wer?»

«Anne.» Claes' Stimme war gleich um einige Töne sanfter geworden. «Was tust du hier?»

«Ich suche dich, mein Lieber. Sonst bist du um diese Zeit längst da und verspottest meine Künste als Gärtnerin. Meine Bäume und ich haben uns gefragt, wo du wohl bleibst, und so bin ich dir entgegengegangen.»

Sie küßte ihn auf die Wange, ließ ihre Hand in der seinen und wandte sich lächelnd ihrem Stiefsohn zu.

«Christian, wie schön, daß du mitgekommen bist. Du bist ein wenig blaß heute. Ich hoffe, es liegt nur an der Hitze?»

Christian nickte, und sie ersparte ihm weitere Fragen. Sie war fast so groß wie Claes, das blasse Gelb ihres Kleides und das weiße Brusttuch aus feinstem Lyoner Batist verstärkten die ziemlich undamenhafte Bräune ihres Teints, ein Ergebnis ihrer strikten Weigerung, bei der Gartenarbeit einen Hut zu tragen. Sie streckte Christian ihre freie Hand entgegen, und er küßte sie mit einem erleichterten Lächeln.

Als sein Vater ihm seine zweite Heirat ankündigte, hatte er sich um echte Freude bemüht. Seit dem Tod seiner Mutter waren ja schon einige Jahre vergangen, und natürlich war eine neue Ehe an der Zeit. Aber er hatte seine Mutter sehr geliebt, und ihr tragischer Tod bei einem Feuer in dem alten Gartenhaus in Hamm verfolgte ihn zuweilen immer noch in Alpträumen. Er konnte sich gegen alle Vernunft keine andere auf ihrem Platz vorstellen und war ganz sicher, daß er – selbst bei großem Bemühen um Respekt – die neue Gattin seines Vaters immer als Feindin seiner Mutter empfinden würde.

Aber dann kehrte er nach Hamburg zurück und traf wenige Tage vor der Hochzeit die Frau von der englischen Insel Jersey, die nun die Herrin des Hauses Herrmanns war. Sie war so ganz anders, als er sie sich vorgestellt hatte. Er bemühte sich, Fehler zu entdecken, aber außer der etwas zu spitzen Nase und dem etwas zu großen Mund, der allerdings wunderbar lachen konnte und im richtigen Moment auch zu schweigen wußte, außer einer gewissen Respektlosigkeit gegenüber der steifen Hamburger Würde, die sein Vater ab und zu hervorkehrte, außer ihrer wirklich ganz und gar unweiblichen Leidenschaft für den Handel und die neuesten Entwicklungen der Technik, hatte er nichts gefunden. Und all diese Fehler, so fand er im Gegensatz zu vielen Hamburgern, waren eigentlich Vorzüge.

Sosehr er sich zu Anfang auch dagegen wehrte, Christian hatte seine neue Stiefmutter vom ersten Tag an gemocht. Einen Moment lang dachte er, vielleicht könnte sie, die wie die Stedemühlens in England gelebt hatte, viel besser als sein sturer Vater in diesem Drama vermitteln. Er würde die ganze Geschichte beim Abendessen sowieso noch einmal erzählen müssen.

Claes Herrmanns schlenderte mit seiner Frau und seinem

Sohn an der Alster entlang die letzten Schritte bis zu seinem Landhaus. Gleich am nächsten Vormittag wollte er nach Altona hinüberfahren. Er würde die schwarzpolierte neue Kutsche anspannen lassen, mit Paul St. Roberts' Hochzeitsgeschenk für seinen alten Freund und neuen Schwager: den vier elegantesten Füchsen, die jemals in Hamburg gesehen worden waren.

Er blieb stehen und bewunderte durch ein Loch in der Hecke die in diesem Jahr besonders prächtigen Sonnenblumen in Böckmanns Garten, als Anne zu Eile gemahnte: Elsbeth und Blohm warteten gewiß schon ungeduldig, endlich das Abendessen aufzutragen. Blohm sei ein wenig grämlich aus der Stadt gekommen, aber das liege wohl nur am Wetter.

Claes runzelte die Stirn. Der Diener war alt genug, um ab und zu ein wenig verstimmt zu sein, doch es war etwas anderes, wenn er seine Herrschaft das spüren ließ. Vielleicht wäre ein wenig mehr Hausherrnstrenge angebracht. Anne erriet seine Gedanken. «Gib dir keine Mühe, mein Lieber», sagte sie lachend. «Ob du ein strenges Gesicht machst oder nicht, kümmert die beiden kaum.»

Blohm, seit Jahrzehnten Claes' Diener und offizieller oberster Wächter des Haushaltes, und Elsbeth, die Köchin und tatsächliche Herrin, erwarteten ihn wirklich mit kaum verhohlener Ungeduld. Beide gehörten seit vielen Jahren zu seinem Haus. Elsbeth war, noch bevor sie über den Eichentisch vor dem Herdfeuer im Großen Wandrahm gucken konnte, vom Waisenhaus als Küchenhilfe vermietet und nie in das elende Asyl bei den Kajen, das nichts anderes als ein Arbeitshaus für Kinder war, zurückgeschickt worden. Sie war eine Meisterin der feinen Küche und der Kräuter- und Gemüsezucht. Inzwischen weit in den Dreißigern, hatte sie das Leid ihrer ersten Kinderjahre doch nie vergessen. Wie ihre Vorgängerin, deren Platz sie schließlich eingenommen hatte, holte auch sie alle Jahre zwei der dünnen hustenden Kinder aus den verlausten Sälen, päppelte sie auf und vermittelte sie, wenn sie genug gelernt hatten, an eine ordentliche Familie. Sie war mollig, spitzzüngig, selbstbewußt und energisch, aber dem Herrmannsschen Haus, das sie als einzige und zudem wunderbare Heimat betrachtete, treu ergeben. Erst im vergangenen Sommer hatte sie zum erstenmal ernsthaft an eine Ehe gedacht, aber er hatte sie dann doch nicht gefragt, und Elsbeth wußte nicht, ob sie darüber traurig oder erleichtert war.

Und Blohm? Der war schon ein Mann mittleren Alters gewesen, als er aus den Marschen kam und in den Dienst der Familie trat. Er sprach nie darüber, wie er Claes, damals noch der junge Herr ohne den geringsten Flaum am Kinn, kennengelernt hatte, und warum der alte Herrmanns ihn von dem Hof, auf dem er als Leibeigener lebte, freikaufte. Überhaupt sprach Blohm nicht viel, und manchmal befürchtete Elsbeth, er werde eines Tages noch ganz verstummen.

Auch nun sagte er nichts. Als er seinen Herrn wohlbehalten die Auffahrt heraufkommen sah, drehte er sich mit einem Schnaufer, der eher ärgerlich als erleichtert klang, um und verschwand eilig in der Küche. Blohm, vertraute Elsbeth später Anne an, habe sich Sorgen gemacht, als die Herrschaften so lange ausblieben. Der Fremde auf dem Gänsemarkt, berichtete sie, spreche nämlich von einem mächtigen Donner, der über dem Herrn unter dem Glockendach lauere. Was er damit meine, wisse niemand so genau. Sie selbst denke dabei an einen der Pastoren, möge Gott sie alle beschützen. Blohm hingegen, dem die Spökenkiekerei der Leute aus den Marschen noch tief im Blut stecke, sei nun in großer Sorge, weil doch das Herrmannssche Gartenhaus wegen des kleinen Glockenturms über dem Tor von den Leuten auch Glockenhaus genannt werde.

Von diesem törichten Geschwätz, dachte Anne fröstelnd, würde sie Claes ganz gewiß nichts erzählen.

3. KAPITEL

Rosina öffnete die Fenster und sah hinunter auf die Elbstraße. Wie schön wäre es, jetzt Zeit zu haben und zwischen all den Menschen dort unten herumzulaufen. Sie war zum ersten Mal in Altona, und die kleine Stadt an der Elbe machte sie neugierig. Sie hörte das Hämmern und Sägen von den Werften, Hufe klapperten über die hölzernen Vorsetzen, und Menschen riefen einander Worte zu, die sie kaum verstand. Die meisten Altonaer sprachen in ihrem Dialekt, dem Plattdeutschen, aber mit dem Stimmengewirr klang genausoviel Dänisch und Holländisch herauf. Auch ein paar französische, spanische und englische Brokken glaubte sie zu hören. Und vor der Tür des Kaffeehauses, direkt unter ihr, standen zwei Männer, offensichtlich ein Kapitän und sein Bootsmann, die sich mit tiefen Stimmen in einer Sprache unterhielten, die ihr noch fremder klang als das Plattdeutsche. Das mußte Russisch sein. Sie warf einen letzten sehnsüchtigen Blick auf das bunte Gewimmel und setzte sich an den Tisch.

Nun blieb keine Zeit zu träumen. Sie griff nach der Feder, doch ihre Gedanken waren noch nicht bei dem Stück, dessen Manuskript vor ihr lag. Natürlich wäre es am besten, Claes Herrmanns um Hilfe zu bitten. Der war in Hamburg zu Hause und wurde gewiß in jedem Bürgerhaus mit Freuden empfangen. Der konnte leicht herausbekommen, ob dieses geheimnisvolle Stück überhaupt existierte und was tatsächlich mit dem Dichter geschehen war. Und Frau Augusta würde keine Scheu haben, sich in den feinen Salons dumm zu stellen, um alles zu erfahren, was sie wollte. Der Gedanke an die ungewöhnliche alte Dame mit den unpassend glänzenden Litzen an ihrer Witwenhaube machte Rosina lächeln. Frau Augusta hätte sie gerne besucht, und sie war sicher, daß Claes Herrmanns' Tante ihr sogar verübeln würde, wenn sie nach dem gemeinsamen Abenteuer im letzten Jahr ihrem Haus so nah war und versäumte, bei ihr vorzusprechen.

Aber ihr Neffe?

Bürger vergaßen nie, das hatte sie gelernt, wer sie beleidigt oder benachteiligt, jedoch bald, wer ihnen geholfen hatte. Vor allem wenn es jemand wie sie war, ohne Bürgerrechte und mit dem Makel der Fahrenden behaftet. Zwar verweigerten die Pfarrer ihnen nicht mehr in jedem Kirchspiel den christlichen Segen zum Abschied von dieser Welt, aber immer noch wurde in den Häusern der Seßhaften und vor allem auf den Kanzeln vor ihnen gewarnt.

Nun, sie hatte dieses Leben gewählt, und sie war damit zufrieden, auch wenn ihr Vater das niemals glauben würde. Selbst in Zeiten, meistens im Winter, wenn die Sehnsucht nach einem bequemen warmen Haus, aus dem sie niemand vertreiben konnte, wieder einmal groß wurde, wußte sie, daß sie ihren Beruf für die Erfüllung dieser Sehnsucht niemals aufgeben könnte. Das war nun ihr Leben, und so war es gut! Und sie mußte endlich damit aufhören, von allen Bürgern immer das gleiche zu erwarten wie von ihrem Vater.

Energisch schnitt sie eine neue Feder zu und begann mit der Abschrift eines Schäferspiels, das die Beckersche Gesellschaft aufführen wollte, sobald Rudolf in der nächsten Woche mit den Reparaturen an der Theaterscheune fertig war. Sie las den Text, summte leise die Lieder, und in ihrem Kopf entstanden bereits die Bilder der galanten Liebeskomödie. Das gehörte zu ihren Stärken. Schon bei der ersten Lektüre eines neuen Stücks sah sie Kostüme, Bewegungen, die ganze Inszenierung vor sich. Wenn Jean bei den Proben die Spielleitung übernahm, mußte sie ihn nur ein klein wenig lenken, damit entstand, was sie sich vorgestellt hatte.

Das war ein altes Spiel zwischen ihnen. Rosina schenkte Jean ihre lebendige und sehr konkrete Phantasie, und Jean, sonst stets ängstlich darauf bedacht, sich die Führung nicht aus den Händen nehmen zu lassen, akzeptierte dieses Geschenk. Am Schluß war er stets fest davon überzeugt, daß das, was schließlich dem Publikum präsentiert wurde, seine ganz eigene Schöpfung war. Rosina wiederum akzeptierte diesen kleinen Betrug. Auch wenn sie ihren Prinzipal in allen anderen Dingen oft völlig respektlos behandelte, fühlte sie immer, auch nach all den Jahren noch, eine tiefe Dankbarkeit.

Wer weiß, was aus ihr geworden wäre, wenn er sie an jenem kalten Regentag nicht auf der Landstraße nach Leipzig aufgelesen und mit in den Gasthof genommen hätte, in dem seine Komödiantengesellschaft auf ihn wartete? Wie ein nasses Bündel zog er sie damals unter der Schlehenhecke hervor, ignorierte lachend ihre angstvolle Kratzbürstigkeit und setzte sie einfach vor sich auf seinen alten Klepper. Er hielt sie für einen Jungen, wegen ihrer feinen Samtkniehosen und des kunstvoll bestickten Hemdkragens für einen entlaufenen Pagen vom Altenburger Schloß oder einem der großen Herrenhäuser der Gegend. Er hatte nie gefragt, woher die Narbe stammte, die sich fast bis zum Kinn quer über ihre linke Wange zog, und bis heute hatte sie es weder ihm noch jemand anderem erzählt. Nicht einmal Helena, in der sie schnell eine liebevolle ältere Freundin gefunden hatte.

Auch ihre Herkunft war ihr Geheimnis geblieben. Aber das war unter fahrenden Komödianten nichts Besonderes. Gerade in diesen Jahren liefen ihnen viele junge Männer zu, deren bürgerliche Familien plötzlich verarmt waren, die an den Universitäten scheiterten oder von der großen Sehnsucht nach dem Abenteuer auf der Landstraße gepackt wurden. Wer sich einfügte und ein wenig deklamieren, tanzen, singen oder auch nur Kulissen und Kostümkisten schleppen konnte, war willkommen. Manchen von ihnen gelang nach ein paar turbulenten Wanderjahren die

Rückkehr in ein bürgerliches Leben. Für eine Frau war das unmöglich.

«Hier bist du, Rosina, wir suchen dich überall! Du mußt nun unbedingt helfen. Wir können uns nicht einigen, ob auf dieses Kostüm eine weiße Rüsche gehört oder eine aus Goldpapier.» Helena stand mitten im Zimmer, zerzaust wie immer und mit gerötetem Gesicht, und hielt in der einen Hand die Rüsche, in der anderen die Rolle mit dem glänzenden Papier hoch. Hinter ihr stand Gesine, mit ergebenem Gesicht, die Lippen schmal zusammengepreßt und einen Weidenkorb mit Kostümen in den Armen.

«Das Kind ist viel zu jung für soviel Flitter», schimpfte sie und sah grimmig auf ihre Tochter, die sich geschickt an der Mutter vorbei in den Raum drängte.

«Das stimmt nicht», rief Manon aufgebracht. «Ich bin dreizehn Jahre alt . . .»

«Zwölf!!»

«Zwölf. Aber fast dreizehn Jahre alt. Immer nur die weißen Rüschen! Das ist so langweilig. Fritz ist ein Jahr jünger als ich, und er hat auch schon Goldlitzen auf seinem Kostüm.»

«Eben nur Litzen. Außerdem ist das etwas ganz anderes.»

«Wieso denn, Mutter?»

«Weil es so ist. Rosina, nun sag schon endlich was. Du bist doch vernünftig.»

Rosina bemühte sich, nur ganz leise zu seufzen. Sie verstand Manon, aber sie verstand auch Gesine. Noch im letzten Jahr hatte sich das Kind vor jeder Anprobe auf irgendeinem Baum verkrochen. Plötzlich, im letzten Winter, hatte sie dann die Lust vor dem Spiegel entdeckt. Von einem Tag auf den anderen war aus dem wilden Kind ein eitles kleines Fräulein geworden. Ausgerechnet Gesines Tochter. Niemand in der Beckerschen Komödiantengesellschaft hielt so auf Tugend wie Gesine. Und erst vor wenigen Tagen hatte sie Manon erwischt, als die sich gerade Rouge auf Wangen und Lippen strich, bevor sie auf den Markt ging, um Eier und Gemüse zu kaufen. Das Donnerwetter ihrer

Mutter, Schminke sei für die Bühne und sonst nur für Hurenhäuser und Fürstenpaläste, war bis in die Gaststube des Kaffeehauses zu hören gewesen. Rudolf hatte sich vor Schreck darüber verschluckt, daß seine stille Frau, die denkbar strengste Hüterin der guten Sitten, solche Worte vor den Kindern in den Mund nahm.

Manon dagegen hatte die Strafpredigt gleichmütig und mit angemessen zur Schau getragener Zerknirschung über sich ergehen lassen und die Farbe brav wieder abgerieben. Das nächste Mal würde sie sich eben nicht erwischen lassen.

«Näht doch an die weißen Rüschen auch goldene Litzen», schlug Rosina nun vor. «Zuviel Gold macht nur blaß, Manon, es sei denn, man hat Farben wie Helena.»

«Farben? Sprecht ihr von Farben? Das ist gut.»

Rudolf, Manons und Fritz' Vater und geschickter Baumeister und Kulissenmaler der Truppe, drängte sich wie zuvor seine Tochter an seiner Frau vorbei ins Zimmer.

«Hübsch, das Gold. Das wird dir gut stehen, Manon. Findest du nicht auch, Gesine? Aber sag mir, Rosina, gehst du heute noch in die Königstraße? Ich brauche dringend Rot und Blau, vielleicht auch ein wenig Gelb. Aber vor allem Rot für den Abendhimmel. Warum starrt ihr mich alle so an? Habe ich Farbe im Gesicht?»

Er hatte tatsächlich Farbe im Gesicht, vor allem von dem Rubinrot, das ihm auf den Kulissen fehlte. Selbst Gesine rang sich ein Lachen ab und gab auf.

«Du hast gewonnen, Manon», sagte sie, «also nehmen wir das Gold. Aber nicht zuviel. Jetzt komm, wir haben keine Zeit, hier herumzustehen. An die Arbeit.»

Rudolf sah den beiden Frauen und dem Kind, die eilig und schon wieder streitend die Treppe hinunterliefen, verwundert nach. «Habe ich etwas Falsches gesagt?»

«Nein, das war ganz richtig. Sonst hätten wir uns noch ewig um Manons Kostüm die Köpfe heißreden müssen. Ist eigentlich Sebastian bei dir in der Theaterscheune?»

Rudolf schüttelte den Kopf. «Nein, der ist gerade zum Pesthof gegangen. Er hat eine Nachricht von Doktor Struensee bekommen und soll ihn gleich wegen dieses Dichters dort treffen.»

«Aber nicht ohne mich!» rief Rosina ärgerlich, stöpselte eilig das Tintenfaß zu, griff nach ihrem Brusttuch und war schon die Treppe hinunter und aus dem Haus.

Die Farben mußte Rudolf sich selber besorgen.

Rosina holte Sebastian schon kurz vor dem Schlachterbudentor ein, und sie setzten ihren Weg gemeinsam fort. Nachdem sie den kleinen Friedhof um die Kirche St. Pauli passiert hatten, verließen sie den Weg und gingen querfeldein über die trockenen Wiesen des Vorlandes. Zwei Bussarde drehten auf der Suche nach einem späten Frühstück hoch über ihnen ihre Kreise. Gerade als sie den Weg an den Reepschlägerhütten erreichten, stürzte sich einer im steilen Flug hinab, und die Mäusekolonie auf dem Hamburger Berg war um ein Mitglied ärmer.

Rosina sah sich um. Ein paar Schritte hinter der Kirche konnte sie die Hecke des üppigen Gartens voller Sträucher, Blumen und Heilpflanzen erkennen, der zu Mattis Haus gehörte. Rosina dachte an die kleinen, nach Thymian, Minze, Rosmarin und Lavendel duftenden Räume und blieb einen Moment stehen, um die Erinnerung wachzurufen. Sie würde ihr Kraft geben für das, was nun vor ihr lag.

«Was ist los?» fragte Sebastian. «Warum lächelst du so zufrieden?»

«Weil ich an Matti und Lies denke. Dort hinter St. Pauli kannst du noch eine Ecke von Mattis Haus sehen.»

Sebastian nickte. Er kannte sie kaum, aber er hatte viel von der alten Hebamme gehört, der die nicht minder alte Lies seit ihrer Jugend auf ganz besondere Weise verbunden war. Lies hatte sie erst im letzten Frühling wiedergetroffen, und als die Beckersche Komödiantengesellschaft weiterzog, war sie in Mattis Haus zurückgeblieben.

«Komm weiter», sagte er, «Struensee wird schon warten.»

Er hatte jetzt keinen Sinn für alte Geschichten. Ein Haus wie den Pesthof hatte er noch nie betreten. Er war neugierig und dennoch froh gewesen, als er Rosina hinter sich rufen hörte und sie die Bachgasse zum Tor herauflaufen sah. Manchmal wünschte er sich, sie wäre ein wenig sanfter, vielleicht sogar ein wenig anschmiegsamer, sie ermunterte ihn niemals zu mehr als freundschaftlicher Gemeinsamkeit. Doch in ungemütlichen Situationen war sie die beste, die verläßlichste Begleitung, die er sich vorstellen konnte.

Die langgestreckten Dächer des Pesthofs lagen nun schon vor ihnen und muteten wie ein großes, von alten Bäumen und Buschwerk umstandenes Kloster an. Der beißende Gestank aus den Gräben, die das Grundstück umgrenzten und zugleich als Kloake dienten, hätte allerdings auch die demütigste Klosterfrau vertrieben.

Struensee und Heiner Rohding erwarteten sie schon vor dem hohen Portal an der Brücke über dem Wassergraben. Diesmal gab es keine Fragen und keine Verbote. Die Wächter dienerten eifrig vor den Ärzten, nahmen keinerlei Notiz von den beiden Komödianten und ließen alle vier passieren.

Wie Struensee bemühte sich auch Rohding um eine Verbesserung der unchristlichen Zustände in den elenden Häusern, in denen Sieche, Alte und Gestrauchelte eingeschlossen, Fieberkranke jeder Art zusammengepfercht und so die Krankheiten immer weiter- und weitergegeben wurden. Vielleicht, so hatte er Struensee versichert, gab ihm das Schicksal des Dichters wieder eine Gelegenheit zu einer Eingabe an den Senat. Steter Tropfen höhle den Stein, das sei der Satz, mit dem er sich in diesem fast aussichtslosen Kampf immer wieder aufmuntere. Vielleicht sei hier wieder so ein Tropfen und diese kleine Gratwanderung an der Grenze der ärztlichen Schweigepflicht geradezu geboten.

Er begrüßte die beiden Komödianten rasch, aber ohne jede Herablassung, dann schritt er den anderen voraus durch das Tor und über die hölzerne Grabenbrücke in den weiten Hof. Das alte Gebäude, mit seinen vier Flügeln im Quadrat wie eine mittelalterliche Burg gebaut, ragte abweisend vor ihnen auf. Trotz der Hitze des Tages waren alle Fenster fest verschlossen. Auf der linken Seite gab es einen hübsch angelegten, aber menschenleeren Lustgarten, auf der rechten standen gegenüber dem Pastorenhaus einige langgestreckte neuere Gebäude. Aus dem Kamin des Backhauses in ihrem Schatten stieg kerzengerade eine dünne Rauchfahne. Die Anlage war mächtig, aber daß hier mehr als 900 Menschen lebten, erschien Rosina unvorstellbar.

Der Wächter am Eingang des Haupthauses erkannte die beiden Ärzte und gab bereitwillig Auskunft.

«Es tut mir leid», sagte Struensee zu Rosina und Sebastian, «aber wir müssen durch zwei Flügel dieses Fegefeuers gehen.»

Der Wächter lächelte mit säuerlich schmalen Lippen und gab mit einer steifen Verbeugung den Weg frei.

«Normalerweise werden zahlende Gäste in einem der neueren Flügel untergebracht», fuhr der Arzt fort, «aber es hat da in der letzten Woche ein kleines Feuer gegeben, keiner weiß, wie das geschehen konnte, und auch Billkamps Zimmer ist noch nicht wieder zu bewohnen. Deshalb ist er in einer der Grotten im hinteren Flügel untergebracht, bis er zurückkehren kann. Seid Ihr sicher, Rosina, daß Ihr uns begleiten wollt?»

«Natürlich. Warum nicht? Fragt lieber Sebastian. Der ist jetzt schon ganz bleich.»

«Das Wetter», murmelte Sebastian und beeilte sich, das Haus zu betreten.

Rohding eilte an ihm vorbei, ein parfümiertes Tuch fest vor die Nase gepreßt. Die Ausdünstungen der Kranken, die kaum jemals in den Genuß eines Bades kamen, der Gestank aus Nachtstühlen und aus den Betten, in denen sich stets zwei oder gar drei Kranke drängten, war infernalisch. Entsetzt starrte Rosina auf das Gewimmel der Irren, Versehrten und Fieberkranken, auf die Tollkoben an den hinteren Wänden der Säle – enge Holzverschläge, in denen Wütige angekettet lagen, so daß sie nur ihren Kopf durch eine kleine Öffnung in den Saal stecken konnten. Unwirsche Wächter warfen den Kranken Brotstücke zu

wie Raubtieren. Sie wußte nicht, was schlimmer war: die erstik-
kende Luft, der elende Anblick oder der unwirkliche Chor von
Jammern und Geschrei, von Hämmern und Zetern, von allen
Geräuschen, die Menschen in Not hervorbringen, wenn Vernunft, Zuversicht und Beherrschung verloren sind. Hier sollte
einer wie Billkamp, reich und aus guter Familie, eingesperrt sein?

Rohding eilte mit langen Schritten voran, als bemerke er
nichts von dieser Hölle. Offenbar wußte er genau, wo Billkamp
zu finden war. Er bog in einen anderen Gang ein, der größte
Lärm und Gestank blieben endlich zurück. Die Luft war immer
noch zum Schneiden dick und muffig, aber die großen Säle hatten sie nun hinter sich gelassen. Dieser Gang, erklärte Struensee, sei für die reicheren Patienten reserviert. Zelle reihte sich an
Zelle, aber durch die Türen, die aus nichts als einem groben
Eisengitter bestanden, sah Rosina, daß viele leer waren. Und in
den Sälen, dachte Rosina, müssen sich zwei oder gar drei ein Bett
teilen.

«Hier ist es», sagte Rohding schließlich, «Nummer 26. Er ist
nicht da.»

Er schob die unverschlossene Gittertür auf, und sie betraten
den kleinen Raum. Rosina sah sich um. Die Zelle war nicht sehr
groß, aber halbwegs sauber, und vor dem ebenfalls vergitterten
Fenster sang eine Schwalbe. Das Bett in der hinteren Ecke war
zerwühlt und roch säuerlich. Auf dem Tisch vor dem Fenster
standen ein Tintenfaß, eine Streusandbüchse und eine winzige
weibliche Statue, deren Bedeutung Rosina nicht erkannte. Eine
Wasserkaraffe und eine Schale mit grünen Äpfeln wirkten wie
Boten aus einer anderen Welt. Auf einer angebissenen Frucht
summte eine Wespe, eine zweite kroch müde über ein fleckiges
Mundtuch. Auch drei tintenverklebte Federn und eine ganze
Menge Papier lagen herum. Rosina hätte nichts lieber getan, als
sich sofort auf die Suche zu machen, die Papiere zu durchstöbern
und endlich dieses vermaledeite Stück zu finden. Mittlerweile
war ihr schon egal, wovon es handelte, sie wollte es nur endlich
haben.

Offenbar teilte Rohding ihren Wunsch. Mit den Spitzen seines Zeigefingers schob er vorsichtig einige der Bögen zur Seite, um zu sehen, was darauf geschrieben stand. Rosina versuchte über seiner Schulter zu sehen, was er las, aber leider spürte der Arzt Struensees kritisch fragenden Blick und zog seine zu neugierigen Hände zurück. Er wußte, daß sein Altonaer Kollege die Privatsphäre der Patienten aufs höchste respektierte.

«Nun, er ist nicht hier», sagte Rohding mit einem Räuspern und rieb sich die Hände, «dann müssen wir ihn suchen. Er muß ja irgendwo sein. Am besten, wir fragen Johann Reinhard, der ist hier der Ökonom und kann gewiß helfen.»

Sie gingen weiter den Gang entlang. Plötzlich blieb Rohding vor einer Zelle stehen. Die Einrichtung war ganz ähnlich wie die Billkamps, allerdings war der Tisch unter dem Fenster bis auf die Wasserkaraffe und einen Holzteller mit ein paar Brocken weißen Brotes leer. Rohding schob die Tür auf. Auch sie war nicht verschlossen, das war bei der Patientin, die darin lebte, offensichtlich auch nicht nötig. Die Frau hockte mit tief gesenktem Kopf auf dem Bett, ihr strähniges blondes Haar war zu ordentlich um den Kopf gewundenen Zöpfen frisiert. Sie hielt ihre hochgezogenen Beine unter dem Rock ihres gelben Seidenkleides mit beiden Armen fest umschlungen, als seien sie der einzige Halt in ihrer Welt. Eine kleine dünne Frau im schlichten grauen Kleid, deren Kopf unter einer weißleinenen Haube fast verschwand, erhob sich rasch aus dem Sessel neben dem Tisch, legte die Bibel hinter sich, ergriff Rohdings Hand und küßte sie.

«Aber nicht doch, Regina, ist ja schon gut.» Rohding entzog ihr seine Hand, klopfte flüchtig ihren Rücken und wandte sich der Frau auf dem Bett zu. Die rührte sich nicht. Auch eine Statue, dachte Rosina und schämte sich einen kleinen Moment für ihre Neugier.

«Das ist Regina», erklärte der Arzt, mit einem kurzen Blick auf die alte Frau. Sie sei schon die Amme seiner Patientin gewesen und wolle sie auch hier nicht verlassen. Er sprach von ihr, als wäre sie selbst gar nicht da. Aber das schien Regina nicht zu stören.

«Es ist immer das gleiche», sagte sie leise. «Sie sitzt da, will nichts und tut nichts. Sie ißt und trinkt auch nichts. Nur wenn ich sie zwinge. Wo sie doch nun glücklich sein sollte, das Kind ist so schön und ganz gesund. Und der Herr, der gute Herr . . .»

Sie schluchzte auf und schlug die Hände vor ihr faltiges Gesicht.

«Es wird schon werden», tröstete Rohding. «Versuche, deine Herrin möglichst oft in den Garten zu bringen. Die Sonne und die Düfte des Sommers sind in solchen Fällen oft heilsam. Wir wollen mit Gottes Hilfe immer hoffen.»

Aber er klang wenig überzeugt. Die Dame, man möge verstehen, wenn er ihren Namen nun nicht nenne, habe im Februar ihr viertes Kind geboren, erklärte er, und seitdem sei sie nicht mehr sie selbst.

«Tragisch», murmelte er, «sie hat alles, was eine Frau glücklich machen kann, und wünscht sich nichts als den Tod. Wirklich tragisch.» Man habe sie mit einem Messer über der Wiege gefunden, seitdem sei sie in diesem Haus.

Rosina wollte nicht länger bleiben und die Kranke betrachten, als sei sie eines der exotischen Tiere, die auf der Leipziger Messe gezeigt wurden. Sie brauchte dringend frische Luft und einen freien, unvergitterten Blick.

Leise trat sie in den Gang und machte sich auf die Suche nach einer offenen Tür. Der Gang schien endlos, deshalb bog sie in einen anderen ab. Plötzlich hörte sie seltsame Töne. Ein Schaben und Quietschen, vermischt mit einer hündisch jaulenden, aber offenbar menschlichen Stimme. Immer eiliger wurde das Quietschen, immer höher stiegen die Töne der dünnen Stimme. Entsetzt hielt Rosina sich die Ohren zu. Sie hatte schon genug gesehen und gehört, mehr würde sie nicht ertragen. Wie hatte Struensee gesagt? In diesem Haus könne eher ein Vernünftiger zum Wahnsinn als ein Wahnsinniger zur Vernunft gebracht werden. Nun verstand sie ihn.

Gerade als sie sich umdrehen und den langen Gang zurücklaufen wollte, um endlich dieses Haus des Schreckens, dieses weltliche Fegefeuer zu verlassen, brach die Stimme abrupt ab. Das Quietschen und Schaben wurde langsamer, leiser, und hörte schließlich ganz auf.

Ihre Neugier hatte ihr von jeher viel Ärger eingebracht, und auch heute war sie größer als ihr Schaudern, also schob sie vorsichtig die nur angelehnte Tür auf, hinter der sie die Ursache der Geräusche vermutete. Der Raum war sehr viel kleiner als die Säle, die sie zu Anfang durchquert hatte, aber größer als die Einzelzellen. Es war dämmerig, und sie erkannte zunächst nur drei vorgebeugte Rücken. Die bewegten sich nicht, und in dem diffusen Licht wirkten sie wie eine dieser Scharaden, bei denen die Spieler im Lauf erstarrten, damit die Zuschauer errieten, was sie darstellten.

Plötzlich gewann das Bild Leben. Aus den Rücken wurden drei Männer, die sich über einen vierten beugten, der seltsam verrenkt in einem Lehnsessel auf einem eigenartigen runden Podest hing. Die drei versuchten vergeblich, den Mann auf dem Stuhl aufzurichten. Einer schlug ihm auf die Wange.

«Laß das, Rüther», rief einer der beiden anderen, ein Mann im teuren Rock, «hol Wasser. Und Riechsalz. Wenn du keines findest, bring Ammoniak. Schnell.»

Wasser, dachte Rosina, hat der schon genug gehabt.

Der Mann auf dem Stuhl, ein kleiner, dicklicher Mann mit wirren grauen Haaren und leichenblassem Gesicht, war völlig durchnäßt. Eine leere Zinkwanne stand neben ihm in einer Wasserlache. Darin schwamm ein dicker, von Speichel und Erbrochenem verschmierter Knebel.

Niemand beachtete Rosina, selbst der Wärter, der um Wasser geschickt worden war, schob sie nur beiseite, als er hastig den Raum verließ, und nun konnte sie den Kranken genauer erkennen.

Sein Kopf hing starr im Nacken, die Augen waren so verdreht, daß man nur mehr das Weiße in ihnen sah, und aus seinem Mund und seinem linken Ohr sickerten dünne Rinnsale von Blut.

Auch Ammoniak würde ihm nicht mehr helfen. Der Dichter

Lysander Julius Billkamp war tot. Er hatte die rasende Tortur auf dem Drehstuhl, mit der Doktor Kletterich versucht hatte, ihm den Wahnsinn auszutreiben, nicht überlebt.

Schon an Nachmittag machte die Nachricht vom plötzlichen Tod des Dichters in Hamburg die Runde. Dietrich Köster, Verleger und Buchdrucker in der Steinstraße, der gegen gutes Geld schließlich bereit gewesen war, ein dünnes Bändchen mit Billkamps Elysischen Gesängen zu drucken, erfuhr es von zwei Damen, die mit kleinen schwarzen Rüschen an ihren Brusttüchern in sein Geschäft vor der Druckerei kamen und alle Werke «unseres verehrten elysischen Poeten» verlangten. Sie nahmen dann allerdings doch nicht die ganze Kiste, sondern jede nur fünf Exemplare, was Köster sehr bedauerte, denn er hätte ihnen wirklich gerne die gesamte Auflage verkauft. Bisher fehlten nur die zehn Bände, die der Künstler selbst erstanden hatte, um sie den wenigen wahren Kunstverständigen in dieser Stadt zu verehren. Kösters Bedauern währte allerdings nur kurz. Noch am selben Nachmittag hatte er alle Exemplare verkauft, obwohl er schon nach dem dritten Kunden den Preis verdoppelt hatte.

Hätten sich Claes und Christian Herrmanns, wie am Tag zuvor verabredet, nach der Börse in Jensens Kaffeehaus getroffen, wären sie mitten in eine heftige Diskussion über die gesundheitsschädigende Wirkung der Dichtkunst geraten. Das Kaffeehaus war wie gewöhnlich um diese Stunde bis auf den letzten Stuhl besetzt, und wenn das beständige Summen der Stimmen einmal leiser wurde, klang aus dem hinteren Raum das helle Klicken der Billardkugeln herüber. Die Debatte war zum allgemeinen Geschrei geworden, als Syndikus Meyer sich mit lauter, harter Stimme verbat, so ruchlos über einen gerade erst Verstorbenen zu sprechen.

«Dann warten wir eben ein bißchen», schrie einer von den hinteren Tischen, der offenbar Branntwein in seinen Kaffee gemogelt hatte, und alles lachte.

Und schon ging es hoch her, Sätze flogen durch den Raum, Gelächter hallte hinterher, und die Köpfe röteten sich. Der Syndikus hatte sich längst wieder in stillem Zorn auf seinen Stuhl gesetzt, weil die Aufregung nur einen neuen Aderlaß nötig machen würde. Es waren ja auch genug andere da, die guten Sitten zu verteidigen. Doch da irrte er: auch wenn die lauten Stimmen nach Streiterei klangen, ging es bald nur noch darum, einander in den wildesten Vermutungen über Billkamps Leiden zu übertreffen.

«Die christliche Moral und unsere guten hanseatischen Sitten gehen vor die Hunde», sagte der Syndikus dumpf und wischte sich immer wieder mit einem dazu völlig ungeeigneten Spitzentüchlein die schweißnasse Stirn. «Vor die Hunde, sage ich Euch, Bocholt, ganz und gar.»

Bocholt, der in Gesellschaft des Reisenden Kosjan mit Meyer an einem Tisch saß, nickte nur höflich und lauschte weiter gespannt dem, wie er fand, kolossal unterhaltsamen Schlagabtausch der Stimmen. Bis das erfrischende Spektakel begann, hatten die beiden anderen Männer sich über die Beteiligung Hamburger oder Altonaer Kaufleute am Handel mit afrikanischen Sklaven unterhalten. Das schien Kosjans Lieblingsthema zu sein, obwohl er sonst ganz und gar nicht pastoral wirkte. Womöglich suchte er nur eine Möglichkeit, selbst in dieses äußerst lukrative Geschäft einzusteigen. Nur, warum war er dann ausgerechnet nach Hamburg gekommen? In Amsterdam oder Bristol, schon in Kopenhagen käme er da leichter ans Ziel. Aber eigentlich interessierte auch das Bocholt nicht besonders. Er kannte Kosjan ja nicht näher, der hatte sich mit dem Empfehlungsschreiben eines Handelspartners in Bordeaux bei ihm eingeführt, also würde er ihn gastfreundlich behandeln und in der Stadt vorstellen, mehr tat nicht not.

Nun mischte sich Marburger, der Zuckerraffineur vom Dreckwall, in den Lärm. Er habe den Billkamp zwar kaum gekannt, aber der sei doch schon lange als Spintisierer berüchtigt gewesen. Nun sei er tot, und man solle nicht mehr über ihn reden, sondern auf das Heil seiner Seele trinken, möge der Dichter in Frieden ruhen. «Jensen!» brüllte er und bestellte Port für alle. Obwohl einige der Herren im etwas besseren Tuch über die in diesem Kaffeehaus unübliche großtuerische und zudem völlig wahllose Einladung die Nase rümpften, verweigerte doch niemand, eines der Gläser zu leeren, die Jensen und sein Gehilfe eilfertig auf die Tische verteilten.

Danach wurde zwar nicht mehr herumgebrüllt, aber der Tod des Dichters und die Qualität seiner Kunst blieben das Thema des Tages, bis alle wieder in ihren Kontoren verschwanden.

Der Scherenschleifer und die Taubenverkäuferin, die vor dem Kaffeehaus eine kleine Pause von ihren anstrengenden Alltagsgeschäften machten, kümmerten sich allerdings nicht um den Tod des Dichters. Unter dem nervösen Gurren der jungen Tauben, die in der dreibödigen Kiepe der kleinen dünnen Frau saßen und auf ihr Ende in einem Schmortopf oder einer Pfanne warteten, flüsterten sie sich die neuesten Nachrichten von dem Mann im weißen Kleid auf dem Gänsemarkt zu.

Er hatte wieder gesprochen, und was er gesagt hatte, ließ beide erschauern. Ein erstes Zeichen werde gegeben werden, bleich wie der Mond und rot wie der Schweif des Kometen, der da kommen werde, die Ungerechten zu brandmarken. Brandmarken, wisperte die Frau, so wie es die Barbaresken von Algier mit entlaufenen Sklaven taten, wenn sie sie wieder eingefangen hatten.

DONNERSTAG, DEN 12. JUNIUS,
AM FRÜHEN ABEND

Doktor Struensee war berüchtigt für seine unermüdliche Energie, für seinen stets hellwachen Geist und seine Ungeduld gegen alles Träge, aber der Tote im Pesthof am Morgen und am Nachmittag der Kampf um ein neues Leben in der Gebärstation im Zuchthaus hatten selbst ihn erschöpft. Die Geburt war schwierig gewesen, aber er hatte es geschafft, er, die Hebamme und vor allem die Mutter. Sie war sehr jung, das winzige Mädchen, das sie nach vielen Stunden der Qual geboren hatte, war ihr erstes Kind, und es würde ohne Vater aufwachsen müssen. Vielleicht auch ohne Mutter, denn die meisten dieser Kinder wurden ins Waisenhaus gebracht.

Er beugte sich über die Waschschüssel und ließ Wasser aus der großen Blechkanne über seinen Nacken laufen. Es war lauwarm, dennoch erfrischte es ihn sofort. Zufrieden bemerkte er den großen Stapel frischgewaschener Leintücher, griff nach dem obersten und trocknete sich ab. Die Hebamme sprach leise mit der Mutter, es klang freundlich, die Schulung der Altonaer Wehmütter zeigte Erfolg. Darauf war er stolz. In diesem Haus kamen keine Hebammen betrunken, mit schmutzigen Händen und stinkenden Kleidern auch nur in die Nähe einer Kreißenden. Das Kindbettfieber, das überall so viele Frauen sterben ließ, war so leicht nicht auszurotten, aber es war nun längst nicht mehr so häufig.

Es war ein langer und harter Kampf gewesen. Am Anfang hatte der Rat ihn einfach nur ausgelacht. Weiber, die ohne Gottes Segen eine Leibesfrucht trugen, gehörten an den Pranger. In vielen Regionen wurden sie ausgepeitscht und aus dem Land verjagt, was beinahe einem Todesurteil gleichkam. War es ein Wunder, wenn manche ihr Kind in der Verzweiflung töteten oder aussetzten? Seit die Gebärstation im Altonaer Zuchthaus diesen armen Jungfrauen offenstand, war in Altona kein Neugeborenes mehr getötet worden. Zwar hieß es immer noch, er schütze und belohne gotteslästerliche Sünderinnen, aber das störte ihn nicht. Auch wenn sie ihm die Hebammenschule nicht anvertraut hatten, so leitete er doch diese neue Entbindungsanstalt.

So sehr Struensee sich bemühte, er konnte einfach nicht verstehen, warum es so schwer zu erkennen war, daß viele der quälendsten und tödlichsten Krankheiten nicht von inneren Säften, sondern von äußeren Ursachen kamen und deshalb auch rasend schnell von einem Menschen zum nächsten weitergegeben werden konnten. Vielleicht lag es einfach daran, daß die nötige Reinlichkeit vielen zu unbequem war.

Er ging noch einmal in die Krankenstube, die gerade von zwei Frauen mit viel frischem Wasser geschrubbt wurde, und beugte sich über die junge Mutter. «Clara?»

Das Mädchen schlief. Das flachsblonde Haar klebte ihr noch an der Stirn, die dunklen Ringe unter den Augen zeigten ihre Erschöpfung. Aber ihr Atem ging ruhig, und ihre schmalen Lippen waren weich, fast als lächelte sie. Wie ihr Kind, das in reine Tücher gewickelt neben ihr in einer mit Stroh gepolsterten kleinen Kiste lag, schlief sie einen gesunden Schlaf.

Von Trinitatis schlug es fünfmal, und Struensee beeilte sich, nach Hause zu kommen. Wie stets konzentrierte er sich ganz auf die Sache, die er gerade tat. In den letzten Stunden hatte er keine Sekunde an das Drama im Pesthof gedacht. Nun kehrte die Erinnerung zurück, und er sah wieder den kleinen Mann auf dem Stuhl vor sich, zu Tode gequält von einem dummen Arzt, dem man seinen schrecklichen Fehler nicht einmal vorwerfen konnte. Kletterich hatte nur getan, was üblich war.

Billkamp mußte sehr geschwächt gewesen sein. Struensee hatte, seit er in Altona arbeitete, nie davon gehört, daß vor ihm jemand bei dieser Tortur gestorben war. Das erstaunte ihn mehr als Billkamps Schicksal. Das zarte Gewebe des Gehirns mußte durch die Kraft des Drehens heftig an die harte Schädeldecke gepreßt werden, das konnte nur großen Schaden anrichten. Geheilt hatte es jedenfalls noch niemanden. Der Teufel mochte wissen, wem die Kur mit dem Drehstuhl eingefallen war. Die Menschen mußten diese Kranken, in deren Kopf doch nur ein anderer Geist lebte als in den meisten anderen, sehr fürchten, wenn sie zu solchen Methoden griffen, um sie wieder zurechtzurücken. Und wer wußte denn überhaupt, was richtig war? Hatte immer die Mehrheit das Wahre gepachtet? Seufzend schüttelte Struensee die Gedanken ab, die ihm lange vertraut waren und ihn doch immer nur im Kreise herum führten, und schritt eilig die Kleine Mühlenstraße hinauf.

Auf dem kurzen Weg zu seiner Wohnung in der Königstraße machte er noch Besuche bei einer alten, schwer von der Gicht geplagten Witwe in einem der reicheren Häuser, und bei einem Kind, das mit seinen Eltern und fünf Geschwistern in einem der Hinterhöfe wohnte und gerade die Masern überlebt hatte. Ein Wunder, daß seine Brüder und Schwestern verschont geblieben waren.

Er ermahnte die Witwe wie schon so oft, ihrer Leidenschaft für Leber von gestopften Gänsen und mit Sahne geschmorten Schweinebauch zu widerstehen, und sich mehr an Sauerkraut, Spargel, Pilze und Erbsen zu halten. Ihrer Köchin gab er einen Beutel mit Bibernelle, Gundermann, Schafgarbe, Weidenrinde und allerlei anderen Kräutern und trug ihr auf, ihrer Herrin morgens und abends davon einen Tee zu kochen.

Dem Kind schenkte er ein paar Backpflaumen und eine schnelle Geschichte vom Wassergeist in der Elbe, steckte der Mutter kurz entschlossen die Hälfte des Entgelts, das er von der Witwe für seinen Besuch und den Tee erhalten hatte, für einen Krug frischer Milch in die Schürzentasche und war schon wieder verschwunden.

Hartog Gerson war bereits da. Der schmale junge Mann mit dem dunklen Bart saß in Struensees kleiner Studierstube neben dem größeren Wohnraum und war, wie so oft, über das Mikroskop des Freundes gebeugt. Neben dem kostbaren Gerät lagen nicht minder kostbare Bücher. Gerson hatte die ‹Micrographia› von Hooke aufgeschlagen, ein hundert Jahre altes und immer noch unersetzliches Werk, in dem alle nur denkbaren Insekten und auch einzelne ihrer zarten Körperteile so abgebildet waren, als betrachte man sie durch eine Lupe oder ein Mikroskop. Er hatte das schwere Buch gegen zwei andere gestützt, Swammerdams ‹Historia insectorum generalis› und Pascals ‹Pensées›. Die kostbaren Bücher waren Struensees größter Schatz und wie das Mikroskop Erbe seines Großvaters, der nicht nur in der Berufswahl sein Vorbild gewesen war. Aber auch wenn er, anders als die meisten seiner Kollegen, das Mikroskop zu den wertvollsten ärztlichen Werkzeugen zählte, fehlte ihm die innere Ruhe für die konzentrierte geduldige Arbeit der Augen. Gerson dagegen konnte sich stundenlang in diese Welt der Winzigkeiten vertiefen, und seine Ergebnisse mit dem Freund zu teilen und zu diskutieren, half ihm wie Struensee auf die beste Weise.

«War deine Vermutung richtig?» fragte Struensee statt einer Begrüßung. Er wußte, daß Gerson sich in diesen Tagen mit Stechmücken beschäftigte, weil er davon überzeugt war, daß die für die Verbreitung des Wechselfiebers oder Marschfiebers, wie es im Holsteinischen genannt wurde, verantwortlich waren. Was allerdings nicht der Lehrmeinung entsprach, die auch dieses Fieber als Folge von schlechten Dämpfen sah. Das Fieber war in diesen drückenden Tagen wieder heftig ausgebrochen, und Gerson fürchtete, es werde bald aus den sumpfigen Regionen des Landes in die Stadt gelangen.

Je mehr wir die Einzeldinge kennen, um so mehr erkennen wir Gott, hatte der jüdische Philosoph und Linsenschleifer Spinoza einst gesagt. Spinoza war von Juden wie von Christen als Ketzer verdammt worden, aber Struensee, der Christ, und Gerson, der Jude, gehörten zu denen, die seiner Lehre heimlich anhingen. Das Prinzip der Erkenntnisse durch das Mikroskopieren stand ihnen für alle Dinge auf der Welt: Hinter allem, was das Auge entdecken konnte, steckte noch etwas anderes, Kleineres. So sahen die Menschen im immer Kleineren immer mehr. Das letzte, am tiefsten Verborgene war das wirklich Bedeutungsvolle, erst mit dem Kleinsten erkannte man das Große, das Ganze. Nicht nur das Göttliche, hatte Struensee gefunden, sondern auch die wahre Ursache aller Übel. Und manchmal auch allen Glücks.

«Ich bin noch nicht sicher, ob meine Vermutung richtig ist», murmelte Gerson nach einer Weile. Er sah auf, rieb sich die Augen und seufzte: «Wenn doch nur die Linsenschleiferei endlich größere Fortschritte machen würde. Ich kann einfach nicht genug erkennen. Sag mir, was du siehst.»

Struensee warf einen flüchtigen Blick durch das schwarze, mit zierlichen Malereien von Insekten und Blumen verzierte Rohr. Dann schüttelte er den Kopf.

«Ich habe heute schon genug gesehen. Außerdem», er blickte zur Standuhr zwischen den Fenstern, «die anderen kommen gleich.»

Gerson nickte. Er wußte, was am Morgen im Pesthof geschehen war und daß Struensee die Sache heute abend mit Rohding und den beiden Komödianten noch einmal überlegen wollte. Es war ihm recht. Struensee führte trotz seiner geringen Einkünfte ein gastfreies Haus, seine Tafelrunden mit den unterschiedlichsten Gästen waren immer unterhaltsam und oft äußerst anregend für seinen und Struensees stets hungrigen Geist. Aber einen so seltsamen Tod hatten sie noch nie erörtert.

«Was hast du eigentlich vor? Willst du etwa gegen Kletterich streiten?»

Struensee zuckte mit den Achseln. «Das wäre Sache der Hamburger Ärzte. Und im Moment steht mir auch nicht der Sinn danach. Ich habe schon genug Ärger.»

«In deinem Gesicht lese ich, daß dein Kampfgeist dennoch wach und ungestüm ist. Gib acht, mein Freund, du wärst nicht der erste Armenarzt, der aus der Stadt gejagt wird, weil er sich zu ungeschickt mit den mächtigen Herren angelegt hat.»

Struensee lachte unbekümmert. «So ist es eben. Die Menschen hassen nun mal nicht so sehr den, der etwas Verkehrtes tut, sondern stets den, der es beim Namen nennt. Aber gerade du hast gut warnen. Den Deinen bist du doch auch zu weltlich. Was sagt denn dein Rabbi zu deinen spinozistischen Gedanken?»

«Ich rede mit ihm nicht darüber», antwortete Gerson mit sanftem Augenaufschlag. «Du weißt doch: Man soll schweigen, wenn weise alte Männer sprechen.»

Gerson, etwa zehn Jahre älter als sein Freund Struensee, stammte aus einer alten jüdischen Arztfamilie und hatte wie sein Vater in Holland und England studiert. Nun war er der Arzt der jüdischen Gemeinde von Altona und leitete auch deren kleines Krankenhaus, das erst kürzlich neben dem jüdischen Friedhof an der Königstraße eröffnet worden war. Ihre Freundschaft währte schon seit jenem mörderischen April 1759, als die brandige Halsbräune in ganz Holstein Hunderte Kinder getötet hatte. In Altona waren die meisten in der Kleinen Papagoyenstraße gestorben, wo vor allem die jüdischen Familien der Stadt wohnten.

In Hamburg, das von jeher fast nur reichen jüdischen Familien ein Wohnrecht einräumte, lebten vor allem ursprünglich aus Portugal stammende vornehme Sepharden, die mit ihren guten Beziehungen bis weit nach Übersee an der Blüte der Stadt größeren Anteil trugen, als je ein Hamburger Kaufmann zugegeben hätte. In Altona hingegen genossen zahlreiche deutsche Juden, Aschkenasim, den Schutz der dänischen Krone. Manche lebten in bescheidenem Wohlstand, aber die meisten waren arme Kleinhändler, die dichtgedrängt in den alten Fachwerkhäusern wohnten.

Hartog Gerson hatte damals die Hilfe des Stadtphysikus gebraucht. Die beiden jungen Ärzte konnten nur wenig tun, der Würgeengel ging um, so sagten die Leute, und erstickte die heiß fiebernden Kinder qualvoll. In jenen schreckensvollen Wochen entdeckten die beiden, daß sie mehr verband als ihr Beruf.

«Mach dir nicht so viele Sorgen, Hartog», sagte Struensee mit unternehmungslustig glitzernden Augen, «wenn es ganz schlimm kommt, wandere ich eben aus. Nach Ostindien zum Beispiel. Dort sollen die Menschen sehr freundlich sein. Und kaum bigott. Am besten, du kommst mit. Und wegen des Fiebers – das trifft ja doch vor allem die Hamburger, solange sie nichts gegen ihre stinkenden Fleete unternehmen.»

«Du hast leicht spotten, Struensee», klang eine trockene Stimme von der Treppe hinauf, «ihr Altonaer habt sauberes Wasser soviel ihr wollt aus euren vielen frischen Quellen. Bei uns in Hamburg bleiben den Leuten doch nur die Fleete.»

Doktor Rohding trat ins Zimmer. Trotz der Hitze trug er seine Perücke, nur die geöffnete Weste war ein Zugeständnis an die erdrückende Schwüle. Sein schmales Gesicht mit der großen, etwas knolligen Nase war blaß und ernst. Er warf seinen Rock über einen Stuhl, griff nach der Wasserkaraffe, die auf den Tisch stand, und füllte ein Glas.

«Auf Altonas Quellen!» Er hob das Glas und leerte es in einem Zug.

«Rohding! Schön, daß Ihr da seid.» Struensee sah den Hamburger Kollegen prüfend an. «Ihr seid blaß, Ihr braucht doch nicht etwa einen Arzt?»

Der andere lächelte säuerlich. «Ein guter, aber methusalemischer Scherz, Struensee. Und ich bin einer der Gesündesten in der Stadt da drüben.»

«Gewiß, weil Ihr reich genug seid und Euer Haus im letzten Jahr an die Wasserleitung von den Feldbrunnen angeschlossen habt.»

«Spottet nur weiter. Ich würde auch lieber die Gesunden gesund erhalten, als die Kranken notdürftig zu behandeln. Aber erspart mir heute den Streit um das Wasser. Obwohl es gerade in diesen Tagen interessante Überlegungen zuläßt. Wer uns Feldbrunnentrinkern übel will, muß nur ein wenig Arsenik in die Rohre schütten, und schon sind wir alle im Jenseits.» Er schnaubte mißmutig und trat an das weit geöffnete Fenster.

«Ihr wohnt idyllisch, Struensee», sagte er, «ich sehe nichts als endlose Wiesen und Felder, ein paar Gehöfte unter Eichen, Linden und Ulmen und drei, nein, vier Mühlen. Es riecht nach dem Heu, das die Leute dort drüben gerade wenden. Wenn ich aus meinen Fenstern im Valentinskamp sehe, ist da zwar noch der kleine Garten, sogar ein tapferer Kastanienbaum reckt sich zum Licht, aber gleich drum herum nichts als ein Gewimmel von Häusern, dunklen Höfen und zu vielen Menschen.» Er atmete tief die würzige Luft von den Feldern und fuhr fort: «Es stinkt in diesen Tagen bei uns ganz erbärmlich. Selten habe ich mich so sehr nach einem Garten vor den Wällen gesehnt. Oder wenigstens nach einem scharfen Nordwind.»

Gerson, der immer noch über dem Mikroskop saß und dem Geplänkel der Freunde nur mit halbem Ohr gelauscht hatte, sah auf. So trübe kannte er Rohding nicht. Doch wenn er es recht bedachte, war Rohding seit dem Tod seiner Frau vor nun schon mehr als zwei Jahren stiller geworden. Die beiden hatten einander sehr geliebt, und niemand wußte so recht, woran sie gestorben war. Sie war jung und bis dahin immer gesund gewesen. So etwas war auch nicht gerade förderlich für die Reputation eines Arztes. «Bittet doch euren neuen Heiligen um Wind, Rohding», sagte er. «Oder hat sich der Kometenbeschwörer schon wieder davongemacht?»

Rohding schüttelte den Kopf. «Er steht immer noch auf dem Großneumarkt und läßt sich begaffen. Inzwischen hat er eine recht treue Anhängerschar. Ich werde nie verstehen, warum die Leute so gerne von ihren Sünden und vom Untergang der Welt hören.» Er ließ sich auf einen Stuhl fallen und reckte sich. «Aber vielleicht habt Ihr recht, Gerson. Ich sollte ihn fragen. Seine Drohungen scheinen ja tatsächlich Schritt für Schritt wahr zu werden. Der Himmel wird immer giftiger, immer mehr leiden am Fieber, und nun dieser seltsame Tod im Pesthof.» Er schüttelte bedauernd den Kopf. «Gibt es heute bei Euch nichts zu essen, Struensee? Wenn wir auch über Schauriges zu reden haben, plagt mich doch der Hunger.»

Rosina und Sebastian hatten sich verspätet. Ausgerechnet heute war Jean eingefallen, daß er der Prinzipal war, und er wollte sie erst gehen lassen, nachdem sie über die Lieder für das neue Schäferstück entschieden hatten, mit dem in der nächsten Woche das Theater endlich eröffnet werden sollte. Auf der Treppe zu Struensees Wohnung begegneten sie der Bilserin, die gerade mit rotem Gesicht eine große Platte dampfenden Spargel hinauftrug. Eines der Bänder ihrer weißen Haube hatte sich zu dem schlanken grünen Gemüse in die flüssige Butter gelegt, aber sie war zu sehr in Eile, als daß Rosina sie darauf hätte aufmerksam machen können.

Die Bilserin, in deren Haus Struensee die obere Etage gemietet hatte und die ihm auch den Haushalt führte, hatte ungeduldig auf den Ruf aus dem ersten Stock gewartet. Zerkochter Spargel kam in ihrem Haus nicht auf den Tisch. Sie hatte auch, so wie er es gewünscht hatte, Kartoffeln gekocht. Allerdings war sie sicher, daß keiner seiner Gäste, wenn auch einer ein Jude war, seine Vorliebe für diese fremdländischen Knollen teilen konnte.

Tatsächlich wurden die Ergebnisse ihrer Kochkunst heute in Struensees Stube wenig gewürdigt. Die Ärzte und die Komödianten waren viel zu sehr in ihre Debatte über die Ursachen geistiger Verwirrung und ihre richtige Behandlung vertieft. Genaugenommen sprachen vor allem Rohding und Struensee. Rosina und Sebastian hatten bereitwillig die Rolle der unwissend Fragenden eingenommen, und Gerson war aufmerksam, aber still wie stets.

«Als ich vor geraumer Zeit in England lebte», mischte er sich schließlich doch ein, «besuchte ich gerne die Theater. Es gibt wohl in keiner anderen Stadt so viele wie in London. Auf einer kleinen Komödienbühne am Haymarket, nicht weit von der großen Oper, sah ich ein Stück, über das ich bisweilen noch heute nachdenke. Schau nicht so unwirsch, Struensee, ich will deine gelehrten Vorträge gar nicht unterbrechen, auch wenn es so scheint, ich will sie nur bereichern. Also iß den Spargel auf, er ist sowieso schon ganz kalt, und hör zu.»

Rohding schob schmunzelnd die Gemüseplatte über den Tisch. Niemand konnte Struensees missionarischen Redefluß so diskret und doch erfolgreich stoppen wie Gerson.

«Ich weiß noch, wie das Stück hieß: Die Melancholie des Liebenden. Es geht darin um einen äußerst trübsinnigen Fürsten, der jeder Aufheiterung widersteht. Bis sein Leibarzt, er trug den seltsamen Namen Corax, ihm ein eigens für diesen Zweck gestaltetes Ballett vorführen läßt. Die Tänzer stellten alles dar, Gram, Verzweiflung, Mutlosigkeit, Lethargie, auch aufkeimende Hoffnung, eben die ganze Zerrissenheit einer verdunkelten Seele.»

«Und hat es dem grämlichen Fürsten genützt?» Struensee schob mit der letzten Kartoffel die flüssige Butter zusammen und steckte sie achtlos in den Mund. «Vergnügen ist immer heilsam, du weißt, wie ich darüber denke, Hartog, aber hauptsächlich, davon bin ich fest überzeugt, müssen die Kranken Arbeit bekommen. Würdest du nicht verrückt, wenn man dich in diese Säle des Schreckens sperrte und dich dazu an allem sinnvollen Tun hinderte? Was bleibt einem da als Toben, Schreien oder Erstarren?»

Gerson nickte, aber in seiner Antwort ignorierte er die letzten Sätze.

«Es war natürlich Theater, mein gestrenger Freund, aber dort auf der Bühne hat es tatsächlich genützt. Der Fürst wurde wieder froh, und alle waren glücklich. Könnte das im wahren Leben nicht auch gehen? Was sagt Ihr dazu, Mademoiselle?»

Rosina hatte mit großer Spannung zugehört und sah schon die Szenen vor sich, nicht als Ballett, sondern als Komödie. Die Geschichte gefiel ihr ausnehmend gut, und sie würde sie gewiß nicht vergessen. Aber jetzt lachte sie. «Es war, wie Ihr sagt, Theater. Aber das Theater ist doch auch eine Schule. Die Leute lachen und weinen vor unseren Brettern, aber ich hoffe stets, daß wir nicht nur ihre Seelen, sondern auch ihren Geist berühren.»

«Rosina ist fest davon überzeugt», erklärte Sebastian, «daß manche ab und zu über das nachdenken, was sie bei uns gesehen und gehört haben. Ich bin da nicht so sicher ...»

«Weil du in der Tiefe deiner Seele auch nichts als ein Misanthrop bist.»

Darüber lachten sie beide, es war eine alte Uneinigkeit zwischen ihnen, und obwohl er nun schon einige Jahre mit den Komödianten reiste, dachte Sebastian immer noch kühl wie ein Student der Jurisprudenz. Das behauptete jedenfalls Rosina.

«Nun gut, aber Theater, sinnvolles Tun oder gar beides zusammen wird Billkamp nicht mehr helfen.» Rohding hatte den vorrückenden Zeiger der Standuhr gesehen. «Und wegen Billkamps Tod sind wir heute hier. Allerdings frage ich mich, was es da noch zu reden gibt? Natürlich muß im Pesthof vieles verbessert werden, aber wo nicht? Und das werden wir heute ganz sicher nicht mehr bewältigen.»

Rosina warf Sebastian einen hilfesuchenden Blick zu, aber der verschränkte die Arme vor der Brust, lehnte sich zurück, sah aus dem Fenster und schwieg. Rosina hatte etwas genommen, das ihr nicht gehörte. In bester Absicht, aber es war ihm trotzdem peinlich. Würden nun nicht alle denken, das Stehlen sei ihr, der Komödiantin, etwas Selbstverständliches?

«Wir können ihm nun nicht mehr helfen», sagte sie. «Das stimmt. Aber ich möchte trotzdem wissen, warum er überhaupt in den Pesthof kam. Und vielleicht können wir dann auch herausfinden, warum er sterben mußte.»

«Aber das ist doch ganz klar, der Drehstuhl ...»

«Ja und nein», Rosina griff in die Tasche ihres weiten Rockes, holte behutsam einen gläsernen, sauber verstöpselten Napf hervor und stellte ihn mitten auf den Tisch.

«Was ist das?» Struensee griff nach dem Napf und drehte ihn neugierig in den Händen.

«Den habe ich in Billkamps Kammer gefunden. Als alle um den Toten herumstanden, wollte ich nur fort von diesem schrecklichen Anblick. Nun ja, ich will zugeben, daß ich auch ein Ziel hatte. Ich ging zurück zu seiner Kammer, weil ich hoffte, unter den vielen Papieren, die wir vorher auf seinem Tisch gesehen hatten, wäre vielleicht unser Stück. Damit muß es doch irgendeine verhängnisvolle Bewandtnis haben, und ich möchte wissen, welche.»

«Und? Habt Ihr es gefunden?»

«Nein, Monsieur Rohding. Aber ich habe dieses Gefäß aus Glas eingesteckt. Ich war in Eile, und irgend etwas daran schien mir seltsam. Ich habe es einfach eingesteckt. Erst vorhin, als wir uns auf den Weg hierher machten, sah ich es noch einmal genauer an, und mir kam ein böser Verdacht.»

Struensee drehte das kleine Glasgefäß vorsichtig in den Händen. Das Licht des Tages schwand schon, so hielt er es näher ans Fenster und runzelte die Stirn.

«Irgendeine Quacksalbermischung», sagte er, löste den Stopfen und hielt sich den Napf unter die Nase. «Es riecht vor allem nach Schweineschmalz. Wie eine ganz normale Salbe. Was hältst du davon, Hartog? Denkst du, was ich denke?»

Gerson nahm den Topf, roch daran und versuchte mit zusammengekniffenen Augen die seltsamen Zeichen zu entziffern, die auf einen aufgeklebten Papierfetzen gemalt waren.

«Ich denke schon. Diese Zeichen verraten ja, was darin ist. Ihr solltet es außer uns niemandem zeigen, Rosina, sonst kommt Ihr in Teufels Küche.»

«Richtig», knurrte Struensee, «genau dahin, wo dieses Zeug herkommt. Wenn es das ist, was ich glaube.»

«Verdammt», Rohding saß nun ganz aufrecht, «hört auf, in Rätseln zu sprechen. Was ist in dem Glas?»

Er nahm es Gerson ungeduldig aus der Hand, versuchte die Schrift zu lesen, wischte vorsichtig darüber und befeuchtete schließlich seinen Daumen. Hätte Gerson ihm das kleine Gefäß nicht schnell wieder fortgenommen, wären die Zeichen unter Rohdings Prüfung womöglich zu einem unleserlichen Fleck verlaufen.

«Was tatsächlich drin ist, weiß ich nicht», sagte Gerson bedächtig. «Aber wahrscheinlich ist es etwas, das die Leute, manche Leute jedenfalls, Hexensalbe nennen. Nein, bitte, laßt uns jetzt nicht darüber diskutieren, Rohding, ob es Hexen gibt oder nicht, das ist völlig überflüssig. Aber Ihr wißt auch, daß Kräuter und Wurzeln wachsen, die den Geist verwirren und seltsame Gefühle im Körper hervorrufen. Niemand spricht darüber, weil es zu gefährlich ist. Im Süden verbrennen oder rädern sie immer noch Frauen, die im Verdacht stehen, eine Hexe zu sein.»

Rosina warf Sebastian einen triumphierenden Blick zu. Gestohlen oder nicht, sie hatte nur etwas gerettet, was sonst unweigerlich im großen Abfallhaufen des Pesthofes verschwunden wäre.

«So etwas hatte ich vermutet», sagte sie, völlig unberührt von den Ermahnungen der Männer, «und natürlich kann ich damit nicht zur Wedde gehen. Schließlich sind wir Komödianten, die kommen ja gleich nach den Hexen ...»

«Und den Juden», murmelte Gerson. Er starrte immer noch auf das Glas in seinen Händen. «Warum zur Wedde?» fragte er dann. «Billkamp ist tot. Warum sollte man ihn denn jetzt noch der Hexerei, oder laßt mich sagen, der Quacksalberei anklagen?»

«Weil Rosina glaubt», erklärte Sebastian viel ruhiger, als ihm zumute war, «daß er nicht wußte, was er da besaß und wahrscheinlich auch benutzt hat. Weil ihm diese Salbe vielleicht jemand gegeben hat, der unbedingt *wollte*, daß er verrückt wurde, oder zumindest, daß die Leute ihn für verrückt hielten.»

Endlich hatte er begriffen, wie wichtig ihr kleiner Diebstahl gewesen war. «So einem glaubt man doch nichts», setzte Rosina seine Erklärung eifrig fort. «Wenn er ein Stück schreibt, in dem ein Skandal, ein Verbrechen, oder was auch immer, bekannt gemacht wird, werden alle sagen, das sei nur ein Zeugnis seines verwirrten Geistes. Und deshalb denke ich, jemand, der etwas verheimlichen muß, hat ihm die Sache gegeben. Vielleicht hat er gesagt, sie sei gut für die Dichtkunst oder so etwas wie ein Jungbrunnen. Irgend etwas, das ihm erstrebenswert erschien.»

«Starker Tobak», Rohding zupfte sich nachdenklich am Kinn, «aber durchaus möglich. Andererseits könnte er auch schlechtes Mehl gegessen haben. Eine Vergiftung mit Mutterkorn kann sich ganz ähnlich zeigen und ist bei diesem Wetter gar nicht unwahrscheinlich.»

«Das ist wohl richtig, aber ich habe nichts von schlechtem Mehl gehört, weder in Hamburg noch in Altona», gab Struensee zu bedenken, «und es ist doch recht unwahrscheinlich, daß nur er allein davon gegessen haben sollte. In Billkamps Küche kam sicher nur feinstes Mehl, das feuchte, klumpige gelangt kaum in reiche Häuser.»

Das gestand Rohding bereitwillig zu. «Allerdings, nur weil da dieser Papierfetzen mit ein paar mysteriösen Kritzeleien ...»

«Wir müssen es ausprobieren», rief Rosina, «das ist doch ganz einfach. Der Napf ist fast leer, aber auch schon ein kleines bißchen . . .»

«Auf gar keinen Fall! Wenn Ihr das tun wollt, seid Ihr jetzt schon verrückt.» Struensee war aufgesprungen und stapfte mit ärgerlichen Schritten durch das Zimmer. «Kommt nicht in Frage. Versprecht mir, daß Ihr das nicht tun werdet, Rosina.» Er streckte ihr streng fordernd die Hand entgegen, und sie schlug widerwillig und auch ein ganz klein wenig erleichtert ein.

«Gut. Ich vertraue auf Eure Vernunft. Ich habe überhaupt keine Lust, so bald wieder im Pesthof Visite zu machen.»

Er holte fünf böhmische Gläser aus dem Vitrinenschrank und füllte sie mit dem Wein, den die Bilserin in einem kühlenden Krug auf die Anrichte gestellt hatte.

«Ich könnte natürlich versuchen», er nahm prüfend einen Schluck Wein, «eines von den Schweinen im Hof damit einzureiben.»

«Schweine sind keine Menschen», wandte Gerson vernünftig ein. «Es wäre kein echter Beweis. Außerdem weiß man bei Schweinen auch sonst nie, ob sie nicht gerade ein bißchen irre sind.»

Alle schwiegen und blickten auf Struensee. Ihm war deutlich anzusehen, daß hinter seiner hohen Stirn eine Idee reifte. «Wir werden alle darüber nachdenken», sagte er schließlich. «Aber ich bitte Euch, Rosina, zeigt diese Salbe Eurem Kräuterweib. Ihr alle wißt, daß die Quacksalberei mir ein ekles Übel ist. Aber ich muß zugestehen, Lies weiß viel über die alten Künste, und sie kennt sich mit Kräutern und Wurzeln aus wie niemand sonst, den ich kenne. Und nun werde ich dieses Teufelszeug in ein festes Leinensäckchen wickeln, sonst könnt Ihr womöglich doch nicht widerstehen.»

Es war spät geworden. Vor allem Rohding, der, wie er die andern erinnerte, noch vor der Torsperre durch die Wälle nach Hamburg hinein mußte, war in großer Eile. Und auch Gerson wollte noch einmal in sein Hospital.

«Rohding», rief Struensee ihm nach, als er schon die Treppe hinunterlief, «könnt Ihr diesen Kometenbeschwörer nicht einmal zu meiner Tafelrunde mitbringen? Ich würde mich zu gerne mit ihm unterhalten.»

Das allerdings verweigerte Rohding ganz entschieden.

4. KAPITEL

Es ging schon auf Mittag zu, als die Kutsche Altona erreichte und durch die Breite Straße rollte. Claes sah zwei Männer mit schwarzen Hüten und leicht gebeugtem Gang in einer schmalen Passage zwischen den Häusern verschwinden. Sicher waren sie unterwegs zur Synagoge der hochdeutschen Juden, die sich in einem Hof zur Kleinen Papagoyenstraße hin befand. Das große, schlichte Backsteingebäude mit den mit dem Davidstern im Strahlenkranz verzierten Fenstern war für Passanten unsichtbar zwischen den Straßenzügen erbaut.

Die Breite Straße trug ihren Namen zu Recht, hier hatten auch fünf Kutschen nebeneinander Platz. Sie war von soliden drei- und vierstöckigen Bürgerhäusern gesäumt, und obwohl das Gebiet zum alten Stadtkern gehörte, war kein Haus älter als fünfzig Jahre. Die Gebäude, die 1711 den großen Brand überstanden hatten, waren zwei Jahre später vernichtet worden, als die Schweden den größeren Teil der Stadt einäscherten. Wenn Claes sich auch manchmal hinter Hamburgs Wällen eingesperrt fühlte, vergaß er nie ihren Nutzen. Die imposante Leistung des holländischen Festungsbaumeisters hatte alle Kriegsherren, selbst die des großen, dreißig Jahre währenden Gemetzels, abgeschreckt.

Das Haus der Stedemühlens, hatte Christian erklärt, sei leicht an den beiden kugelrunden Buchsbäumen links und rechts der Tür zu erkennen. Es stand am Anfang der Palmaille, auf der linken Seite, direkt bevor der steile Weg zur Elbe hinunter-

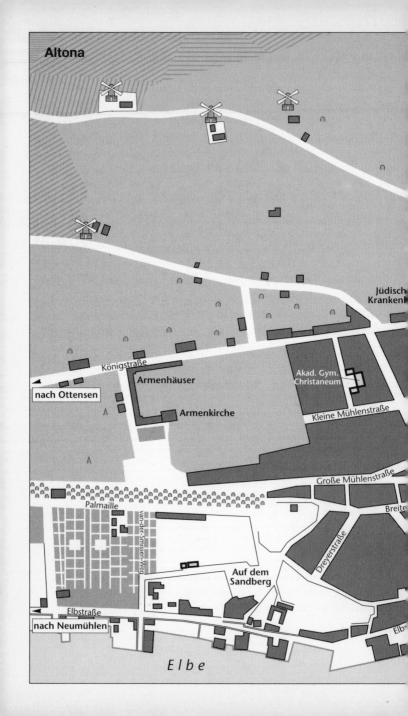

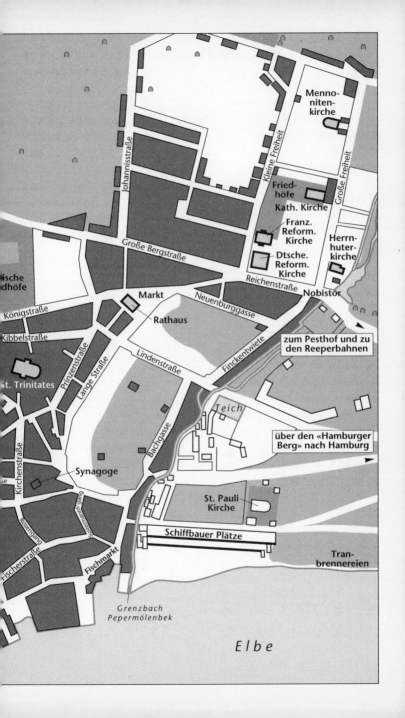

Mennoniten-kirche

Kleine Freiheit

Große Freiheit

Johannisstraße

Fried-höfe

Kath. Kirche

Franz. Reform. Kirche

Dtsche. Reform. Kirche

Herrn-huter-kirche

Große Bergstraße

ische
dhöfe

Reichenstraße

Nobistor

Königstraße

Markt

Neuenburggasse

Kibbelstraße

Rathaus

Prinzenstraße

Lindenstraße

Finckentwiete

zum Pesthof und zu den Reeperbahnen

St. Trinitates

Lange Straße

Teich

Kirchenstraße

Bachgasse

über den «Hamburger Berg» nach Hamburg

Synagoge

St. Pauli Kirche

Rosengang

Schiffbauer Plätze

ischerstraße

Fischmarkt

Tran-brennereien

Grenzbach
Pepermölenbek

Elbe

führte, der die Van der Smissenschen Gärten begrenzte und auch nach der Familie benannt war. Natürlich kannte Claes die van der Smissens, die einflußreichsten Kaufleute der Stadt. Sie waren Mennoniten wie die Stedemühlens. Wahrscheinlich, dachte Claes, als die Kutsche vor einem Haus hielt, das nicht viel mehr als zehn Jahre alt sein konnte und trotz seiner Schlichtheit von behäbigem Wohlstand zeugte, hatten sie dem Kapitän bei der Ansiedelung in Altona geholfen.

Brooks kletterte vom Kutschbock und öffnete ihm die Tür. «Wir sind da», sagte er.

«Danke, Brooks. Warte bitte, es wird nicht lange dauern. Aber stell dich unter die Bäume. Da im Schatten ist es vielleicht ein bißchen kühler.»

Die Tür wurde von einem blassen Mädchen mit blassen Augen unter weißblondem Haar geöffnet. Sie war trotz der Hitze ganz in dunkles Grau gekleidet. Ihre Hände waren unter der makellos weißen Schürze verborgen. Sie knickste und bat ihn zu warten, die Herrschaften seien zu Hause.

«Ich will sehen, ob sie jetzt, so kurz vor dem Mittag, noch empfangen.»

Bevor Claes auf diese kaum verhohlene Zurechtweisung eine scharfe Antwort geben konnte, war die Magd geräuschlos wie eine Fee verschwunden.

Die Diele des Hauses war nicht sehr groß. Hier gab es kein Kontor, keine Lagerböden, hier wurde nur gewohnt, und, das mußte er zugeben, in dezenter, aber deutlicher Vornehmheit. Aus dem großen Haus, in dem doch viele Menschen leben mußten, drang kein Laut in die Diele. Nicht einmal das Scheppern der Töpfe und Schüsseln, das in seinem eigenen Haus um diese Stunde immer bis unters Dach zu hören war.

Gerade als er den Namenszug des Londoner Uhrmachers entziffert hatte, der die schlanke Standuhr im polierten Mahagonigehäuse samt Datumsanzeige auf dem Zifferblatt geschaffen hatte, hörte er leichte Schritte auf der Treppe.

Ihr Gesicht konnte er nicht gleich erkennen. Er sah nur eine schlanke Gestalt in einem weichfließenden blaßgrauen Kleid, das Haar unter einer Haube versteckt, ähnlich der des Mädchens, aber aus zartem, durchscheinendem Stoff und über dem glatten Stirnband zierlich gefältelt. Sie blieb auf dem Treppenabsatz stehen und sah zu ihm hinunter. Durch das große Fenster, das fast die ganze Wand hinter dem Treppenabsatz einnahm, fiel gleißendes Sonnenlicht und ließ ihr Gesicht im Dunkel. Er glaubte ein kleines Seufzen zu hören, aber das war gewiß nur eine Bewegung der Dielen.

Erst als sie langsam die Treppe herunterkam, sah er ihr Gesicht. Ein altersloses Gesicht, das einmal sehr schön gewesen war. Nein, es war immer noch schön mit den großen Augen, nur eine Nuance dunkler als die Farbe ihres Kleides, mit der zierlichen Nase und dem langen Hals, der wie der eines eleganten Vogels aus ihrem weißen Kragen wuchs.

Nur ihre Lippen hatten sich verändert. Sie waren schmal geworden.

Kirschenlippen, dachte er, sie hatte Kirschenlippen gehabt, und flüsterte: «Gunda?»

Sie sah ihn aus diesen großen grauen Augen an, die immer noch ein wenig im Schatten lagen, und nickte. Jetzt erkannte er, daß sich auch ihre Augen verändert hatten.

«Wenn Sie mich bitte Stedemühlen nennen wollen, Monsieur Herrmanns. Madame Stedemühlen. Ich muß den Kapitän entschuldigen, er hat bis zum Sonnenaufgang in seinem Observatorium gearbeitet und muß noch ruhen. Ihr werdet gewiß mit mir vorliebnehmen. Wenn ich bitten darf.»

Sie neigte leicht den Kopf und ging, genauso geräuschlos wie zuvor ihr Mädchen, voraus in den Salon, der an die Diele grenzte.

Josua Stedemühlen, oder der Kapitän, wie er allgemein genannt wurde, schlief nicht. Dabei wünschte er sich nichts sehnlicher, als zu schlafen. Früher, in seinen jungen Jahren, und darunter verstand er die Zeit seines Lebens, die er auf See verbracht hatte, konnte er das zu jeder Tageszeit. Nicht daß er ein behäbiger oder gar fauler Mensch gewesen war. Tatsächlich hatte er immer nur wenig Ruhe gebraucht, aber das Leben auf See war nicht von der Uhr, sondern von Wetter und Wind und der Verantwortung für die Ladung und die Männer auf seinen Schiffen bestimmt gewesen. Es hatte ihn gelehrt, sich, wann immer die Gelegenheit günstig war, den notwendigen Schlaf zu holen. Er war von einer Sekunde auf die andere eingeschlafen und ebenso schnell hellwach geworden, wenn sich die Dünung veränderte, der Wind auffrischte oder ungewöhnliche Geräusche verrieten, daß an Bord etwas nicht so war, wie es zu sein hatte.

Er war nicht gleich an Land geblieben, nachdem er geheiratet hatte. Zunächst machte er zwischen den Fahrten immer längere Pausen. Erst später, als er sich mit seiner Frau und den ersten beiden Kindern in Bristol niedergelassen hatte, nahm er seinen Abschied als Kapitän. Die ersten Jahre in der Hafenstadt am Avon in Englands Südwesten waren friedvoll, er erinnerte sich nicht genau, wann die Alpträume angefangen hatten. Sie kamen schleichend, in großen Abständen, und zuerst fand er sie nur lästig. Er sprach nie darüber, und seine Frau, die seine nächtliche Unruhe spürte, gab endlich auf, ihn danach zu fragen. Auch seinem Wunsch, das schöne Haus an der Corn Street nahe St. Nicolas' Market zu verkaufen und in ein anderes in dem Dörfchen Clifton auf der Höhe über der Stadt zu ziehen, stimmte sie ohne Fragen zu. Die Rückkehr an die Elbe allerdings verweigerte sie, bis er darauf einging, sich zumindest nicht in Hamburg, sondern in Altona niederzulassen.

Als er diese seltsame Ehe schloß, war er schon in den Vierzigern, mehr als doppelt so alt wie sie, ein hagerer, schweigsamer Mann, der den Umgang mit Menschen an Land wenig gewöhnt war. Er hatte diese Braut angenommen wie ein unerwartetes Geschenk und wie eine Aufgabe, die Gott ihm gesandt hatte, und viele Jahre lang geglaubt, sein Gehorsam sei belohnt worden.

Nun war Gottes Nachsicht erschöpft. Vielleicht hätte er sich milder gezeigt, wenn das Mädchen, das er zu seiner Frau bestimmt hatte, so gewesen wäre, wie ihre Eltern glaubten. Aber sie war ihm stets treu ergeben, hatte ihm Kinder geschenkt, nur eines hatte Gott wieder zurückgefordert, und bescheiden, willig und klug sein Haus verwaltet. Im Laufe der Jahre hatte er geglaubt, Gott könne vergessen. Aber natürlich konnte Er das nicht.

Gundas Gott war milde. Seiner war gerecht.

Er schlug die Decke zurück, die sie gegen diese lähmende Kälte seines Blutes wieder einmal vergeblich über seine Knie gelegt hatte, erhob sich und ging zum Fenster. Zwei Gärtner schleppten schwere Kannen mit Wasser vom Brunnen am Ende des großen Gartens, der unter der Hitze zu verdorren drohte, und leerten sie über den Wurzeln der beiden Goldregenbüsche vor dem Pavillon. Aber er sah sie nicht. Er sah über den Fluß, der breit war wie ein großer See, sah über die grünen Inseln, auf denen Vieh graste, sah in den Himmel. Dunst schob sich vor das matte Blau, wie die gelblichgraue Leinwand alter spakiger Segel, die schlaff an den Rahen hingen. Die Ruhe vor dem Sturm. Wenn dieser Sturm doch endlich losbrechen würde! Aber er wußte, daß die Erlösung nicht mehr lange auf sich warten lassen konnte.

Erlösung, so hatte er geglaubt, bedeute Gottes gnädiges Verzeihen. Aber das war ein Irrtum, die nichtige Hoffnung eines Menschen. Für ihn war nur die Strafe, die ihn bald, sehr bald erwartete, Erlösung, und er wollte sie annehmen, um Demut bemüht.

Nacht für Nacht hockte er in dem kleinen Turm auf dem Pavillon am Ende des Gartens und starrte in den Himmel über dem Elbhang, in diesen Juninächten, die immer kürzer wurden und die Sterne viel zu schnell verblassen ließen. Er starrte in den Himmel und wartete auf den einen Stern, der keiner war. Auf den Boten, der das Ende anzeigen würde. Die Erlösung. Er war gewiß, daß der prophezeite Komet sein Zeichen war.

Ein Schwalbenpaar flog tief über die Buchsbaumhecken, deren herber Geruch bis in sein Zimmer drang. Die Schwalben, sagte man in Frankreich, meiden ein unglückliches Haus. Für einen Moment atmete er freier.

Zwei Stockwerke tiefer saß Claes im lichten Salon auf der gelben Seide eines Besuchersessels und versuchte in dem Gesicht der Frau zu lesen, die ihm aufrecht mit manierlich im Schoß gefalteten Händen gegenübersaß. Sie hatte ihren Rücken dem Fenster zugewandt, so daß ihre Züge wie schon zuvor auf der Treppe gegen das helle Licht des Tages im Dämmer lagen. Er war nicht nach Altona gefahren, weil er so furchtbar gerne peinliche Gespräche um die Ehre und um mögliche Verfehlungen seines Sohnes führte, sondern weil er eine unsinnige Empörung aus der Welt schaffen und eine Versöhnung herbeiführen wollte. Und nun saß er dieser Frau gegenüber, der verkörperten Erinnerung an seine Jugend, und wußte nicht weiter.

Tatsächlich hatte er seit vielen Jahren nicht mehr an sie gedacht. Zuerst, weil es zu schmerzhaft war. Später, als er Maria getroffen und geheiratet hatte, weil es keinen Grund mehr gab, um eine verlorene Liebe zu trauern. Hätte ihm noch gestern jemand erzählt, diese unverhoffte Wiederbegegnung würde ihm heute, nach mehr als zwanzig Jahren, weiche Knie bereiten, hätte er gelacht. Aber es gab keinen Zweifel, er hatte weiche Knie. Und auch wenn er in dieser schmalen grauen Gestalt unter der akkuraten Haube der mennonitischen Ehefrau das quirlige, sommersprossige Mädchen von einst kaum mehr wiederfand, spürte er doch diese weiche Stelle in seinem Herzen, die er trotz ihrer schrecklichen Zurückweisung immer für sie bewahrt hatte.

«Ich gebe zu», sagte sie mit ihrer tonlosen Stimme, die er ebensowenig wie die schmalen Lippen wiedererkannte, «daß ich ein wenig die Contenance verloren habe, als ich, nun, als ich meine Tochter und Euren Sohn auf diese vertraute Weise in der Diele sah. Ich habe mich unbeherrscht verhalten, und dafür möchte ich mich entschuldigen.»

Er wünschte, sie möge wenigstens schwer atmen oder ein

klein wenig seufzen, aber sie saß ruhig und unbewegt wie eine Statue.

«Aber ganz sicher werde ich das Verhalten Eures Sohnes nicht entschuldigen. Er war uns als der Freund eines Freundes willkommen, er war immer höflich und zurückhaltend, und ich habe nie daran gedacht, daß er mein Kind – verführen würde, daß er ...»

«Ich bitte dich, Gunda.» Er schaffte es einfach nicht, sie Madame Stedemühlen zu nennen. «Verführen! Sie haben sich umarmt. Ich habe keinen Grund, an Christians Schilderung zu zweifeln. Und seine Absichten sind durchaus ehrbar, das darf ich dir auch in seinem Namen versichern.»

«Ehrbar, Claes? Das waren deine angeblich auch ...»

«Du hast mich Claes genannt!»

«Schon wieder ein Fehler», sagte sie streng, aber ein kleines Lächeln schlich sich widerwillig in ihre Mundwinkel, «für den ich mich entschuldigen muß. Monsieur Herrmanns.» Sie erhob sich rasch und trat ans Fenster, aber auch der Blick über den Garten konnte ihre Gefühle nicht mehr im Zaum halten. «Ehrbar! Deine Absichten waren auch ehrbar. Das habe ich jedenfalls geglaubt, ich konnte mir damals einfach nichts anderes vorstellen. Ich war sehr dumm. Und ich bin dafür bestraft worden. Ich hatte dir mein Herz und mein Leben geschenkt. Und du hast es weggeworfen. Du hast alles genommen und mich mit meiner Leichtfertigkeit, mit meiner Sünde allein gelassen. Du hast mich weggeworfen. Wie ein leergetrunkenes Glas.»

«Gunda.» Er stand nun neben ihr, ganz nah, und traute sich doch nicht, zu tun, was er sich in diesem Moment mehr wünschte als alles auf der Welt: sie in die Arme zu schließen, festzuhalten, zu trösten. Sie zu verstehen.

«Ich begreife dich nicht. Nicht ich, du warst es, die plötzlich verschwand. An dem Tag, ich werde ihn nie vergessen, niemals, an dem Tag, an dem ich deinen Vater bitten wollte, dich mir zu geben, für immer, warst du verschwunden. Ich habe nie wieder von dir gehört. Sie gaben mir diesen Brief, diese wenigen mageren Zeilen, und schickten mich fort. Wie kannst du sagen, ich hätte dich allein gelassen? Ich wollte mein Leben mit dir teilen, und du bist vor mir geflohen wie vor einem Aussätzigen...»

Sie schwankte. Er fing sie auf und führte sie zu der gepolsterten Bank neben dem Cembalo. Ihr Gesicht war tränenüberströmt und bleich wie ihre Haube, mit eiskalten zitternden Händen griff sie nach seinem Arm.

«Sie gaben dir einen Brief? Von mir?»

«Natürlich. Aber ich verstand ihn nicht, ich...»

«Mir gaben sie auch einen Brief. Von dir.»

«Was für einen Brief? Ich habe keinen geschrieben. Warum auch? Ich wußte doch, ich würde dich an diesem Tag sehen. Und zwar, so glaubte ich fest, als meine Braut.»

Sie preßte beide Hände gegen ihre Schläfen und schloß die Augen, eine steile Falte wuchs über ihrer Nasenwurzel, tief atmend rang sie um Fassung.

Dann öffnete sie die Augen und sah ihn fest an.

«Ich bitte dich sehr, Claes, um unserer Kinder willen, belüge mich jetzt nicht. Bitte, belüge mich nicht. Hast du mir an dem Tag, bevor ich verschwand, wie du es nennst, einen Brief geschrieben? Hast du mir geschrieben, daß du mich nun nicht mehr genug achten kannst, um mich zu deiner Frau zu machen. Hast du diesen Brief geschrieben?»

«Das ist doch absurd, Gunda. Um nichts in der Welt hätte ich so einen Unsinn geschrieben. Ich liebte dich so brennend, du weißt am besten, wie sehr. Ein Leben ohne dich konnte ich mir überhaupt nicht vorstellen. Mir war, als müßte ich sterben, als sie mir deinen Brief gaben und die Tür hinter mir ins Schloß warfen.»

«Meinen Brief.» Ihre Stimme war nicht mehr als ein Flüstern. «Was stand in dem Brief?»

«Nicht viel. Um so weniger verstand ich es. Ich war mir deiner Liebe so gewiß. Du schriebst, daß du nach England reisen und mich nie wiedersehen wolltest. Und daß ich deiner nicht würdig sei. Ich wisse selbst, warum. Ich fand das völlig verrückt, ich dachte – o mein Gott, Gunda!» Endlich begriff er die Wahrheit. «In beiden Briefen stand fast das gleiche. Deine Eltern ...»

«... haben die Briefe selbst geschrieben und uns so getrennt. Sie hatten gehofft, daß wir unsere Schriftzüge nicht kannten, und wir hatten uns ja tatsächlich nie geschrieben, nicht einmal ein kleines Billett, aus Angst, jemand könnte es finden. Sie haben mich auf das erste Schiff gebracht, das mit dem frühen Wind bei Sonnenaufgang den Hafen verließ, weil sie wußten, daß ich ihnen dieses eine Mal nicht gehorchen würde. Nein, Claes, ich habe dich nicht verlassen. Sie haben uns auseinandergerissen.»

Sie atmete tief, und langsam kehrte ein wenig Farbe in ihre Wangen zurück.

«Wie konntest du nur glauben, ich würde dich so kalt verlassen, Gunda?»

«Und warum hast du nicht nach mir gesucht?»

Er hatte sie gesucht, in jenen Augusttagen 1744, aber einfach nicht finden können. Er wußte, daß in den letzten 36 Stunden kein Schiff den Hafen nach England verlassen hatte. Länger konnte sie aber nicht fort sein, sie hatten einander ja vorgestern noch gesehen, im Vorbeigehen bloß, und sich mit der gebührenden distanzierten Höflichkeit gegrüßt, die nur flüchtig miteinander bekannten jungen Leuten zusteht. Er schickte einen Boten nach Altona, und dort hatte, so wurde ihm berichtet, am Morgen eine Schnau nach Amsterdam abgelegt, die auch Fracht für Emden geladen hatte. Von Emden gingen oft Schiffe nach London. Auf diesem Schiff, so dachte er, mußte sie sein.

Natürlich wollte er sich sofort auf den Weg nach Emden machen. Auch wenn die Chance, die Hafenstadt an der Emsmündung vor der Schnau zu erreichen, gering war, der Wind stand gut in diesen Tagen, wollte er es doch versuchen, und wenn er sie verpaßte, konnte er das nächste Schiff nach England nehmen und sie dort suchen.

Ihre Eltern hatten sich geweigert, ihm genauere Auskunft zu

geben, und es war sicher schwierig, sie in der größten Stadt, von der man je gehört hatte, zu finden. Aber er vertraute auf sein Glück und auf die guten Verbindungen, die er seit seiner Lehre in London hatte.

Aber dann konnte er Hamburg nicht verlassen. Sein Vater wurde im Hafen von einem durchgehenden Gespann überrannt, und es war nicht gewiß, ob er dieses Unglück überleben würde. Als einziger Sohn mußte Claes seinen Platz einnehmen. Also schickte er Blohm, der mit ihm in London gewesen war und sich genausogut auskannte, um nach Gunda zu suchen. Der kehrte nach einigen Wochen unverrichteterdinge zurück.

«Da wußte ich nicht mehr weiter. Und es gab schrecklich viel zu tun, ich war ja plötzlich allein verantwortlich für unseren ganzen Handel. Wir hatten viel Ärger mit den Barbaresken und den Franzosen.»

Seine Erklärung erschien ihm jetzt dünn. Doch, er hatte sie gesucht. Aber als Blohm ohne Nachricht zurückkam, hatte er einfach aufgegeben. Und, aber das würde er ihr nun nicht sagen, mit großem Zorn. Sie hatte ihn verraten. Warum sollte er weiter nach ihr suchen? So hatte er damals gedacht.

Und dann, sein Vater war kaum genesen, sorgten seine Eltern für die Bekanntschaft mit Maria, der Tochter eines Amsterdamer Kompagnons seines Vaters, die den Sommer bei ihrer Tante in der Gröninger Straße verbrachte. Er liebte sie nicht gleich, sein Herz war noch wund, und sein Stolz stellte sich noch geraume Zeit vor jedes zärtlich aufkeimende Gefühl, aber doch sehr bald. Er war bereit gewesen, Gunda zu lieben, sie war verschwunden, nun liebte er Maria. Im Mai 1745 wurde sie seine Frau, und er begann, Gunda zu vergessen. Maria hatte ihm das sehr leichtgemacht.

«Wenn du dachtest, es sei mein Wunsch gewesen, zu reisen, hast du dich nie gefragt, warum meine Eltern mich so plötzlich fortgelassen hatten?»

«Zuerst nicht. Meine Gedanken waren wie gelähmt. Ich glaubte, daß ich mich völlig in dir getäuscht hatte, und ich hatte

100

den Beweis, daß du mich nicht wolltest. Und jetzt? Doch sicher, weil sie nicht wollten, daß du einen Mann heiratest, der nicht zu eurer Kirche gehört. So war das damals, obwohl auch in jenen Jahren schon Ehen über diese unsinnigen Grenzen hinweg geschlossen wurden.»

«So unsinnig finde ich sie nicht.»

Ihre Stimme klang streng und entschlossen, und Claes schaute sie verblüfft an. Wie konnte sie ausgerechnet jetzt, da sie von diesem unerträglichen Betrug und Verrat ihrer Eltern erfahren hatte, an ihre altbackenen Regeln denken?

«Laß uns darüber jetzt nicht streiten, Gunda. Ich muß gestehen, daß in meinem Kopf ein großes Durcheinander herrscht. Ich kam, um für meinen Sohn zu sprechen, und nun fühle ich mich in eine längst vergangene Zeit zurückversetzt, und ich möchte nur für mich selbst sprechen.»

Sie hob abwehrend die Hände, und er schwieg.

«Ich bin sehr erschöpft.» Sie sah ihn an, ihr Gesicht verbarg sich wieder hinter dieser ausdruckslosen Miene, in der er nicht zu lesen wußte, und schien nachzudenken.

«Es gibt nichts mehr zu besprechen, Claes. Nicht nach diesen vielen Jahren. Vorhin habe ich dich um die Wahrheit gebeten», fuhr sie langsam fort, als lese sie von einem Blatt mit schwer entzifferbarer Schrift. «Nun bitte ich dich um dieser Wahrheit willen, meine Entscheidung zu akzeptieren, auch wenn du sie nicht verstehst. Nein, bitte, laß mich ausreden. Wir haben einander wiedergetroffen, nicht, weil ich oder du es wolltest, sondern weil die Welt, in der meine Familie und ich so zurückgezogen leben, doch kleiner ist, als ich dachte.» Sie richtete sich auf und sah ihn wieder wie den Fremden an, als den sie ihn in der Diele begrüßt hatte. «Ich wünsche nicht, und der Kapitän ist derselben Meinung, daß dein Sohn meine Tochter wiedersieht. Und ich wünsche auch nicht, daß wir uns wiedersehen.»

«Das ist doch verrückt, Gunda.» Claes sprang erregt auf. «Ich möchte deine Familie kennenlernen, nach all den Jahren muß das doch möglich sein! Wir sind doch alle aufgeklärte Menschen, und mein Sohn ist ein freundlicher Junge, er ist klug und liebenswürdig, von seinem Erbe will ich nun gar nicht reden.»

«Ich wünsche es nicht, Claes. Und ich erwarte, daß du meine Wünsche dieses Mal akzeptierst.»

«Was heißt hier dieses Mal? Ich habe deine Wünsche immer akzeptiert. Verdammt, sieh mich nicht an, als wollte ich dein Silber stehlen. Wollen wir nicht in ein paar Tagen noch einmal darüber reden?»

Er sprach nun ruhiger und mit bittenden Augen. Sie war nicht mehr das Mädchen, das er geliebt hatte, aber sie war auch keine Fremde, sondern ein verloren geglaubter Teil seines Lebens. Selbst wenn sie sich nicht mehr liebten und nicht mehr viel miteinander gemein hatten, schien es absurd, einander sofort wieder zu verlieren.

«Ich verstehe nur zu gut, daß du viele Jahre lang einen tiefen Groll gegen mich gefühlt hast. Aber jetzt weißt du doch, daß ich genauso betrogen worden bin wie du. Sollen wir den gleichen Fehler machen wie deine Eltern? Wäre es nicht vielmehr ein schönes Geschenk des Schicksals, wenn unsere Kinder das Glück fänden, das uns genommen wurde?»

«Nein!» Sie stand plötzlich aufrecht und steif wie ein Fahnenmast vor ihm. «Das ist unmöglich. Ganz und gar unmöglich. Das kann ich nicht erlauben, und ich bitte dich, nun zu gehen. Und ...» Er sah, daß sie verzweifelt nach Worten suchte, «und es hat auch keinen Zweck. Mein Mann ist nicht wohl, nur deshalb sind wir aus Bristol zurückgekehrt. Er hatte gehofft, hier Besserung zu finden, aber das Gegenteil ist der Fall. Ich kann ihm eine solche Aufregung nicht zumuten. Ich bitte dich, Claes», flehte sie, «geh fort und komme nicht zurück. Vergiß mich einfach wieder.»

«Beruhige dich, Gunda.» Er ergriff ihre Hände und hielt sie warm in den seinen. «Beruhige dich. Ich werde jetzt gehen. Und auch wenn ich dich tatsächlich überhaupt nicht verstehe, werde ich mit Christian sprechen und ihm deine Entscheidung mitteilen. Ich würde dir gerne sagen: Verlaß dich auf mich. Aber das kann ich nicht. Bei aller Freundlichkeit hat er seinen eigenen Kopf, einen sehr zielstrebigen Kopf, und ich kann ihn nicht einsperren. Genausowenig, wie du deine Tochter einsperren kannst.»

«Nein», sie entzog ihm ihre Hände, «nein, das kann ich nicht. Und ich werde sie auch nicht auf das nächstbeste Schiff verfrachten, falls du das denken solltest. Mein Schiff ging übrigens nicht nach London, sondern nach Lissabon. Deshalb konntest du mich nicht finden. Ich war vielleicht dumm, aber Lucia ist ein verständiges Mädchen. Außerdem ist sie so gut wie verlobt, und gewiß nicht mit deinem Sohn.»

«Bist du sicher, daß sie das schon weiß?»

Sie ignorierte seinen bissigen Einwand, schritt eilig zur Tür und öffnete sie weit.

«Ich weiß nicht, ob ich froh bin, dich wiedergesehen zu haben, Claes», sagte sie mit einem kleinen, zitternden Lächeln. «Ich hatte bis heute nicht gewußt, wie sehr ich mich davor fürchtete, seit wir hier leben. Es tut mir leid, daß es unter so bedauerlichen Umständen geschah. Und nun mußt du gehen. Der Kapitän erwartet mich zum Tee. Und, Monsieur Herrmanns, würdet Ihr mich bitte fortan, so wie es sich gehört, Madame Stedemühlen nennen?»

5. KAPITEL

Die beiden mächtigen Linden vor dem kleinen Haus nahe der Kirche St. Pauli auf dem Hamburger Berg blühten noch. Ihr Duft lag süß über dem Vordergarten und mischte sich mit den Gerüchen von Phlox, Holunder, Rosen und braunrotem Goldlack. Sonnenblumen leuchteten in sattem Gelb am Rande der Büsche, und in einem runden, von niedrigem Buchsbaum umrahmten Beet in der Mitte des üppigen Gärtchens summte eine dicke Hummel um kurzstielige weiße und zartblaue Blüten, deren Namen Rosina nicht kannte. Irgendwann wollte sie auch so einen Garten haben. Und so ein kleines Haus nahe am Ufer eines großen Flusses.

«Komm, Rosina, den Garten kannst du dir nachher noch anschauen.»

Titus klang mißmutig. Er kannte Rosinas Gartentraum, und der gefiel ihm überhaupt nicht. Es war ihm auch nicht ganz geheuer, daß eine Hebamme ein so hübsches Anwesen besaß, und so schob er Rosina einfach weiter den Weg entlang zur Haustür.

Helena klopfte, aber niemand öffnete.

«Vielleicht sind sie ausgegangen», sagte Sebastian, «oder Matti mußte zu einer Geburt.»

«Oder sie wollen uns nicht hören», knurrte Titus.

«Laßt uns im Kräutergarten nachsehen», schlug Rosina vor und lief den anderen auf dem schmalen Pfad neben der Hainbuchenhecke um das Haus herum voraus.

Sie hatte sich nicht geirrt. In dem größeren Garten hinter dem

104

Haus, in dem Matti ein wenig Gemüse und viele Kräuter und Heilpflanzen zog, fanden sie die beiden alten Frauen. Matti hockte in einem der Beete und band die feinen Stengel ihres Bohnenkrauts an stützende Zweige. Lies saß auf einer Bank, den Rücken an das warme Fachwerk des Hauses gelehnt und nähte Leinensäckchen für den Vorrat an heilenden Kräutern und Wurzeln. Rosina lächelte. Lies hatte auf ihren langen Wanderungen und Fahrten so oft gefroren, es war ihr selbst in diesen heißen Tagen niemals zu warm.

Die Komödianten wurden freudig begrüßt. Matti wusch die Hände in dem kleinen Bach, der am Ende ihres Gartens verlief, Lies packte ihre Näharbeit in den Korb, und alle setzten sich um den Tisch, der im Schatten einer alten Rotbuche stand. Nur Titus verabschiedete sich gleich nach der Begrüßung wieder von den beiden Alten. Er hatte es eilig, seinen Freund Jakobsen, den Wirt der Schenke *Zum Bremer Schlüssel* in der Neustädter Fuhlentwiete, wiederzusehen. Auch mochte er Matti nicht besonders, seit Lies die Komödianten verlassen hatte, um in ihrem Haus zu leben. Er vermißte sie sehr.

Lies und Matti saßen einander gegenüber auf bequemen Holzstühlen, die eine hager und immer ein wenig grimmig, die andere rundlich mit sanftem Blick aus Augen, die an die Farbe der ersten Veilchen erinnerten.

Es war mehr als ein halbes Menschenleben her, seit Matti ein ausgehungertes Mädchen unten am Fuß des steilen Ufers gefunden und in ihr Haus mitgenommen hatte. Für Lies, die an jenem Morgen nichts mehr als den Tod erwartet hatte, war Matti ein Wunder gewesen. Nach einem Jahr kehrte der Grönlandfahrer, mit dem Matti verlobt war und der schon lange als verschollen galt, zurück, und Lies verschwand still in der folgenden Nacht.

Auch damals wäre sie lieber gestorben, als Matti diesem Mann zu überlassen und ohne sie weiterzuleben, aber die junge Hebamme hatte sie in dem gemeinsamen Jahr nicht nur alles gelehrt, was sie selber wußte, sondern ihr auch einen festen Glauben an das Leben gegeben. Also lebte sie weiter, zuerst für Mattis Glauben und schließlich, nach einigen Jahren, weil aus den unheilbar scheinenden Wunden ihrer Seele harte Narben geworden waren.

Aber als sie Matti im vergangenen Jahr wiedertraf, war es, als seien die Jahrzehnte seit ihrer Trennung im Flug vergangen, und als die Beckersche Komödiantengesellschaft weiterzog, blieb Lies im Haus unter den Linden. Die Entscheidung war ihr nicht leichtgefallen. Sie war fast ihr ganzes Leben über die Straßen gezogen, und in einem ehrlichen Moment gestand sie sich ein, daß sie sich vor allem davor fürchtete, sie und Matti könnten einander nicht mehr wie früher Tag um Tag, Nacht für Nacht ertragen. Aber Matti hatte gelacht, als sie ihr endlich diese Angst gestand. Es sei ja auch früher oft ein Kampf gewesen, das gehöre doch zum Leben. Und dann erinnerte sie an den nächsten Winter, strich dabei sanft über Lies' Finger, die deutliche Anzeichen der Gicht zeigten, und Lies sagte: Gut, für ein Jahr. Dann sehen wir weiter.

Das Jahr war nun um, aber niemand sprach mehr davon, daß Lies dieses Haus und Matti wieder verlassen könnte. Wahrscheinlich dachte auch niemand mehr daran.

Matti servierte kalten Tee von Malvenblüten und getrockneten sauren Äpfeln, schnitt ein paar Minzeblätter hinein und freute sich über ihre Gäste. Sie hatte den Grönlandfahrer geheiratet, wie sie es damals für ihre Pflicht gehalten hatte. Aber schon von einer seiner nächsten Fahrten kehrte er nicht mehr zurück, und danach lehnte sie alle Bewerber in ihrer freundlichen und unerschütterlich eigensinnigen Art ab. Mit Lies' Komödianten hatte sie nun doch noch so etwas wie eine Familie bekommen. Sie gastierten zwar nur einmal im Jahr für wenige Wochen an der Elbe oder der Alster, aber das fand sie angenehm. Zuviel Besuch hatte sie nie geschätzt.

Gespannt lauschten Matti und Lies, was Rosina und Sebastian über den Tod des Dichters erzählten.

«In seiner Kammer», schloß Rosina, «habe ich etwas gefunden, das uns sehr bedeutsam erscheint.»

Sie holte das immer noch in Struensees Leintuch gewickelte

Näpfchen aus ihrer Rocktasche, packte es behutsam aus und reichte es Lies.

«Kannst du mir sagen, was das sein mag? Wir sind ziemlich sicher, daß es Hexensalbe ist.»

«Sei still, Kind», zischte Lies, und Matti sah sich halb amüsiert, halb erschreckt um. Aber die Hecke um den Garten war zu hoch, heimliche oder zufällige Lauscher konnten von dem Platz unter der Buche aus nicht entdeckt werden.

Die alten Frauen steckten die Köpfe zusammen, daß die zierlichen Hauben über ihren grauen Scheiteln wie eine große erschienen, studierten gemeinsam den Papierfetzen auf dem Gefäß und erhoben sich.

«Laßt uns ins Haus gehen», sagte Matti, «man weiß ja nie.»

«Es sind wirklich gute Katzen», schmeichelte das Kind, «ganz brave, die werden die besten Jäger.»

Wieder hob es Rosina die schmutzigen Lumpen entgegen, in denen drei rot-weiß gescheckte und zwei ganz und gar schwarze Katzenjunge kreuz und quer übereinandergerollt dösten.

«Paar Wochen bloß, und die fang'n dir jede Maus, Ratten sowieso. Wir ham in unserm Keller nich eine Ratte mehr.»

«Deine Kätzchen sind wirklich hübsch.» Rosina strich mit dem Zeigefinger über einen der kleinen Köpfe. «Aber ich kann keines brauchen. Leider. Doch warte.»

Sie griff in ihren Beutel, holte einen der dicken Hefekringel hervor, die sie in der Bude am Millerntor erstanden hatte, und steckte ihn dem Kind, dessen Züge ein Mädchen vermuten ließen, das aber wie ein Junge gekleidet war, in das ausgefranste Hemd. Dann drehte sie sich schnell um und lief den anderen nach. Sie kannte harte Zeiten, und seit sie bei der Beckerschen Komödiantengesellschaft lebte, war der Tisch nicht oft üppig gedeckt, aber sie hatte doch nie hungern müssen. Was konnte erbärmlicher sein als ein hungriges Kind?

Suchend sah sie sich um. Der Großneumarkt, ein weites viereckiges Gelände nahe der Michaeliskirche, war nicht nur in der

Neustadt, sondern in ganz Hamburg der größte Platz. Eng umstanden von nicht zu alten hochgiebeligen Fachwerkhäusern, in denen auch Werkstätten, kleine Läden und Schenken Platz gefunden hatten, bot er einen freundlichen Aufenthalt. Heute morgen drängte sich alles Volk vor dem Wachhaus zusammen. Auch die vier Chorknaben, die von St. Michaelis die Schlachterstraße heraufflitzten und dabei fast einen Torflieferanten und eine alte Reisigbesenhändlerin umrannten, tauchten sofort in der Menge unter.

Rosina kannte den Marktplatz noch gut vom letzten Frühjahr, als sie nicht weit von hier in der alten Theaterbude in einem Hof der Neustädter Fuhlentwiete gespielt hatten. Wochenlang, und immer im ausverkauften Theater. Aber auch damals waren die ersten Wochen voller Probleme gewesen, und schließlich hatte sich alles zum Guten, tatsächlich sogar zum Allerbesten gewendet. Vielleicht war es einfach so hier im Norden. Schwerer Anfang, furioses Finale.

Lies und Matti hatten sie weggeschickt, aber die Salbe behalten. Sie hatten etwas von ‹in den Büchern prüfen› gemurmelt, von nachdenken und davon, daß sie Bescheid geben würden. Zuerst war Rosina enttäuscht gewesen, sie hatte gehofft, sofort zu erfahren, ob der Dichter tatsächlich Hexensalbe besessen hatte. Aber die beiden würden sicher nicht lange brauchen.

Sie griff wieder in ihren Beutel, nahm sich selbst einen Kringel heraus und biß fest hinein. Der herb-süße Geschmack von Buchweizen und Vanille war köstlich. Eigentlich sollte sie traurig über den Tod des Dichters sein, zumindest angemessen kummervoll. Aber sie hatte ihn nicht gekannt, und wenn sie ehrlich war, fühlte sie sich seit diesem gruseligen Besuch im Pesthof erheblich besser. In der letzten Woche hatte das Warten alle nervös gemacht, sie waren betrogen worden, und es gab keine Aussicht auf Entschädigung. Daran hatte sich nichts geändert, aber Rosina fühlte, daß etwas Wichtiges geschehen war. Das tatenlose Warten war vorbei, es gab nun etwas, das sie herausfinden mußte. Helena hielt ihren Verdacht zwar für kindisch, aber sie spürte genau, daß es um den Tod des Dichters irgendein krummes Geheimnis gab.

«Da bist du ja, wir haben schon gedacht, der Kerl da hinten hat dich weggehext.»

Helena, das dicke kastanienfarbene Haar wie immer trotz der ordentlichen Bänder ein wenig zerzaust, stand mit leuchtenden Augen vor ihr. Die ängstliche Beklommenheit, mit der sie versucht hatte, Rosina die Suche nach dem Manuskript auszureden, war verschwunden. Helena liebte den Trubel auf den Märkten, und in Altona mochte es städtisch zugehen, aber von echtem Trubel war da nun mal keine Spur.

«Komm schnell, Rosina, du mußt ihn dir unbedingt aus der Nähe ansehen. Vielleicht ist der die Lösung deines Rätsels. So komm doch.»

Sie griff nach Rosinas Ärmel und zog sie einfach mit sich durch die Menge. Die Neugier hatte alle vereint, Köchinnen mit weißen Schürzen, Damen in Seide und Musselin mit kleinen Hündchen und buntseidenen Fächern, barfüßige Bettelkinder in Lumpen und Johanneumschüler mit weißen Kragen und kleinen Schnallen auf feinen Schuhen, Herren, die in bestem englischen Tuch unter ihren Perücken schwitzten und Schlachter- und Bäckergesellen in weiten blauen oder weißen Kitteln. Straßenhändler und Bettler, Schiffer aus den Vierlanden und Matrosen aus aller Welt, sonnenverbrannt und bärtig wie der Leibhaftige. Sogar die Marktfrauen vor dem Brunnen, die sonst kein Auge von ihren Körben und Karren ließen, damit nur kein flinker kleiner Dieb einen Apfel oder Kohlkopf, eine Handvoll Zimtkuchen oder gar eine Rolle Tonderner Klöppelspitzen stibitzte, starrten erwartungsvoll zu dem kleinen Podest aus Feldsteinen wenige Schritte vor der Wache.

Ein Straßenmusikant mit blinden Augen hockte davor und entlockte der Drehleier auf seinen Knien seltsam jammernde Töne. Und obwohl er sie nicht sehen konnte, hatte auch er den Kopf der Gestalt, die über ihm auf den Steinen stand, zugewandt, so daß ihm seine Filzkappe in den Nacken gerutscht war.

Die Sonne brannte stechend, und zwei Wasserträger und die Wirte, die aus den geöffneten Fenstern der Schenken am Rande des Platzes Dünnbier verkauften, machten gute Geschäfte.

«Siehst du ihn? Da ist er», flüsterte Helena. «Die Wedde hat ihn vom Gänsemarkt vertrieben, sagen die Leute, aber hier in der Neustadt wird er geduldet.»

«Kein Wunder», knurrte Sebastian, der plötzlich neben ihnen stand, «hier in der Neustadt dulden sie alle. Zauberpantomimen, Taschenspieler, Zahnbrecher und Quacksalber, dressierte Affen und zweiköpfige Kälber, sogar eine ganze Straße voller armer Juden. Warum nicht auch einen Kometenbeschwörer?»

«Du hast die Komödianten vergessen.»

Rosina stützte sich auf seinen Arm, stellte sich auf die Zehenspitzen und versuchte, über die vielen Schultern vor ihr den Mann, von dem man auch in Altona sprach, zu erkennen. Zwischen modisch aufgetürmten Frisuren, braven Hauben, Dreispitzen, runden Arbeitshüten und Tuchkappen hindurch sah sie ein dunkles Gesicht mit geschlossenen Augen unter langem schwarzen Haar, sah ausgebreitete sehnige Arme in weiten weißen Ärmeln, die bis zu den Ellenbogen hinaufgerutscht waren.

Sie war enttäuscht. Ein wenig mehr Geheimnisvolles hatte sie von einem, der mit den Sternen im Bunde sein wollte, doch erwartet. Er sah nicht viel anders aus als Jean, wenn er, ein wenig Farbe im Gesicht und eine wallende Perücke auf dem Kopf, mal wieder eine seiner Lieblingsrollen darstellte, den edlen Zeus auf dem Olymp oder Hieronymus, den Einsiedler in der Wüste, wobei letzterer gegen alle Wahrscheinlichkeit, aber zur Begeisterung des Publikums von einer Meernymphe mit kastanienrotem Haar verführt wurde.

«Und warum stehen die Leute alle so vor ihm, ergeben wie vor dem Erzengel Gabriel persönlich? Macht er irgendwelche verdienstvollen Kunststücke, läßt er es regnen, oder überzeugt er die Sonne, daß sie sich mal ein bißchen zurückhalten soll?»

«Sei still, Rosina!» Helena stieß die Freundin warnend in die Seite. «Sonst trifft dich sein Fluch als erste.»

Sie kicherte, aber Rosina fand, es klang weniger vergnügt als nervös. Helena war für jeden Spuk empfänglich. In ihren Reisekästen und -taschen waren Glücksbringer versteckt, und sie betrat niemals die Bühne ohne das kleine silbergefaßte Amulett aus russischem Lapislazuli.

«Sie warten darauf, daß er spricht», erklärte Helena flüsternd. «Er spricht an jedem Nachmittag, immer, wenn er seine Vision hat. Der Komet, sagt er, kommt jeden Tag näher, und wenn er da ist, wird das Gericht die treffen, die es verdient haben.»

«Welches Gericht? Glaubst du, er darf für Gott sprechen?»

«Psst, du versündigst dich.» Helena sah sich flink um, doch niemand beachtete die beiden Frauen. «Das weiß keiner, aber der Herr dort drüben», sie zeigte auf einen würdigen kleinen Mann, der in der schlichten schwarzen Tracht eines Gelehrten im Schatten einer Linde stand und sich mit einem dünnen, gewiß sehr bedeutenden Buch Luft zufächelte, «der Herr dort sagt, daß auch kurz vor der letzten Pest ein großer Komet über den Himmel wanderte, er hatte vier Schweife, und auch vor der letzten großen Flut, die ganze Inseln und zahllose Menschen verschluckte, vom Vieh gar nicht erst zu sprechen, war ein Komet am Himmel.»

Rosina schwieg. Ihr fiel einfach nichts ein, was sie darauf sagen konnte. Sie würde Lies nach dieser Kometensache fragen. Niemand kannte sich in Dingen, die irgendwo zwischen Himmel und Erde zu Hause waren, so gut aus wie Lies. Aber eines wußte sie genau, sie wollte nicht länger mit all diesen Menschen in der Sonne stehen, egal, ob sie doch den Blick dieses seltsamen Fremden fürchtete oder nur die pralle Hitze.

Und weil Helena unbedingt auf die Vision des Mannes warten wollte, gingen Rosina und Sebastian allein zum *Bremer Schlüssel* in die Fuhlentwiete voraus.

Es hatte zwar so ausgesehen, als ob sich alle Bewohner der Neustadt auf dem Großneumarkt versammelt hätten, aber das konnte nicht sein. In der Schenke waren alle Bänke und Schemel besetzt, und der Lärm der Gäste drang Rosina und Sebastian

111

schon entgegen, als sie vom Alten Steinweg in die Twiete einbogen. Sie betraten den dämmerigen Raum, und bevor sie sich im Gedränge der Männer auf die Suche nach Titus machen konnten, hatte Jakobsen sie bereits entdeckt.

«Sebastian», brüllte er – die kräftige Stimme des Wirtes hätte selbst den Donner preußischer Kanonen übertönt – «und Mademoiselle Rosina!»

Eilig steckte er den Holzstöpsel in das Bierfaß, stellte den erst halb gefüllten tönernen Krug auf den Schanktisch und schob sich zwischen Bänken und Tischen zur Tür, um die beiden Neuankömmlinge zu begrüßen. Er rieb seine großen Hände an der Lederschürze ab und umarmte sie freudig.

«Wie schön, daß ihr wieder hier seid. Was wollt ihr bloß bei den Altonaern? Bei uns habt ihr doch viel besseres Publikum als die blassen Dänen hinter dem Hamburger Berg. Und dazu die beste Schenke.»

Er lachte dröhnend, so wie man es von einem Wirt erwartete, und Rosinas Hand, vom Kutschieren der Komödiantenwagen schon ungewöhnlich fest und kräftig, verschwand völlig in einer seiner großen Pranken. Gleichzeitig klopfte er mit der anderen Sebastian auf die Schulter und brüllte der Schankmagd zu: «Lineken, hol was von dem Rheinischen aus dem Keller. Wenn ihr Titus sucht», fuhr er etwas leiser fort, «der sitzt dort hinten auf der Bank neben dem Faß. Gut, daß ihr kommt, sonst hat er es gleich leer getrunken.»

Titus hatte keine Lust gehabt, sich das Spektakel auf dem Großneumarkt anzusehen. Es gebe schon genug Gram auf der Welt, da brauche er nicht noch einen Unglückspropheten im weißen Hemd, hatte er gebrummt und sich gleich zu seinem alten Freund Jakobsen aufgemacht. Sie kannten einander schon lange, der Wirt und der Komödiant, und wenn die Beckersche Gesellschaft in Hamburg spielte, konnte man Titus stets leicht finden. Zwar war der eine auf dem Karren, der andere in einer Kammer über der Schenke geboren, der eine sein Leben lang auf allen Straßen des Reiches unterwegs gewesen, der andere immer in Hamburg geblieben, aber weil beide heimlich vom Glück des anderen Lebens träumten, fühlten sie sich einander verbunden wie Brüder. Und wenn einer in Jakobsens Schenke saß und über das fahrende Pack herzog, hatte er hier sein letztes Glas Branntwein getrunken. Das wußte jeder in der Neustadt, und weil Jakobsen ein guter Wirt war, weil er reines Bier in sauberen Krügen und nur wenn schon alle betrunken waren, verdünnten Branntwein ausschenkte, weil seine Schwester, die Königin der Küche hinter dem breiten Schanktisch, weit und breit den besten Klippfisch in Rahmbrühe mit Pfeffer, Muskatblumen und Petersilien servierte, wurde im *Bremer Schlüssel* eben nicht über fahrendes Pack geschimpft.

Titus saß auf einem Schemel und schaute den Mann, der ihm gegenüber saß, mit listigen Augen an.

«Und ich sage dir, Knopfmacher: du spinnst. So ein Komet hat was Besseres zu tun, als auf die Erde zu knallen. Dann ist er ja hin, und warum sollte er das wollen?»

Er griff nach seinem Krug und leerte ihn, ohne zu bemerken, daß der fürsorgliche Jakobsen ihm nur mit wenigen Tropfen Bier vermischtes Wasser nachgefüllt hatte.

«Ich spinne? Du mußt es ja wissen. Aber ich weiß es noch besser. Monsieur Klappmeyer, für den ich schon viele Knöpfe gemacht habe, und zwar nur die feinsten, mit italienischem Damast bezogene, aus Elfenbein und bestem irischen Hirschhorn, Monsieur Klappmeyer kennt alle Welt und viele Bücher. Jeden Tag liest er in seinen Büchern, er wird noch blind werden davon, aber das macht ihm nichts, die Wissenschaft geht ihm über alles, der hat mir erst heute morgen erzählt . . .»

«Klapperlapapp! Haaa», Titus schlug mit brüllendem Gelächter mit der Faust auf den Tisch. «Klapperlapapp, das ist gut. Jakobsen, bring dem Knopfmacher noch ein Bier, er ist der beste Hanswurst weit und breit. Die besten Schauergeschichten . . .»

«Titus!» Rosina stand, die Hände in die Hüften gestemmt, vor ihm und sah streng auf ihn herunter. «Was soll der Unsinn?

Seit wann trinkst du wie ein Brauerknecht? Dazu am hellichten Tag! Steh auf, du verrückter Kerl, laß uns nach Hause gehen.»

«Rosina, holde Ballerina», schrie Titus und fing gleich wieder an, grölend zu lachen. Rosina kannte ihn seit sechs Jahren, oft war er, der auf der Bühne immer der große Spaßmacher sein mußte, brummig, und beizeiten konnte er wüten wie ein Rumpelstilz, aber so betrunken hatte sie ihn noch nie erlebt. Sie sah sich nach Sebastian um, alleine würde sie Titus nie von seinem Schemel bewegen, aber der ließ sich gerade von Lineken Bier einschenken und, das sah Rosina genau, hemmungslos anhimmeln. Ärgerlich griff sie nach Titus' Krug, sie war durstig und hungrig, und nahm einen großen Schluck.

«Pfui Teufel», rief sie, aber Jakobsen, der gerade in diesem Moment hinter Titus' Rücken auftauchte, legte grinsend den Finger auf den Mund.

«Jakobsen braut das beste Bier», nuschelte Titus, «das allerbeste.»

Und dann legte er mit einem zufriedenen Schnaufer den schweren Kopf auf die Arme und war von einer Sekunde auf die andere eingeschlafen.

Jakobsen, Rosina und Servatius, der Knopfmacher aus der Caffamacherreihe, sahen verblüfft auf den breiten Rücken in der grünen Joppe, auf das dicke gelbe Haar, und die beiden Hände, die noch im Schlaf zärtlich den leeren Krug umfaßt hielten.

«Nehmt es ihm nicht übel. Das Bier hat ihn zwar lustig gemacht, aber tatsächlich hat er dicken Kummer. Wegen Elsbeth.»

«Elsbeth? Herrmanns' Köchin? Ist sie tot?»

Jakobsen schüttelte den Kopf.

«Ganz im Gegenteil. Vandenfelde, ihr erinnert euch gewiß an den schwatzhaften Knochenhauer vom Schlachthaus an der Heiliggeistbrücke, hat erzählt, daß sie eine Liebschaft mit einem Zuckerbäcker hat. Ob's stimmt oder nicht, nun hat ihn der Jammer gepackt. Dabei hätte er sich sicher auch in diesem Jahr höchstens getraut, ihre guten Suppen zu loben, der alte Feigling.»

Rosina seufzte. Sie hatte nicht einmal gemerkt, daß Titus in der energischen Elsbeth mehr sah als eine prächtige Köchin. Aber sie verstand seinen Kummer gut. Ein fahrender Komödiant, dazu noch ein Hanswurst, und die Köchin von einem der ersten Häuser der Stadt. Es gab kaum eine vergeblichere Liebe.

«Und wie sollen wir ihn nun nach Altona bekommen?» fragte Sebastian.

«Gar nicht», Jakobsen grinste immer noch, «die Wachen am Tor stecken ihn, bierselig wie er ist, nur gleich ins Loch. Macht euch keine Sorgen, er bleibt am besten hier. Hilf mir, ihn in die Kammer zu schleppen. Morgen früh ist er wieder der alte, dann kann er zu euch nach Altona laufen. Du kannst auch mit anfassen, Servatius, danach kriegst du das Bier, das unser schlafender Freund dir vorhin spendiert hat. Wofür eigentlich?»

Das wußte der Knopfmacher auch nicht, und weil er die Verballhornung des Namens von Klappmeyer, einem seiner vornehmsten Kunden, immer noch übelnahm, rutschten ihm auf der engen Treppe hinter dem Schankraum Titus' Füße immer wieder aus den Händen und knallten auf die ausgetretenen Eichenstufen.

Nachdem Rosina und Sebastian sich an einer ordentlichen Portion Ochsenzunge, in rotem Wein zart gedünstet mit Sardellen, Kapern und Nelken, satt gegessen hatten, machten sie sich auf den Heimweg. Nach Helena mußten sie nicht lange suchen, sie kam ihnen entgegen, als sie in den Alten Steinweg einbogen, um zum Großneumarkt zurückzukehren. Der Kometenbeschwörer hatte zwar immer noch nicht seine neueste Vision preisgegeben, aber sie wußte eine andere Neuigkeit. Sie hatte Claes Herrmanns gesehen, er habe ein grämliches Gesicht gemacht, aber ganz gewiß wegen der Hitze, er sei eilig über den Markt gegangen und habe nicht links und nicht rechts und auch nicht nach dem Mann auf dem Podest gesehen. Gerade als sie zu ihm laufen und ihn begrüßen wollte, war er stehengeblieben, um mit einem Mann zu sprechen, der am Rande des Plat-

zes in einem leichten Einspänner saß und wie alle den Kometenbeschwörer beobachtete.

Der Mann, da sei sie ganz sicher, sie habe ihn schon vorher
erkannt, war der grämliche Mensch mit den dicken Silberknöp-
fen auf der Weste, der sie in dem Haus des Dichters in der Gröninger Straße empfangen und gleich wieder hinauskomplimen-
tiert habe.

«Gut», sagte Rosina, «sehr gut. Morgen besuchen wir Monsieur Herrmanns. Und Madame Augusta.»

«Und», ergänzte Sebastian, «Madame Anne.»

FREITAG, DEN 13. JUNIUS,
ZUR SPÄTEN MITTAGSZEIT

Die Herrmannssche Kutsche rumpelte in einer gelben Staubwolke, die das glänzende Fell der vier Füchse in mattes Braun
verwandelt hatte, über die weite, Hamburger Berg genannte
Ebene auf die Wälle zu. Eigentlich wurde Claes im Kontor erwartet, aber er hatte Brooks aufgetragen, ihn direkt nach Harvestehude zu kutschieren. Er sah zum Heiligengeistfeld hinüber,
die Flügel der holländischen Mühle am Rande der Ebene standen seit Tagen unbeweglich. Claes blickte über das trockene
Weidefeld und wünschte sich einen heftigen Wind herbei, kalt
und frisch, wie er sonst im Juni oft von Norden her über das Meer
und den Fluß heraufkam und mit den Ausdünstungen der übervölkerten Stadt auch die trüben Gedanken fortwehte. Er spürte,
wie sich die Unruhe seiner Gedanken auf seinen Körper übertrug. Seine Finger trommelten auf die Sitzbank, er sehnte sich
voller Ungeduld danach, diesen engen schwarzen Kasten zu verlassen und mit langen Schritten unter den Bäumen seines Gartens zur Alster hinunterzulaufen. Er brauchte Bewegung. Und
Anne würde ihm helfen, Klarheit in seine Verwirrung zu bringen.

Aber dann merkte er, daß ihm bei der Vorstellung, ausgerechnet mit Anne von dieser alten, tragischen Liebe zu sprechen,

immer unbehaglicher wurde. Ganz sicher wollte er ihr von Gunda erzählen. Ganz sicher und bald. Aber nicht jetzt.

Als die Kutsche auf das Millerntor zurollte, ließ er halten und machte sich zu Fuß auf den Weg durch die Stadt. Er ging durch den Neuen Steinweg, wich einer Sänfte aus, die von vier schwitzenden Lakaien getragen wurde, Wappen an der Seite verrieten ihm, das sie zum Haus des französischen Gesandten gehörte, stieg über einen dicken schwarzen Hund, der mit hechelnder Zunge mitten auf dem Weg lag, und erreichte schließlich den Großneumarkt. Der seltsame Kometenheilige hatte sein Revier gewechselt. Die Stadtsoldaten vor dem Wachhaus, alle ohne Mütze und die rotweißen Röcke ganz unmilitärisch geöffnet, begafften ihn genauso wie die Menge, die sich um ihn scharte. An anderen Tagen wäre er sicher auch stehengeblieben, hätte sich das Spektakel angesehen und seinen Spaß gehabt, aber heute? Heute wirklich nicht.

Er passierte den Alten Steinweg, der völlig verlassen war, und gelangte über die Stadthausbrücke in den Burstah. Obwohl er auf seinem Weg häufig nach links und rechts gegrüßt und ein- oder zweimal sogar ein paar Worte gewechselt hatte, erinnerte er sich an keines der vielen Gesichter, die er gesehen hatte, als er endlich an seinem Lieblingstisch hinter den vorderen Fenstern von Jensens Kaffeehaus saß.

«Und die Frau Gemahlin ist wohlauf? Pflanzt sie wieder neue Bäume?» – Jensen stellte mit elegantem Schwung die dampfende Kaffeetasse und ein hübsch gedrehtes Messingkännchen zum Nachfüllen auf den Tisch und lächelte beflissen.

«Im Juni pflanzt kein vernünftiger Mensch Bäume, Jensen», blaffte Claes den Wirt an und starrte wieder auf die neueste Ausgabe des *Hamburgischen Correspondenten*, die er nun schon geraume Zeit in den Händen hielt, ohne auch nur ein Wort zu entziffern.

«Jensen!» rief er dann dem erschreckt davoneilenden Wirt nach. Der blieb stehen und sah seinen Gast, den er noch nie so unfreundlich erlebt hatte, abwartend an.

117

Claes räusperte sich und sagte: «Meiner Frau geht es ganz ausgezeichnet. Und ihren Bäumen auch.»

Im Kaffeehaus war es noch still. In einer halben Stunde, wenn die Börse schloß, würde hier auch der letzte Stuhl besetzt sein.

Claes war die Ruhe recht. Als er in der Palmaille in die Kutsche stieg, war er wie betäubt gewesen. Die Bilder und Gedanken in seinem Kopf stritten um Bedeutung und Vorrang, vermischten sich zu einer Melange, die schließlich zu einem unklaren, aber tiefem Unbehagen gerann. Selbstverständlich würde Christian sich mit dieser Zurückweisung nicht einfach zufriedengeben. Das konnte er nicht, wenn seine Gefühle für das Mädchen so tief waren, wie er vorgab. Und auch er selbst, Claes, konnte sich damit nicht zufriedengeben. Wäre die Mutter des Mädchens nicht Gunda gewesen, hätte er sich und seine ganze Familie von ihrer strikten Ablehnung zutiefst beleidigt gefühlt. Nun war er nur verärgert und verwirrt.

Nun gut. Lucia war Mennonitin, Christian Lutheraner. Aber viel mehr als unbequem konnte das nicht sein. Wenn sie Katholikin oder gar Jüdin gewesen wäre, hätten die Priester und Rabbiner eine solche Verbindung tatsächlich für sündhaft gehalten. Doch die Schwierigkeiten einer Ehe zwischen Christian und seiner geliebten Lucia konnten nicht unüberwindlich sein. Wie hatte Christian gesagt? Lucias Mutter sei schrecklich fromm. Am besten ließ er ihr ein wenig Zeit und sprach dann noch einmal in der Palmaille vor. Vielleicht war der Kapitän vernünftiger. Konnte er sich eine bessere Partie für seine Tochter wünschen?

Nur ungern gestand Claes sich ein, daß er nicht so ganz an Gundas steife Frömmigkeit glaubte. Er glaubte vielmehr, daß dieses Drama, das sie mit dem Namen Herrmanns verband, die Liebe zwischen ihren Kindern nicht zuließ. Und das war unvernünftig, also mußte es zu überwinden sein.

Er bemühte sich um Ruhe und spürte doch Ärger. Mußte Christian sich ausgerechnet jetzt auf eine so komplizierte Liebschaft einlassen?

Sein Haus war solide, aber die Zeiten waren dennoch hart genug. Seit dem Ende der siebenjährigen Kriege zwischen Preußen und Österreich um die Vorherrschaft auf dem Kontinent und zwischen England, Spanien und Frankreich um ihre überseeischen Kolonien, ging es den Hamburgern an ihre Gewinne. Der Zusammenbruch der preußischen Währung hatte in den letzten zwei Jahren zahlreiche holländische Banken ruiniert, die wiederum viele Hamburger Kaufleute mit in den Bankrott gezogen hatten. Um ihre leere Kasse zu füllen, hatten die Preußen ihre Grenzen für einige Waren geschlossen oder die Zölle so erhöht, daß der Export heftig litt. Und vom Export lebte die Stadt. Hamburg war letztlich nichts anderes als ein riesiges Kaufhaus, in dem Waren aus aller Welt ankamen und in das weite europäische Hinterland weiterverkauft wurden.

Außerdem forderten die Franzosen seit einigen Jahren für jeden Sack, der von einem französischen Schiff im Hamburger Hafen gelöscht wurde, für jeden Krümel, den ein deutsches Schiff in Frankreich an Bord nahm, deftige Gebühren. Auch das ließ den Gewinn bedenklich schrumpfen. Solange alle Waren aus den Kolonien nur von Schiffen der Kolonialmächte transportiert werden durften, waren die deutschen Händler machtlos. Die Hamburger traf es besonders hart. Ein großer Teil dieser Waren und jeder zweite Sack Kaffee aus den französischen Kolonien nahmen den Weg über ihren Hafen. Aus London hörte man zwar, in den nordamerikanischen Kolonien der englischen Krone gäre es gewaltig, aber solange die noch zu ihrem europäischen Mutterland gehörten, konnten Hamburger Schiffe dort auch keine Geschäfte machen. Und daß sich das jemals ändern könnte, glaubte niemand, der nicht gerade seinen schwärmerischen Kopf in den Wolken hatte.

«Mumpitz. Blanker Unsinn. Ich sage dir, der hatte einfach ein zu weiches Hirn. Das kommt vom Sellerie.»

Die schnarrende Stimme riß Claes aus seinen Gedanken. Offenbar war die Börse geschlossen, denn das Kaffeehaus füllte sich. Der Mann mit der lauten Stimme war der Zuckerbäcker Marburger, ein fülliger Hüne im nachtblauen Rock, aus dessen etwas zu engen Ärmeln reichgekräuselte Spitzenmanschetten hervorquollen, die eher auf den jährlichen Empfang der Admiralität als in ein Kaffeehaus gepaßt hätten.

«Irma hat seine Köchin heute morgen auf dem Markt getroffen, obwohl man wirklich nicht weiß, was sie noch zu kochen hat, wo er nun tot ist und sowieso schon im Pesthof eingesperrt war. Also, seine Köchin sagt, daß er ständig Sellerie verlangt hat, am liebsten mit dem Kraut. Man stelle sich das vor, mit dem Kraut. Dabei ist Sellerie ja doch eine sehr unbekömmliche Knolle, viel zu aromatisch. Und», er kicherte meckernd, «sie geht auch stark ins männliche Blut, und wo er doch gar keine Frau hatte, wozu braucht er da den Sellerie?»

«Da bin ich aber ganz anderer Ansicht», widersprach sein nicht minder beleibter, aber um etliches kleinerer rotnasiger Begleiter im erbsengrünen Rock, der bei jedem seiner Worte einen spitzen Zeigefinger in die Luft stach und den letzten Satz einfach überhörte. «Sellerie verdünnt das Blut, und das kann für einen wie den Billkamp nur gut sein. Jensen, bring uns Kaffee, aber ohne alles und schnell.»

«Jensen», Claes hielt den vorbeieilenden Wirt am Ärmel fest. «Wer ist tot? Billkamp? Wer ist das?»

«Habt Ihr nicht gehört? Meister Lysander, der Dichter, er hat ein Haus in der Gröninger Straße und wollte vor einigen Wochen von St. Petri fliegen. So sind die Dichter, einfach zu viel Phantasie, sage ich. Sein Cousin hat ihn in den Pesthof gebracht, und da ist er gestern gestorben.»

Jensen beugte sich ein wenig zu Claes hinunter, hob die Hand vor den Mund und flüsterte mit glänzenden Augen: «Doktor Kletterich soll ihn ein bißchen zu gründlich behandelt haben. Aber darauf darf man gewiß nichts geben. Entschuldigt mich, der Kaffee.»

Claes erinnerte sich, daß Julius Billkamp, der bis vor wenigen Jahren einen einträglichen Handel vor allem mit Kattun, afrikanischen Hölzern und Zucker betrieb, sich mit dem Namen Lysander geschmückt und der Dichtkunst verschrieben hatte. Im

Kaffeehaus war oft darüber gespottet worden. Aber wenn er sich von Kletterich, diesem geldgierigen Aderlasser, behandeln ließ, war er selbst schuld.

Claes rührte in seinem längst kalt gewordenen Kaffee und beobachtete die beiden Männer, die sich, immer noch laut schwatzend, an einen der Tische an den Fleetfenstern gesetzt hatten. Marburger hatte sich wirklich fein herausgeputzt. Claes empfand Respekt für tüchtige Männer, die wie der Dicke mit den unpassenden Manschetten ihr Erbe aus eigener Kraft verdoppelt hatten. Marburger galt nun als der größte Raffineur in der Stadt, und die Qualität seiner Ware war unbestritten. Es hieß, sogar der preußische König rühre Marburgers Zucker in den Mokka.

«Ich habe Euch ertappt, heimlich bewundert Ihr unseren ersten Zuckerbäcker doch.»

Sonnin, dessen dunkelroter Samtrock über der Weste mit der etwas ausgefransten Stickerei wie üblich ein wenig staubig war, ließ sich mit einem kleinen Ächzer auf den Stuhl neben Claes plumpsen, griff nach dessen Kaffeetasse und schnupperte mit mißtrauisch gespitztem Mund an dem kalten Gebräu.

«Dachte ich es doch, Kardamom. Mitten im Sommer schmeckt Euer Kaffee mal wieder winterlich.»

«Jeder nach seiner Fasson, das wißt Ihr doch.» Claes lachte. Mit Sonnin würde er seine wirren Gedanken erst einmal vergessen können. «Aber wegen Marburger muß ich Euch enttäuschen, ich kann den Kerl nicht ertragen. Es ist mir ein Rätsel, wie ein solcher Schaumschläger und Dummkopf so gute Geschäfte machen kann.»

«Aber ich dachte immer, die Schaumschlägerei sei eine der wichtigsten Tugenden im Handel. Und liefert Ihr ihm etwa keinen Rohzucker? Ah, macht nicht so ein Gesicht. Ich bin nur ein schlichter Baumeister und Mechanikus. Von den Finessen der hohen Kunst des Handels verstehe ich nichts. Holla, was ist denn da los?»

Von Marburgers Tisch, der nun von vielen Rücken fast ganz verdeckt wurde, drangen laute Stimmen herüber. Die beiden

Männer erhoben sich, um über die geschlossene Reihe der Schultern vor ihnen besser sehen zu können, und Sonnin, einen halben Kopf kleiner als der hochgewachsene Claes, stieg auf seinen Stuhl. Marburger saß zurückgelehnt auf einem Sessel. Ein hagerer, aber doch muskulöser Mann, gewiß noch keine Dreißig und mit hochrotem Kopf, stand mit wütend geballten Fäusten vor ihm.

«Hier ist wirklich nicht der Ort, über deine dummerhaftigen Anschuldigungen zu reden, Oswald. Du bist bankrott, und daran bist du selbst schuld. So ist das Geschäftsleben, einer gewinnt, der andere verliert.» Marburger leckte sich genüßlich die breiten Lippen und lächelte mit spöttischer Großzügigkeit. «Komm in zwei Stunden in mein Kontor, und da sagst du mir, was du willst. Vielleicht kannst du wieder bei mir arbeiten, wir wollen mal sehen. In der Sirupkocherei ist immer genug zu tun.»

Der junge Mann zitterte, und zwei der anderen Gäste griffen nach seinen Armen und hielten ihn fest. Einer von ihnen war Christian. Claes hatte in dem Gedränge nicht bemerkt, daß sein Sohn hereingekommen war.

«Laßt mich los», sagte der Mann, den der Zuckerbäcker Oswald genannt hatte, ruhig, «an dem mache ich mir die Finger nicht schmutzig. Und Ihr», fuhr er zu Marburger gewandt fort, «wißt genau, wie oft ich versucht habe, Euch im Kontor zu sprechen. Ihr habt mir schon in der Diele Eure Schläger auf den Hals gehetzt. Aber eines sollt Ihr wissen, Marburger» – seine Stimme senkte sich zu einem bedrohlichen Flüstern –, «so kommt Ihr mir nicht davon.» Voller Verachtung spuckte er in Marburgers grinsendes Gesicht, und während die Männer, die dicht um die beiden Kontrahenten herumstanden, noch verblüfft das Rinnsal von Speichel auf der schweißglänzenden Wange des Zuckerbäkkers anstarrten, schob er hastig die Menge zur Seite und verschwand durch die weit geöffnete Tür.

«Platz», piepste Jensen, «so macht doch Platz.»

Eilfertig wischte er mit einem großen weißen Tuch das Kinn und den Rock seines reichen Kunden ab. Der saß immer noch

122

sprachlos auf seinem Sessel, bis er schließlich ärgerlich die Hand des Wirts beiseite schob und aufsprang.

«Der Kerl ist irre!» brüllte er plötzlich. «Hat nichts, kann nichts, und vergreift sich an einem ehrbaren Bürger. Der kriegt die Wedde auf den Hals. Bei Gott! Und kein Bein mehr auf die Erde, dem bleibt nur das Arbeitshaus.» Dann stürzte auch er aus der Tür.

Nun schrien alle nach Kaffee, Branntwein oder Tee, einer verlangte sogar irischen Whiskey. Aber damit konnte Jensen nicht dienen. Statt dessen beeilte er sich, eine Karaffe mit gutem alten Port zu füllen. So ein Spektakel hatte es in Jensens Kaffeehaus schon lange nicht mehr gegeben, und alle hatten schlagartig die beste Laune. Sogar Claes.

Johns, Besitzer der großen Kattundruckerei am Valentinskamp, wußte, wer der aufgebrachte Mann war, der so zielsicher spucken konnte, und war sofort der gefragteste Gast an allen Tischen.

Aber auch Christian, der sich nun zu Sonnin und seinem Vater setzte, kannte den Mann. «Das ist Götz Oswald, du müßtest dich eigentlich auch an ihn erinnern, Vater. Im letzten Winter habe ich ihm für unsere Mecklenburger Kunden eine ganze Menge Zucker abgekauft. Aber die Geschäfte mit ihm wurden einfach zu unsicher. Eigentlich ist er ein netter, honoriger Kerl.»

Oswald war Zuckerknecht bei Marburger gewesen, und zwar einer der besten, er hatte ein Rezept entwickelt, das den Zucker besonders süß und auch besonders haltbar machte. Vor einem guten Jahr war sein Onkel gestorben und hatte ihm ein paar Äcker und ein bißchen Vieh hinterlassen.

«Das hat er verkauft und dafür die kleine Zuckerbäckerei von der Lenzerin gekauft, deren Mann im letzten Jahr an den Masern gestorben ist. Marburger wollte ihn nicht gehen lassen, er bot ihm sogar besseren Lohn – man stelle sich vor, Marburger, der alte Geizkragen! Aber Oswald wollte selbständig sein, und wahrscheinlich hatte er die Schinderei bei dem Dicken längst satt.»

Das ganze Geld sei draufgegangen für sein neues Geschäft

und dazu habe er sich was leihen müssen. Zuerst ging es gut, und er lieh sich noch ein bißchen mehr, kaufte den Schuppen neben seiner Raffinerie dazu, um weitere Pfannen aufzustellen. Und dann ging es plötzlich steil bergab. Seine Lieferungen fielen in die Elbe, ein paar Fässer kamen mit Pferdeurin durchnäßt bei seinen Kunden an, andere waren mit Salz durchmischt. Jedenfalls blieben bald die Aufträge aus, und es gab Gerüchte, daß er allen möglichen giftigen Kram in seinen Zucker mische, damit er besonders weiß werde. Oswald ging bankrott.

«Es passiert alle Tage, daß in Hamburg jemand bankrott geht», wandte Claes ein, «ab und zu muß selbst ein großer Händler wieder von vorne anfangen.»

«Aber Oswalds Ruin stinkt doch zum Himmel. Wenn es auch keiner offen ausspricht, viele glauben, daß Marburger da seine schmutzigen Hände im Spiel hatte. Und womit sollte Oswald wieder von vorn anfangen? Er kann froh sein, wenn seine Gläubiger ihn nicht ins Werk- und Zuchthaus stecken. Und seine Frau hat gerade das dritte Kind gekriegt. Wir sollten diesem verdammten Marburger endlich zeigen, daß er nicht machen kann, was er will.»

Claes hoffte still, daß sich Christian seine Fähigkeit zur Empörung über diese düsteren Seiten des Kaufmannslebens lange bewahren würde. Für einen wie Oswald, der nichts gehabt hatte als ein paar magere Äcker und drei Kühe, und nun tief in Schulden steckte, gab es tatsächlich kaum eine Chance, wieder auf die Beine zu kommen. So einem blieb nur, den Rücken demütig zu beugen und wieder Knecht zu werden. Wenn ihn noch einer nahm. Es wimmelte in Hamburg ja nur so von Armen ohne Brot und Arbeit. Da mußte man keinen einstellen, der sich als unzuverlässig erwiesen hatte.

«Wenn ich so eine Geschichte höre, bin ich froh, daß ich all mein Geld immer wieder in der Lotterie verliere.» Sonnin bemühte sich vergeblich, ein wenig Staub von seiner rechten Schulter zu klopfen. «Marburger ist doch ein hübsches Beispiel dafür, daß Geld tatsächlich den Charakter verdirbt. Ihr, meine

Freunde, seid natürlich Ausnahmen. Aber nun laßt uns von etwas Erfreulicherem reden. Wie geht es Eurer lieblichen Gemahlin, Herrmanns? Pflanzt sie wieder neue Bäume?»

Claes lachte schallend.

Und Christian hätte über seinem Zorn auf Marburger fast vergessen, daß sein Vater an diesem Morgen Lucias Eltern besucht hatte.

6. KAPITEL

Gunda Stedemühlen sah zum Himmel auf und suchte die Lerche, deren hell flirrender Singsang wie die Verheißung von Sorglosigkeit und Glück über dem Garten lag. Sie beschirmte die Augen mit beiden Händen, aber der kleine Vogel war gegen das gleißende Licht nicht zu erkennen. Auf Madeira hatte sie nie eine Lerche gehört, und so war das übermütige Zwitschern für sie immer mit der weiten Ebene um die Stadt ihrer Kindheit verbunden geblieben, mit diesen Sommern ohne Ende, dem warmen leichten Wind, der über die Felder kam und den Geruch von blühendem Weizen und Hopfen mitbrachte. An einen Sommer wie diesen konnte sie sich nicht erinnern, aber sie fand, daß alles zueinander paßte. Das stechende Licht über der Schwüle, der Geruch von brackigem Wasser und diese maßlose Verwirrung, die sie nun spürte. Aber der Garten duftete süß, und sie genoß diesen Duft wie einen Trost.

Sie nickte den Gärtnern zu, die immer noch Wanne um Wanne von der Pumpe zu den Beeten trugen, und schritt entschlossen zum Pavillon, der wie ein kleiner, von Geißblatt und Heckenrosen umrankter Turm mit seinem sechseckigen Dach am Ende des Gartens stand. Die Ranken waren schwer von zarten blaßrosa Blüten, und ihr Duft vermischte sich mit dem der Holunderdolden.

Ihre Vermutung war richtig gewesen. Lucia saß auf der Bank im Pavillon, die Ellenbogen auf die Brüstung, das kleine runde Kinn auf beide Hände gestützt, und sah hinaus über den Fluß. In ihrem Kleid aus feinem, blaß geblümtem Musselin erinnerte sie selbst an eine Heckenrose.

«Lucia?»

Das Mädchen sah lächelnd zu ihr auf, rückte mit einer einladenden Geste ein wenig zur Seite, und Gunda setzte sich neben sie. Mit den goldbraunen Locken über dem fast noch kindlich runden Gesicht glich sie niemandem in der Familie. Aber ihre Augen, dieser schräge, stets ein wenig erstaunte Blick, war ganz und gar der Blick ihres Vaters, als er noch jung gewesen war.

Sie hatte angenommen, Lucia würde traurig oder zornig sein, ihr Temperament war hin und wieder wenig damenhaft. Aber Lucia war ohne Zweifel einfach nur heiter, glücklich sogar, und von dem schlechten Gewissen, das ihre Mutter noch bei ihr zu finden erwartete, zeigte sie nicht die geringste Spur.

«Du bist blaß, Mama», sagte das Mädchen, griff nach Gundas Hand und drückte sie liebevoll. «Und deine Hände sind eiskalt. Wie machst du das? Wenn du dafür ein Rezept hast, kannst du in diesen Tagen unermeßlich reich werden.»

Gunda sah dieses Kind an, das längst eine junge Frau war, und mußte, ob sie wollte oder nicht, lächeln. Lucia hatte etwas viel Besseres als ein Rezept für kalte Hände an heißen Tagen. Nur ein Lächeln, und egal, wie sehr man ihr zürnte, der Zorn schmolz im Handumdrehen und wich dem Wunsch, so heiter zu sein wie sie.

«Ich bin reich genug.» Gunda bemühte sich vergeblich um ein strenges Gesicht. «Obwohl ich mich manchmal frage, zu was das nütze ist. Heute zum Beispiel.»

Sie befreite sich sanft von den Händen ihrer Tochter und faltete die ihren wie gewöhnlich im Schoß.

«Machst du dir immer noch Sorgen wegen Christian, Mama? Das ist ganz und gar nicht nötig.» Die Grübchen in Lucias Wangen wurden tiefer. «Aber er ist doch sehr schön, findest du nicht?»

«Es ist gleichgültig, ob er schön oder häßlich ist. Du hast ihn umarmt, und wenn ich richtig gesehen habe, sogar geküßt. Ich will nicht wieder davon anfangen, was das zu bedeuten hat. Das habe ich dir in den letzten Tagen oft genug erklärt. Aber du mußt endlich begreifen, daß es nie, ich sage es dir noch einmal und ganz klar, niemals eine Verbindung zwischen euch geben kann.»

«Ja, Mama. Das hast du gesagt.»

Es klang sehr kleinlaut, aber Gunda sah ihre Tochter mißtrauisch an. Sie kannte Lucias Strategie, Ermahnungen und Verbote demütig entgegenzunehmen, nur um dann die Zeit für sich arbeiten zu lassen. Und das mußte sie sich und ihrer Erziehung wirklich vorwerfen, es war eine äußerst erfolgreiche Strategie. Aber diesmal, dieses eine Mal, würde ihrer Tochter auch die Zeit nicht helfen. Gunda seufzte. Wären sie doch niemals von Bristol hierher zurückgekehrt! Hamburg oder Altona, das war schließlich fast das gleiche. Wie hatte sie nur glauben können, sie würden einander niemals begegnen, die Stedemühlens und die Herrmanns'. Aber konnte das Schicksal sie wirklich so strafen? Mußte sie ihrer Tochter das gleiche antun, was ihre Eltern ihr selbst angetan hatten?

«Ach, Mama. Warum machst du dir ständig Sorgen. Bin ich nicht immer eine gehorsame Tochter ...?»

«Erzähl mir nichts von gehorsamer Tochter, Lucia. Du redest mit deiner Mutter. Nicht mit deinem dir völlig ergebenen Vater.»

«Aber ich würde nie etwas tun, was du nicht wünschst.»

«Du tust ständig Dinge, die ich nicht wünsche. Dinge, von denen ich glaubte, sie dir nicht extra verbieten zu müssen. Aber genug davon. Darüber haben wir gestern lange genug gestritten. Versprichst du mir, ihn nicht wieder zu treffen? Versprich es mir jetzt.»

Lucia zog die Nase kraus, und die kleine Falte, die dabei entstand, glich genau der über der Nase ihrer Mutter.

«Du hast mir immer gesagt, Gehorsam sei eine wichtige Tugend, Mama. Nun gut, auch wenn ich finde, daß sie vor allem eine schwere Tugend ist, will ich gerne zugestehen, daß sie auch wichtig sein mag. Obwohl ich längst nicht mehr zu jung bin, um eine eigene Meinung zu haben. Du hast mir auch gesagt, daß eine eigene Meinung sehr wichtig ist. Wie kann ich gehorsam sein und zugleich eine eigene Meinung haben? Was nützt eine eigene Meinung, wenn ich nicht nach ihr handeln darf?»

Gunda seufzte. Das hatte sie von ihrem Bemühen, ihre Kinder zu aufrechten Menschen zu erziehen. Vielleicht war es doch eher von Nachteil, jedenfalls für Mütter in ehrbaren Familien, auch die Töchter zu selbständigem Denken anzuhalten.

«Liebst du ihn wirklich so sehr?»

Wieder wurde die Nase kraus gezogen, und Lucia sagte: «Nun ja ...», und schwieg.

«Was heißt ‹Nun ja›? Ja oder nein?»

«Nun ja. Ich meine, das ist nicht so einfach. Wie ich schon sagte, er ist sehr schön, und so stattlich. Und auch sehr ernsthaft, und doch kann er wunderbar lachen. Und er hört mir immer zu, wenn ich rede. Weißt du, er gibt mir nie das Gefühl, nur ein Mädchen zu sein. Ich meine, kein ganzer Mensch. Jeremy ist auch sehr hübsch, und er redet auch mit mir, aber er macht immer Scherze und sagt *little Lady* zu mir. Das ist ja nett, aber er und die anderen jungen Männer behandeln mich, als könnte ich nicht bis drei zählen. Wie soll ich mein Leben mit so einem Mann verbringen, ohne dabei tatsächlich dumm zu werden? Doch, ich liebe Christian sehr. Ich träume sogar von ihm.» Auch sie seufzte nun, aber leicht wie ein Windhauch.

«Lucia!»

«Aber dafür kann ich doch wirklich nichts. Ich träume schöne Dinge. Wir fahren in einem Boot, und es schaukelt. Und er sitzt mir gegenüber und sieht mich an.»

«Und dann?»

«Dann? Nichts mehr. Es ist ein sehr schöner Traum.»

Dann nichts mehr. Gunda entspannte sich, zumindest ein wenig.

«Hast du damals auch von Papa geträumt?»

«Nein. Ich glaube nicht. Es ist sehr lange her.»

«Aber du mußt dich doch erinnern. Ihr habt euch doch sehr geliebt, sonst hättest du ihn gewiß nicht geheiratet. Ich kenne dich gut, Mama.» Sie lachte und tätschelte ihrer Mutter großmütig die Wange. «Du tust immer sehr streng, aber du hast doch eine milde Seele voller Liebe. Niemals hättest du nur deinen Eltern zu Gefallen geheiratet. Aus Gehorsam. Du hast mir nie erzählt, wie ihr euch kennengelernt habt. War es in Hamburg? In Großvaters Haus?»

«Nein.» Gunda sah ihre Tochter an und fand, daß es Zeit wurde, ihr davon zu erzählen, daß das Leben nicht immer in Salons und auf Schlittschuhen begann und daß es nur wenig mit den englischen und französischen Romanen gemein hatte, die Lucia neuerdings so leidenschaftlich las.

«Nein. Ich habe den Kapitän ja erst auf dem Schiff nach Lissabon kennengelernt ...»

«Und gleich habt ihr euch geliebt? Vom ersten Augenblick an? Ihr habt doch schon in Lissabon geheiratet. Oh, Mama, wie romantisch.»

«Ja», murmelte Gunda. «Romantisch. Er erklärte mir die Sterne. Ich war ja noch sehr jung und auf der Reise zu Verwandten, sehr entfernten Verwandten, du kennst sie nicht. Ich sollte dort ... nun, jedenfalls haben wir dort geheiratet. Dann bin ich ihm nach Madeira gefolgt.»

Eine spröde Geschichte voller Lücken, aber das schien Lucia nicht zu stören.

«Und du hast deine Eltern nicht gefragt. Das konntest du gar nicht, sie waren ja in Hamburg.»

Gunda überhörte den gefährlichen Triumph in den Worten ihrer Tochter und bemühte sich, das Zittern ihrer Stimme zu verbergen.

«Ich konnte ganz sicher sein, daß sie einverstanden waren. Er war ein ehrbarer Mann, und er gehörte zu unserer Kirche. Und eine Tante war bei mir, sie gab uns den Segen.»

Und roch ständig nach altem Puder und Pomeranzen, aber das sagte sie nicht. Das Gespräch hatte eine Wendung genommen, die Gunda ganz und gar nicht gefiel. Auch Mütter, so fand sie, hatten ein Recht auf Geheimnisse.

«Es ist so traurig, daß Großmama und Großpapa so früh gestorben sind. Alle haben so viele Verwandte, wir fast gar keine. Papas Eltern, deine Eltern, alle sind tot, und ich habe sie nie kennengelernt. Glaubst du, sie wären auf meiner Seite gewesen? Sie waren gewiß sehr liebe Menschen.»

«Gewiß. Und sehr gerecht. Ich glaube aber nicht, daß sie anders denken würden als der Kapitän und ich.»

«Mama?» Lucias Stimme klang plötzlich sehr erwachsen. «Ich habe immer noch nicht verstanden, was ihr gegen Christian einzuwenden habt. Papa will nicht einmal mit mir über ihn sprechen. Er kommt kaum noch aus seinem Zimmer, nur nachts geht er in das Observatorium, und da darf ich ihn nicht stören. Christian gehört doch zu einer guten Familie, er ist der älteste Sohn, ist auch freundlich, und sein Vater, so heißt es, sei ein bedeutender Mann. Jeremy hat gesagt, daß Christian weder zuviel trinkt noch spielt . . .»

«Er ist kein Mitglied unserer Kirche, Lucia. Dein Vater wird dieser Verbindung nie zustimmen. Sie ist nicht recht.»

«Aber Hetty durfte doch auch . . .»

«Du bist eben nicht Hetty, wir haben andere Sitten. Und ihre Familie brauchte dringend eine gute Partie. Wir sind auf so einen Handel nicht angewiesen. Gedankt sei Gott. Außerdem lebt Hetty in England. Das ist etwas ganz anderes.»

Gunda wußte genau, daß das gar nichts anderes war, und kam sich billig vor. Ihre Hände waren längst heiß geworden, und sie wünschte sich sehnlichst, dieses Gespräch wäre zu Ende. Wie sollte sie ihrem Kind erklären, was in ihr vorging und was sie wirklich dachte. Wie? «Laß uns einen Vertrag abschließen, Lucia. Wie ehrbare Kaufleute. Liebe ist ein launisches Wesen. Ich weiß, daß du dir das jetzt nicht vorstellen kannst. Aber vertraue einfach meinen Erfahrungen.»

«Ja, Mama», nickte Lucia, und es fiel ihr ganz leicht. Immer glaubten Mütter, ihre Töchter hätten keine Erfahrungen des

Herzens, aber das stimmte nicht. Natürlich war sie schon früher in Bristol verliebt gewesen, in ihren Zeichenlehrer zum Beispiel. Aber als sie erkannte, daß alle Mädchen in ihn verliebt waren und er außerdem nichts als seine eleganten Farbkompositionen und wohlklingenden, leeren Worte zu bieten hatte, war die Liebe blitzschnell verflogen. Sie hatte das sehr bedauert, nicht seinetwegen, sondern wegen dieses erregenden Gefühls, das sie bei seiner Berührung gespürt und ebenso verloren hatte. Und dann war da Sir Geoffrey gewesen ...

«Aber wenn du ihn wirklich liebst», unterbrach ihre Mutter leise ihr Resümee in Sachen Liebeserfahrung, «und wenn er dich wirklich liebt, wird diese Liebe dauern und eine kleine Prüfung leicht überstehen. Versprich mir, daß du ihn vier Wochen nicht sehen wirst. Keine heimlichen Treffen, keine heimlichen Briefe. Wenn du ihn dann immer noch willst, werden wir noch einmal über alles nachdenken.»

«Vier Wochen. Was hältst du von zwei?»

«Vier. Keine weniger.»

Lucia sah wieder über den Fluß, und plötzlich lachte sie hell. «Gut, Mama. Vier Wochen. Das ist doch auch sehr romantisch. Fast wie bei Romeo und Julia, nur daß wir nicht sterben werden. Und wenn er eines Nachts unter meinem Fenster steht und mit der Nachtigall Liebeslieder singt?»

Sie kicherte vergnügt, und ihre Mutter stellte erleichtert fest, daß in ihrer so erwachsenen Tochter auch noch das Mädchen steckte, das seinen Brüdern vor gar nicht so langer Zeit drei kleine glibberige Frösche in die Waschschüsseln gesetzt hatte.

Einen Moment überlegte sie, ob das ein kluger Vertrag war, ob sich diese junge Liebe nicht viel leichter als ein Irrtum erweisen würde, wenn die beiden sich möglichst oft sahen. Aber das war letztlich egal. Sie wußte, daß sie diesen Vertrag niemals einhalten würde. Sie mußte ihn brechen. Auch wenn es keinen anderen Weg gab, fühlte sie eine tiefe Scham über ihren Betrug.

«Kann ich dich wirklich nicht umstimmen?»

Lies blickte Matti unsicher an, aber die schüttelte nur lächelnd den Kopf.

«Aber Rosina hat *mich* um Rat gefragt, und du bist ihr auch durch nichts verpflichtet. Ich sollte ...»

«Du solltest einfach nur vernünftig sein. Setz dich zu mir», sie klopfte auffordernd neben sich auf das Polster des Bettes, «und hilf mir, indem du bei mir bist. Mach nicht so ein Gesicht, meine Alte, ohne dich könnte ich es doch gar nicht tun.»

«Aber es ist nicht richtig.»

«Vielleicht nicht, vielleicht doch», Matti lachte leise, und ihre Augen glitzerten, «aber wie sollen wir das wissen, wenn wir es nicht probieren? Für dich ist es zu gefährlich. Du willst es nicht hören, aber ich bin viel gesünder als du. Und stärker. Also werde *ich* es tun. Hab keine Angst, ich werde wieder aufwachen und die alte sein. Und ich weiß ja, daß du gut auf mich achtgibst. Hast du die Lederbänder bereitgelegt? Es wäre nicht sehr passend, wenn ich dir in diesem Zustand davonliefe.»

Matti und Lies hatten die Zeichen auf dem Glas gleich erkannt. Sie hatten sie beide seit vielen Jahren nicht mehr gesehen, aber sie wußten, daß es uralte, einstmals heilige Zeichen aus einer Zeit waren, als die Landschaft an der Elbe noch ein unpassierbarer Sumpf war und das erste Kreuz auf der Sandinsel bei der Alster nichts als ein Vorposten des ersten christlichen Kaisers gegen die wilden nördlichen Völker.

Jede, die diese Salbe kochte, hatte ihr geheimes Rezept, aber ob die Zunge einer Unke, Blut eines neugeborenen Lammes oder feingeschabte Krähenschnäbel in der grauen Salbe verkocht waren, ganz sicher enthielt sie den Saft der Tollkirsche, des Bilsenkrauts oder des Stechapfels. Vielleicht sogar alle drei. Und wenn das stimmte, würde die Salbe Ursache für einen wilden, mal stürzenden, mal hochfliegenden Ritt in eine fremde Welt sein, in einen Kosmos voller Fratzen, Töne und Begegnungen mit fremden Wesen, bis an die Schwelle – hoffentlich nur bis an die Schwelle – des Todes.

Das sagten die Zeichen. Aber sie aufzumalen oder die Salbe tatsächlich zu kochen und in das Glas zu füllen, waren zwei Dinge. Sie waren sich schnell einig gewesen, daß es nur eine Möglichkeit gab, die Wahrheit herauszufinden. Zwar bedauerten sie, daß sie die Salbe erst heute bekommen hatten, denn von alters her war der Donnerstag der beste Tag für jede Art von Zauberei. Aber zum einen war heute erst Freitag, und zum anderen glaubten sowohl Matti als auch Lies schon lange mehr an die Kraft des Bilsenkrauts und der Tollkirsche als an die alte Zauberei. Obwohl man natürlich nie ganz sicher sein konnte, ob das eine ohne das andere tatsächlich wirkte.

Entschlossen öffnete Matti die Bänder ihrer Bluse und streifte das weiße Leinen über die Schultern.

«Nun komm schon, Lies, sei brav und bring es mir.»

Dann tauchte sie den Ring- und den Mittelfinger der linken Hand in das Glas und bestrich ihre Achselhöhlen mit der grauen Salbe.

FREITAG, DEN 13. JUNIUS,
NACHMITTAGS UND ABENDS

«Und du kennst sie schon so lange? Dann verstehe ich erst recht nicht, warum sie sich so gegen Christian stellt. Kanntest du sie gut?»

«Nun, was heißt gut? Unsere Väter hatten gemeinsame Geschäfte. Wie man sich dann so kennt. Sie verließ Hamburg bald und hat in Lissabon den Kapitän geheiratet. Ich habe nie wieder von ihr gehört. Das ist ja sehr lange her.»

Claes saß neben seiner Frau auf der Terrasse und bemühte sich, möglichst wenig zu lügen. Er hatte überhaupt nicht lügen, sondern einfach nur ein wenig auslassen, überspringen wollen. Aber nun war es geschehen. Er lauschte dem Klang seiner Worte nach, als habe sie ein anderer gesprochen, und fand sie dünn. Warum erzählte er ihr nicht einfach die ganze Geschichte? Weil er sich schämte? Nun hatte er noch mehr Grund, sich zu schämen. Es müßte doch ganz leicht sein, einfach den Mund aufzumachen und die Worte herausfließen zu lassen. Natürlich wollte er sie nicht mit diesen uralten Geschichten belasten. Sie waren ja lange vorbei und gingen außer ihn und Gunda niemanden mehr etwas an.

Dünn, Claes, dachte er, ganz dünn. Und so durchsichtig.

Er fühlte Ärger aufsteigen, kurioserweise nicht auf sich oder Gunda oder diese dummen Zufälle, sondern auf Anne. Aber warum war sie auch immer so verdammt klug, die richtigen Fragen zu stellen? Warum mußte sie überhaupt immer alles so genau wissen?

Nur den Mund aufmachen und die Worte fließen lassen. Ganz einfach.

Aber seine Lippen blieben verschlossen. Als ob sie jemand zuhielte. Er sah in den Garten hinaus und spürte doch ihren Blick wie ein prüfendes Tasten. Sie schien meilenweit entfernt.

Anne sah ihren Mann in der Tat aufmerksam an. Da war es wieder, dieses Gefühl der Fremdheit, dieses Gefühl, ihm nicht wirklich nah zu sein. Er hatte ihr von seinem Besuch in der Palmaille erzählt, von Oswalds Zusammenstoß mit Marburger im Kaffeehaus, und nun, zum Schluß, bemerkte er ganz nebenbei, er habe Madame Stedemühlen früher gekannt. Warum hatte er das nicht gleich erwähnt? Fand er es so unwichtig? Er sah verschlossen und erschöpft aus, vielleicht sollte sie ihn nun nicht weiter fragen, später würde genug Zeit dazu sein.

Er nahm ihre Hand, die Fremdheit wurde milder, und sie schämte sich für ihr Mißtrauen. Natürlich sah er verschlossen aus. Die Ablehnung der Stedemühlens mußte seinen Stolz schwer treffen. Um so mehr, als er früher mit der Mutter des Mädchens bekannt gewesen war.

Ein Zitronenfalter flatterte durch den Garten und setzte sich

135

zart auf den Rand des Springbrunnens. Sie beneidete ihn um seine Leichtigkeit.

«Sie ist eine strenge Frau geworden und sehr unversöhnlich», murmelte Claes. «Aber wenn Christian Geduld hat, werde ich es schon schaffen ...» Er unterbrach sich, als Blohm eilig ums Haus kam.

«Was ist los, Blohm? Ist dir ein Engel begegnet? Du strahlst ja so.»

«Herr Claes», rief der Alte mit dem ihm möglichen Höchstmaß an Vertraulichkeit und Freude, «Mademoiselle Rosina ist da.» Selten war den beiden Herrmanns' zugleich ein Besuch so gelegen gekommen.

Obwohl Rosina keinen Grund hatte anzunehmen, man werde sie im Haus der Herrmanns' unfreundlich empfangen, war ihr der Weg nicht leichtgefallen. Claes Herrmanns war seit dem letzten April von seiner Abneigung gegen die Komödianten geheilt, aber das war nun schon mehr als ein Jahr her, und es kam ihr sehr unpassend vor, einfach anzuklopfen. Und nun stand sie in diesem Garten vor Claes Herrmanns und fühlte sich steif wie ein Klippfisch.

Aber da war Anne schon aufgesprungen.

«Rosina», rief sie und umarmte die Komödiantin wie eine alte Freundin. «Ich wußte doch, daß dieser Tag nicht nur schlechte Neuigkeiten bringt.»

Rosina lächelte erleichtert. Die Ehe, fand sie, bekam Anne offenbar gut, sie hatte ihr zumindest nichts von ihrer munteren Unbefangenheit genommen. Und wie im vergangenen Jahr, als sie einander kennengelernt hatten, war ihr Teint zu sehr gebräunt und ihre stets etwas unordentliche Frisur nicht unter einer Haube versteckt. Das hatte sie mit Helena gemeinsam, diese liebenswerte Unachtsamkeit für die Äußerlichkeiten, die den Bürgern doch sonst so wichtig waren.

«Ich freue mich, Euch so wohl wiederzusehen, Madame Herrmanns, ich ...»

«Anne, chère amie. Für Euch immer noch Anne.»

Rosina griff nach ihrer Hand, und plötzlich war alles ganz einfach. Es dauerte nicht lange, und sie saßen um den Tisch im Gartenzimmer. Nachdem alle einander versichert hatten, daß es ihnen sehr gutgehe und wie schrecklich diese Hitze doch sei, traf auch Christian ein. Er brannte darauf, mit seinem Vater über dessen Besuch bei den Stedemühlens zu sprechen, und fand diese Besucherin, von der er schon viel gehört hatte, zwar hübsch und auch interessant, aber gerade heute äußerst lästig. Aber es ging schon auf den Abend zu, lange konnte sie nicht mehr bleiben. So zog er einen Stuhl heran, goß sich ein Glas Zitronenwasser ein und hörte zu. Nachdem ausführlich über Augustas nun schon Monate währenden Aufenthalt in Köln und Bad Pyrmont und über die Hochzeit von Helena und Jean gesprochen worden war, verriet Rosina endlich den eigentlichen Grund ihres Besuchs.

«Sicher wären wir nicht weitergereist, ohne bei Euch vorzusprechen, Anne», begann sie. «Aber heute habe ich ein Anliegen. Wenn Ihr ein wenig Geduld habt», wandte sie sich an Claes, «erzähle ich Euch rasch die ganze Geschichte, damit Ihr besser versteht.»

Claes nickte, und Rosina erzählte von dem verschwundenen Stück und von dem plötzlich verstorbenen Dichter. Die geheimnisvolle Salbe erwähnte sie allerdings nicht. Die drei Herrmanns' hörten ihr bis zum Ende zu, ohne zu unterbrechen.

«Helena sah Euch heute vormittag mit dem Cousin von Monsieur Billkamp auf dem Großneumarkt reden», schloß sie. «Deshalb dachte ich, Ihr könnt uns vielleicht helfen.»

«Das will ich gerne versuchen, aber wie?» Claes Gesicht verriet Zweifel. «Glaubt Ihr, Jörn Billkamp weiß etwas von diesem Manuskript? Sein Vetter hatte sich in den letzten Jahren sehr von seiner Familie zurückgezogen. Er fühlte sich brüskiert, weil sie sich für seine Dichterkünste genierten.»

«Ich weiß es nicht. Und wenn er etwas weiß, wird er es wahrscheinlich nicht zugeben. Meister Lysander schrieb ja von einem Skandal, der viel Staub aufrühren sollte.»

Claes schwieg und überlegte.

«Ich kenne Billkamp nicht sehr gut», sagte er dann langsam, «natürlich kann ich ihn fragen. Aber ob er mir erzählt, was er in den Papieren seines Vetters gefunden hat? Und, verzeiht mir, es scheint mir auch ein wenig pietätlos, ihn so kurz nach dem Tod eines nahen Verwandten mit Neugier zu belästigen.»

«Sicher habt Ihr recht. Aber ich fürchte, wir haben nicht sehr viel Zeit. Ich habe Euch noch nicht alles erzählt, doch das muß ich nun wohl tun.» Rosina rutschte auf die Stuhlkante, setzte sich sehr gerade hin und atmete tief ein. «Vielleicht sehe ich Gespenster, aber ich glaube, daß Meister Lysander nicht zufällig gestorben ist.»

«Was meint Ihr damit?» fragte Anne, die die Geschichte bis jetzt schon höchst unterhaltsam gefunden hatte.

«Ich glaube, jemand hat, wie soll ich sagen, ein wenig nachgeholfen. Während im Pesthof alle ganz aufgeregt versuchten, den armen Mann in seinem Marterstuhl wieder zum Leben zu erwecken, lief ich fort. Ich war wirklich nur auf der Suche nach frischer Luft. Aber dann kam ich an seiner Kammer vorbei, die Tür stand weit offen, es war niemand in der Nähe, da konnte ich einfach nicht widerstehen. Ich trat ein und sah mich ein wenig um. Um ehrlich zu sein: Ich habe den Schrank und die Lade seines Tisches gründlich durchstöbert. Und auch unters Bett gesehen. Ich dachte, ich finde das Stück. Da waren tatsächlich viele bekritzelte Bögen Papier, aber von einem Drama keine Spur. Vielleicht war es da, aber ich hatte ja nicht viel Zeit. Statt dessen fand ich aber etwas anderes, einen gläsernen, gut verschlossenen Napf, auf dem ein Zettel mit eigentümlichen Zeichen klebte. Ich steckte ihn einfach ein, der Verdacht, daß er etwas mit dem Tod des Dichters zu tun haben könnte, kam mir erst gestern abend.»

«Aber ich denke, er hat diesen Drehstuhl nicht überlebt?»

«Das mag schon sein, Anne, aber warum ist er überhaupt in den Pesthof gekommen? Warum hat er sich vorher so seltsam benommen? Heute morgen habe ich Lies den Napf und diese

Zeichen gezeigt, und sie sagt, daß die Salbe darin wahrscheinlich eine Hexensalbe ist.»

«Aber Rosina!» Claes lachte, und hinter dem Lachen spürte sie ungeduldigen Ärger. «Lies' Künste in allen Ehren, wir alle haben davon profitiert und sind ihr dafür sehr zu Dank verpflichtet, aber Hexensalbe! Solchen Hokuspokus nimmt doch niemand mehr ernst.»

«Ich habe befürchtet, daß Ihr das sagt. Aber Doktor Struensee und sein Freund Doktor Gerson, die als letzte im Verdacht stehen, der Quacksalberei anzuhängen, haben uns gestern erklärt, daß es Kräuter gibt, die seltsame Gefühle hervorrufen oder auch den Geist verwirren. Ich mußte ganz fest versprechen, die Salbe nicht selbst auszuprobieren. Aber der Napf war auch schon ziemlich leer, und Lies», fügte sie mit sichtlichem Bedauern hinzu, «hat ihn mir sowieso nicht wiedergegeben.»

«Aber natürlich», rief Anne aufgeregt. «Weißt du nicht, daß es so etwas gibt, Claes? Zu Hause, ich meine auf Jersey, gibt es eine Frau, sie lebt an den Klippen in der Nähe von Grosnez, von der sagt man, daß sie solche Salben macht und bei Vollmond ...» Sie sah Claes' amüsierten Blick und verstummte ärgerlich.

«Lassen wir die Sache mit den Hexen und dem Vollmond mal beiseite», mischte sich nun Christian beschwichtigend ein. Er hatte schon viel von Rosina und den Komödianten gehört und sich eine etwas grelle junge Frau mit eher schlichtem Gemüt vorgestellt. Nun traf er sie zum erstenmal und war von ihrer eigenwilligen Schönheit und ihren guten Manieren überrascht, genau gesagt, sogar ein wenig verwirrt. Nichts schien bei ihr zusammenzupassen. «Billkamp war doch immer ein halbwegs vernünftiger Mann», fuhr er fort, «nur weil einer Verse macht, ist er ja noch nicht verrückt, und plötzlich hielt er wirre Reden und behauptete, fliegen zu können. Und das, Vater, kannst du nicht mit der Hitze erklären. Die Leute sagen, er begann damit schon im April, und der hat uns noch Morgenfröste gebracht. In Annes Garten sind sogar die jungen Triebe der Lavendelstauden erfroren.»

Claes nickte widerstrebend. «Aber es gibt viele Gründe, warum einer plötzlich Unsinn redet. Da muß nicht so Unvernünftiges wie Hexerei im Spiel sein.»

«Nicht Hexerei», unterbrach Rosina eifrig, «Hexensalbe. Gekochtes Schweineschmalz mit, ich habe es schon wieder vergessen, ich glaube mit Bilsenkraut. Oder Stechapfel. Vielleicht mit beidem. Lies kennt sich da gut aus, aber das solltet Ihr niemandem erzählen. Ihr wißt, wie die Leute sind.» Dabei vergaß sie, daß auch die Herrmanns' genau zu diesen Leuten gehörten. «Aber Euer Sohn hat recht, lassen wir die Sache mit der Salbe einfach mal beiseite. Sie nährt ja lediglich meinen Verdacht. Er hatte uns ein Stück versprochen, das für Spektakel und ein volles Haus sorgen würde. Das kann doch nur bedeuten, daß er darin ein Geheimnis offenbaren wollte. Kann es nicht sein, daß irgend jemand das verhindern wollte?»

«Natürlich kann das sein», rief Christian. «Aber ihn deshalb gleich zu töten?»

Doch er war schon ganz von Rosinas Theorie überzeugt. Ob es an der Stichhaltigkeit ihrer Argumente oder am Glanz ihrer tiefblauen Augen lag, mochte Claes, der die Begeisterung seines Sohnes mißtrauisch beobachtete, nicht entscheiden. Ihm selbst schien ja auch, daß sie in dem Jahr, das seit ihrem letzten Besuch vergangen war, noch reizvoller geworden war.

«Naturellement! Wo bleibt deine Phantasie?» rief nun Anne. «Was sage ich da? Phantasie? Das ist doch nur ein Rechenexempel. Und wer weiß», sie klatschte begeistert in die Hände, «vielleicht hat der Tod im Pesthof mit einer Verschwörung zu tun?»

Claes sah seinen Sohn und seine Frau streng an, aber dann krochen die seltenen Grübchen in seine Mundwinkel.

«Ihr beide seid mir wahre Christen. Da wird ein Mensch ermordet, und ihr seid völlig begeistert . . .»

«Ah, Claes, du hast es gesagt: ein Mensch ermordet. Du glaubst es auch.»

«Halt, halt, meine Liebe. Ich weiß nicht, was ich glauben soll. So schnell geht das alles nicht. Aber ich muß zugeben, was Rosina sagt, klingt nicht ganz unvernünftig. Ich kann ja mal herumhören, was man über Billkamp spricht. Und es ist gut möglich, daß ich seinen Vetter ganz zufällig an der Börse treffe.»

Es war nun fast Abend, und gerade als Anne erklärt hatte, sie wolle Rosina nach Altona kutschieren, um auch all die anderen zu begrüßen, wurde der nächste Besuch angekündigt. Vier Herren standen in der Diele und entschuldigten sich wortreich für diesen Überfall, aber man sei gerade in der Nähe gewesen, und wenn es genehm sei – nur ein Blick in Madame Annes berühmten Garten, dann wolle man auch gleich wieder gehen.

Rosina stand still in einer Ecke der Diele und betrachtete die Besucher, denen sie als Mademoiselle Rosina, eine Freundin des Hauses, vorgestellt worden war. Es war Claes ein wenig peinlich gewesen, daß er ihren Familiennamen nicht nennen konnte, aber sie verriet ihn auch bei dieser Gelegenheit nicht. Sie hatte die Namen der Männer schon wieder vergessen, der große, laute war ein Senator, daran erinnerte sie sich, der junge ein Astronom, und der Mann mit dem kurzen weißen Haar? Er war der einzige gewesen, der sie bei der Begrüßung aufmerksam angesehen hatte. Sie spürte noch seinen Händedruck, er war irgendwie besonders gewesen. Nicht unangenehm, aber besonders.

Anne mußte nun auf ihren Besuch bei den Komödianten verzichten. Als ihr Zweispänner vorfuhr, nahm Christian die Zügel und kutschierte Rosina nach Altona.

Auf der Hälfte des Weges sah sie die Dächer des Pesthofes, und da fiel ihr ein, was an dem Händedruck des Mannes besonders gewesen war: Er hatte sich nicht vollständig angefühlt – der Hand, die die ihre so freundlich ergriffen hatte, fehlte ein Finger. Auch der Name fiel ihr nun wieder ein. Kosjan. Ein ungewöhnlicher Name.

«Hübsch», sagte van Witten und verschränkte die Hände auf dem Rücken. «Wirklich hübsch.»

«Und so natürlich», fügte Bocholt nach einer kleinen Pause hinzu. «Gewiß wird alles noch ein wenig wachsen?»

141

«Ganz gewiß», antwortete Anne Herrmanns, die zwar viel lieber zu den Komödianten nach Altona gefahren wäre, aber nun, wie es ihrer Rolle als gute Gattin entsprach, zwischen den beiden Männern auf der Terrasse des Hauses in Harvestehude stand, um ihnen ihren Garten zu zeigen.

«Und wann werdet Ihr die Blumenbeete anlegen?»

«In diese Art Garten gehören keine Blumenbeete, Monsieur Bocholt. Er ist nach der Natur angelegt, Ihr könnt ihn auch Park nennen. Darin sind viel freier Platz und viele verschiedene Bäume. Wir haben Kastanien, Rotbuchen, zwei Sommerlinden, einen Ahorn und einige Eschen, am Ufer stehen Trauer- und Kopfweiden, und dort drüben seht Ihr – wie sagt Ihr hier? Ilsebeeren?»

«Elsbeeren», half Bocholt.

«Ach ja. Also zwei Elsbeeren, sie sind noch klein, dort, die mit den weißen Blüten, die wie luftige Büschel aussehen. Die Ulmen erkennt Ihr gewiß, sie stehen ja auch auf den Wällen. Und der einzelne schöne Baum mit den weißen Blütentrauben, Ihr könnt ihren Duft bis hierher atmen, ist eine Robinie.»

Bocholt und van Witten sogen tief die Luft ein und nickten höflich.

«Sehr süß, in der Tat», murmelte Bocholt.

«Die größeren Bäume standen hier schon lange, bevor der erste Garten angelegt wurde», fuhr Anne eifrig fort. «Die anderen werden, wie Ihr schon sagt, noch wachsen. Deshalb erscheint der Garten Euch vielleicht ein wenig leer. Bäume brauchen viel Platz und Zeit. Sie wachsen nicht nur für eine Generation. Im Herbst werden noch mehr Büsche gesetzt werden. Hartriegel, Feuerdorn, vielleicht eine Magnolie. In England», fuhr sie fort, und van Witten glaubte nun eine Spur Trotz in ihren Worten zu hören, «werden jetzt die Gärten vieler Landsitze auf diese Weise umgestaltet. Man läßt dort auch Rotwild, Lämmer und Kühe darin weiden, dafür ist unser Garten leider zu klein. Aber dafür mußten wir nicht erst einen See graben lassen, die Alster ist ja schon da.»

«Kühe? In einem Garten?»

Bocholt hatte die Engländer immer für recht vernünftig gehalten. Aber dem Hochadel, und davon gab es auf der Insel ja jede Menge, war jede Verrücktheit zuzutrauen.

«Blumen», verteidigte Anne ihre Schöpfung, «gibt es natürlich auch. Meinen Blumengarten findet Ihr auf der anderen Seite des Hauses.»

Bocholt schwieg und warf van Witten einen peinlich berührten Blick zu. Sie hatten den Garten, an dessen Rand Haselsträucher und schlichte Hundsrosen wucherten, bei der Ankunft gesehen und waren sich nicht einig gewesen, ob der auch zum Herrmannsschen Besitz gehöre. So ein buntes Durcheinander, recht hübsch und bestimmt wohlduftend, aber wild und ohne erkennbaren Plan und Stil? Nur der alte Walnußbaum, der einen kleinen Brunnen mit einer nackten, einen dicken Fisch tragenden Putte beschattete, zeugte von Ruhe und Würde. Sehr seltsam.

«Dort drüben», Annes Hand wies nun zu einer brachen, nur von einigen struppigen Weißdornbüschen bestandenen Fläche am westlichen Ende des Parks, «wollen wir im Herbst zwei Glashäuser bauen lassen. Man kann darin den ganzen Winter Blumen ziehen, und vielleicht gelingt es auch, einige Ananaspflanzen über die kalten Monate zu bringen.»

«Ananas?» Den Namen hatte van Witten noch nie gehört.

«Eine äußerst delikate Frucht von den Westindischen Inseln. Oder irre ich mich, Madame?» Kosjan war aus dem Haus getreten und sah Anne aufmunternd an.

«Nein, Monsieur Kosjan. Ihr habt ganz recht. Äußerst delikat. Aber auch äußerst empfindlich gegen die Kälte auf dem Kontinent. Auf der Wiese hinter dem Blumengarten habe ich im Frühjahr schon die ersten Obstbäume gepflanzt, nur heimische Sorten, die überstehen auch die größte Kälte. Diese», sie zeigte stolz auf das Spalierobst an der südlichen Hauswand neben der Terrasse, «sind ganz außergewöhnlich. Diese beiden sind Pflaumen, aber die dritte ist eine Aprikose, und der kleine Baum daneben eine Nektarine, der letzte eine Spanische Birne, die köstlichste, die ich je gegessen habe. Sie gedeihen besonders gut, wenn man sie auf Quittenstämmen veredelt. Doch nun, Messieurs, will ich Euch nicht länger mit meinem Gartenlatein langweilen ...»

«Aber ich bitte Euch ...»

«Auf gar keinen Fall langweilt Ihr uns ...»

Bocholt und van Witten waren sehr gut erzogen.

«Es ist nur ein wenig, nun, ich will sagen, ein wenig neu.» Van Witten tätschelte entschuldigend Annes Hand. «Aber das Neue muß ja sein. Sonst führen wir immer noch im Einbaum über die Nordsee. Und wenn ich es recht bedenke, Bäume sind in der Tat stolze, dauerhafte Gewächse, die passen besser zu uns als der höfische Franzosenschnickschnack.»

Bocholt dachte an seinen und des ersten Bürgermeisters Garten in Hamm und räusperte sich diskret. Aber van Witten hörte ihn nicht. Er hatte beschlossen, sich für diese neue Art von Garten zu begeistern.

«Habt Ihr schon von dem Wörlitzer Garten gehört? Im Anhaltischen?» fuhr der Senator fort. «Fürst Franz legt dort auch so einen Park an, von dem es heißt, er sei ganz nach englischer Manier. Es soll dort alles geben, was er an Laub- und Nadelbäumen auftreiben kann, auch einen künstlichen See, auf dem will er Gondeln fahren lassen. Für Obstbäume hegt er offenbar eine ganz besondere Leidenschaft. Bei Jensen habe ich neulich gehört, er lasse nicht nur wie die Bauern in den Marschen südlich der Elbe ganze Wiesen seines Parks damit bepflanzen, er soll auch Ordre gegeben haben, entlang allen Landstraßen seines Landes Apfel- und Birnbäume zu setzen. Ich finde das unvernünftig. Bei so viel Obst werden seine Landeskinder ständig mit gebählitem Leib herumlaufen. Ich glaube, Bocholt, wir beide sind einfach etwas aus der Mode. Und nun, Madame Anne, glaubt Ihr, Eure Elsbeth hat für uns ungebetene Gäste etwas in ihrer unvergleichlichen Küche gezaubert?»

Annes Garten in Harvestehude war im letzten Herbst Stadtgespräch gewesen. Claes hatte erst im vorletzten Frühjahr ein Haus und einen Garten in Hamm gekauft, als Anne nach Hamburg kam, wurde das Haus gerade neu eingerichtet. Doch schon auf der ersten Spazierfahrt an der Außenalster entlang verliebte sie sich in das seit kurzem unbewohnte Anwesen in der einsamen Landschaft um Harvestehude, und auch wenn diese Gegend nördlich von Böckmanns Gärten noch recht sumpfig war und keineswegs als elegant galt, entschloß sich Claes schnell, den Besitz in Hamm wieder zu verkaufen und dafür dieses Areal zu erstehen. Das fiel ihm leicht, denn mit Hamm verband er schreckliche Erinnerungen an Marias Tod, außerdem war der Garten an der Alster vom Kontor viel schneller zu erreichen.

Das Haus auf den Alsterwiesen hatte einem kauzigen Eremiten gehört – wer sonst baute hier ein Haus? – und war von einem verwilderten Garten umgeben. Anne hatte sich gleich mit Begeisterung in die Arbeit gestürzt. Allerdings entsprachen ihre Vorstellungen nicht den Erwartungen der Hamburger. Sie ebnete die runden und eckigen, von kleinen Buchsbaumhecken umrandeten Beete, die unter dem wuchernden Unkraut noch gut zu erkennen waren, ein, ließ hölzerne Torbögen verschwinden, sogar das kostbare Labyrinth aus ehemals schmalgeschnittenen Eiben abtragen und machte ganz neue Pläne. Den Hamburgern gefiel nicht besonders, was sie da entstehen ließ. Ein Garten sei ein Garten, sagten sie, der müsse akkurate Beete in geometrischen Formen mit Blumen und Stauden in schön komponierten Farben haben, auch nicht in zu vielen Farben, und das, was da aus dem Herrmannsschen Grundstück werde, sei gar kein Garten. Ob den Herrmanns' denn das Geld ausgegangen sei?

Daran konnte es wirklich nicht liegen. Selbst wenn Annes Garten nach der Meinung der anderen Gartenbesitzer nicht viel hermachte, war er doch nicht billig, obwohl der teuerste, ein Caneel-Baum aus der Zucht der königlichen Gärten von Kensington, ein Geschenk ihres Bruders Paul gewesen war. Das edle chinesische Gewächs hatte den naßkalten norddeutschen Winter allerdings nicht überlebt.

Bocholt hatte an diesem Abend mit Kosjan in der *Alten Rabe* gesessen, als van Witten in Begleitung eines jungen Mannes, den beide nicht kannten, vorbeispazierte. Es war schon ungewöhnlich, daß der Senator den weiten Weg aus der Stadt hierher zu Fuß machte, zum einen wegen seiner Würde als Ratsmitglied, aber auch, weil er körperliche Bewegung nie geschätzt hatte. Als er kürzlich zum Frühstück im Palais Schimmelmann gewesen und dem jungen respektlosen Struensee begegnet war, hatte der ihm geraten, sein kostbares, wenn auch ein wenig dickes Blut lieber zu behalten, anstatt es zur Ader zu lassen, und dafür seinen Körper so oft wie möglich auf den eigenen Beinen herumzutragen, denn dazu seien die gemacht. Auch das fand van Witten sehr neu und ungewöhnlich, aber seither hatte er entdeckt, daß diese nicht gerade vornehme Art der Fortbewegung, in Maßen genossen, nicht nur bekömmlich, sondern auch außerordentlich förderlich für seine Verdauung und für seine Heiterkeit war.

So hatte er sich an diesem Abend mit dem jungen Bode auf den Weg zu Herrmanns nach Harvestehude gemacht, um sich endlich einmal den Garten anzusehen, von dem so viel gesprochen wurde. Und weil Bocholt seinem Gast aus der Fremde gerne alles vorführte, was in der Stadt sehenswert war, schlossen er und Kosjan sich dem Senator an. Van Witten hatte gar nichts dagegen, das letzte Stück des Weges doch nicht auf seinen Füßen, sondern in Bocholts bequemem Zweispänner zurückzulegen.

Während Bocholt, van Witten und Kosjan Annes seltsamen Garten inspizierten, hatte Claes sich mit van Wittens Begleiter unterhalten. Johann Elert Bode war gerade 19 Jahre alt, aber in Hamburg schon berühmt, bei einigen sogar berüchtigt: Mehr als einmal hatten die Nachbarn seiner Eltern die Nachtwächter gerufen, weil dem jungen Bode die Aussicht aus den Dachfenstern des elterlichen Hauses wieder einmal nicht gereicht hatte und er mitsamt seinem neuen, 14 Fuß langen Fernrohr aufs Dach geklettert war. Am liebsten hätte er seine nächtlichen Beobachtungen von einem der Hamburger Kirchtürme aus gemacht, doch das war ihm bisher verwehrt worden.

Seine ganze Leidenschaft gehörte den Sternen, und seit er die astronomischen Instrumente und Bücher Johann Georg Büschs, eines der gelehrtesten Männer der Stadt, benutzen durfte, wähnte er sich selbst im Himmel. Bode war ein stiller Mensch. Bis zu dem Moment, da ihn jemand nach seinen Sternen fragte. Claes schwirrte der Kopf.

«Na, Herrmanns, kennt Ihr Euch nun über den Wolken aus?»

Van Witten, der mit Anne und den anderen beiden Gästen in das Gartenzimmer zurückkehrte, zwinkerte ihm fröhlich zu.

«Noch lange nicht», sagte Claes bedauernd, «dazu sind der Himmel zu groß und mein Kopf zu klein. Aber für heute ist es genug, nun laßt uns essen.»

Das Abendlicht, das durch die weit geöffneten Fenster hereinfiel, verstärkte den warmen Schimmer der gelben Seidentapeten des Speisezimmers und ließ den großen Strauß blutroter Dahlien auf der Mitte des Tisches ein letztes Mal aufglühen.

Anne und Claes waren mit ihren Gästen schon beim vorletzten Gang, als der Zweispänner wieder in den Hof rollte und Christian das Speisezimmer betrat.

«Und jetzt, Bode, verratet uns, was Ihr als Astronom von diesem Menschen haltet, der als Kometenbeschwörer auf den Märkten steht», sagte van Witten gerade, leerte das Soßenkännchen über der letzten Wachtel aus und sog genießerisch den Duft von kroß gebratenem Geflügel, Ingwer, Safran und Muskatblüten ein. «Was hat es mit dem Kerl auf sich? Ist das alles Humbug oder Wissenschaft?»

«Das ist eine sehr interessante Frage», sagte Kosjan, und die anderen nickten.

Bode, der während des ganzen Essens geschwiegen hatte, errötete. Er war nicht daran gewöhnt, daß eine ganze, dazu noch so vornehme Gesellschaft ihm zuhörte.

«Nun», begann er und schwieg.

«Redet nur», ermunterte Claes ihn. «Und falls Ihr Euch in der einen oder anderen Sache irren solltet – wir sind so unwissend, daß wir es nicht bemerken werden. Doch wir hören Euch begierig zu.»

So nahm Bode noch einen Schluck von dem leichten, prikkelnden Wein aus dem westlichen Frankreich, räusperte sich und erzählte, zunächst stockend und dann immer eifriger, daß man über die Kometen noch nicht sehr viel wisse. Sie bekämen ihre Schweife, wenn sie sich der Sonne näherten. Kepler, ein großer Astronom in älterer Zeit, habe gesagt, Kräfte der Sonne rissen feine Teile des Kometen heraus, die dann forttrieben und von der Sonne beleuchtet würden wie ein Stern. Das sehe von der Erde aus wie ein Schweif. Man wisse auch, daß die Kometen auf Kreisbahnen liefen, die jedoch von sehr unterschiedlicher Länge seien.

«Edmond Halley, ein Landsmann von Euch, Madame», erklärte er zu Anne gewandt, «hat es letztlich bewiesen. Ihr habt gewiß davon gehört, denn der Komet, dessen Wiederkehr er vorausberechnet hat, verursachte großen Aufruhr.»

Anne nickte. Auch auf Jersey waren damals die Kirchen wie die Klingelbeutel voll wie nie gewesen. Sie überlegte. «Das war vor sechs Jahren?»

«Vor sieben.»

«Ja, vor sieben. Und als er dann über den Himmel zog, knieten die Menschen betend am Strand und auf den Höhen und warteten trotzdem darauf, daß ihnen der Himmel auf den Kopf fiele.»

«So sind die Leute», sagte Bode streng. «Aber ich glaube nicht, daß je ein Komet herunterfällt. Seine Geschwindigkeit hält ihn auf seiner Bahn am Himmel. Daß Halley sein Erscheinen so genau berechnen konnte, beweist das alles.»

«Also sehen wir immer den gleichen Kometen, falls wir einen sehen?» fragte nun Claes. «In dem Jahr, als, nun, als ich sehr jung war, stand einer lange über der Stadt, er hatte erst vier, dann sechs Schweife. Die schimmerten zum Schluß rötlich, es war ein sehr unheimlicher Zauber.»

Er sagte nicht, daß es genau das Jahr gewesen war, in dem

Gunda so plötzlich verschwand. Tatsächlich hatte er damals eine Weile gegrübelt, ob es da einen Zusammenhang gebe.

«Das war ein berühmter Komet, der in vielen Ländern gesehen wurde», erklärte Bode, ohne auf die ganz unwissenschaftliche Frage des Zaubers einzugehen. «Aber es war ein anderer. Monsieur Halley hat den Kometen, der vor einigen Jahren wiederkehrte, bereits 1682 gesehen. Er ist schon lange tot, er nahm seine Theorie also mit ins Grab, ohne deren Beweis erleben zu dürfen. Das ist der größte Jammer für einen Astronomen.»

«Gewiß ist er nun bei unserem Herrgott», sagte Bocholt, dem diese Diskussion nun doch zu unchristlich wurde, mit frommem Blick, «und sieht alle Kometen ganz von nahem.»

Kosjan grinste still, und van Witten lachte dröhnend.

«Gewiß», gab Bode höflich zurück. «Er muß aber auch schon zuvor ganz sicher gewesen sein, denn er hatte berechnet, daß dieser Komet derselbe war wie der, der die Menschen schon 1531 und 1607 verstört hatte . . .»

«Wie könnt Ihr Euch nur alle diese Zahlen merken?» Claes war ernstlich erstaunt. «Ich weiß gewiß mit Zahlen umzugehen, aber mit Daten? Ich bin froh, wenn mir einfällt, in welchen Jahren meine Kinder geboren wurden.»

«Aber sagt uns», mischte sich nun Kosjan ein, «bringt so ein Komet, auch wenn er nicht herunterfällt, Gefahren? Zum Beispiel große Unwetter oder die Pest?»

«Verzeiht, aber das kann ich nicht sagen. Ich glaube zwar nicht daran, mein Feld ist die akkurate Mathematik. Aber ich weiß auch, wie wenig ich weiß, und in alten Chroniken wird das wohl behauptet. Andererseits gibt es ebenso viele Berichte von Kometen, in deren Gefolge nichts als schönes Wetter und gute Ernten verzeichnet wurden.»

«Und gegen die böse Kraft des Gewitters», rief Anne, alle damenhafte Ruhe vergessend, «gibt es ein gutes Mittel. Ich habe schon zu meinem Bruder und nun zu meinem Gatten gesagt, wir müssen dafür sorgen, daß auf den Dächern, besonders der hohen Häuser und der Kirchtürme, Blitzableiter eingerichtet werden.»

«*Mon dieu*», stöhnte van Witten und fragte sich zum erstenmal, ob es klug gewesen war, den jungen Bode mitzubringen, «ein gelehrsamer Abend! Was ist ein Blitz..., wie habt Ihr gesagt?»

«Blitzableiter. Eine neue Erfindung. Eigentlich nicht ganz neu, sie ist nämlich schon etliche Jahre alt, aber noch sehr wenig bekannt. Monsieur Franklin in den nordamerikanischen Kolonien hat sie erfunden. Sie schützt vor der Feuerkraft der Blitze und verhindert die Brände, indem sie die Elektrizität einfängt und über eine kupferne oder bleierne Leitung vom Dach und an der Hauswand entlang in die Erde, am besten in einen Bach oder ein anderes Wasser leitet. In Hamburg mit den vielen Fleeten und Flüssen ist es besonders einfach. Man muß nur...»

In diesem Moment brachte Blohm das Dessert, große Schalen mit gezuckerten Erdbeeren und halbgeschlagener Sahne und eine Platte mit Butterzimtwaffeln und Weinmus. Besseres hatte Elsbeth in der Kürze der Zeit und bei der großen Zahl der unerwarteten Gäste nicht zaubern können.

Anne mußte mit ihrem Lieblingsthema wieder einmal warten. Aber sie war sicher, daß es ihr schließlich gelingen würde, Verbündete zu finden und selbst Claes zu überzeugen, der, was den Blitzableiter betraf, um keinen Deut besser war als Paul. Dabei warteten die vielen hohen Kirchtürme Hamburgs nur darauf. War St. Michaelis nicht erst vor einigen Jahren, durch einen mächtigen Blitz entzündet, bis auf die Grundmauern niedergebrannt?

Als die letzte Weinkaraffe geleert war und Blohm den Branntweinkrug und die Pfeifen weggeräumt hatte, machten sich Bocholt, Kosjan, van Witten und Bode in dem Zweispänner wieder auf den Weg zurück in die Stadt. Es war spät geworden, und die Tore waren längst geschlossen. Der Himmel war verhangen, nur wenige Sterne schimmerten durch die Wolkendecke. Aber für den Himmel und seine geheimnisvollen Reize blieb ohnehin keine Zeit. Sie mußten sich beeilen, jetzt konnten sie noch für eine teure Gebühr samt Pferd und Wagen das Dammtor passieren, aber es ging auf Mitternacht, und danach öffneten die Wachen für niemanden, ob Bettler oder Potentat, eines der Hamburger Tore.

Erst als van Witten vor seinem Haus in der Steinstraße aus Bocholts Wagen kletterte, fiel ihm auf, daß Herrmanns' Sohn an diesem doch so anregenden Abend ungewöhnlich schweigsam gewesen war.

7. KAPITEL

Christian schreckte aus tiefem Schlaf. Sein Haar war schweiß-naß, und in seiner Kehle würgte ein erstickter Schrei. Er hatte geträumt, und auch wenn er sich nicht mehr daran erinnern konnte, spürte er noch einen Rest von Entsetzen. Es mußte ein furchtbarer Traum gewesen sein.

Durch das weit geöffnete Fenster drang das kecke Lied einer Amsel, die im Birnbaum saß, um das erste Licht des Tages zu begrüßen, und der zarte Duft des Jasmins von der Terrasse holte ihn endgültig in die reale Welt zurück. Im Haus herrschte tiefe Stille. Bis zum Frühstück dauerte es noch mindestens zwei Stunden, aber an Schlaf war nun nicht mehr zu denken, also kleidete er sich an, schlich leise die Treppe hinunter, trank in der Küche einen Schluck Milch aus der Kühlkammer, riß ein ordentliches Stück von dem Brotlaib, der in ein Leintuch gewickelt in der Tonschüssel auf dem Tisch stand, und ging hinaus zum Stall. Tau glitzerte matt auf dem Gras, bald würde die Sonne aufgehen und die Frische des Morgens vertreiben. Es war schon warm, in diesen Tagen kühlte es selbst hier draußen am See niemals richtig ab, aber immer noch frisch genug für einen scharfen Ritt. Er spürte die Morgenluft wie ein belebendes Elixier in seinem ganzen Körper, er brauchte Bewegung und Geschwindigkeit, Wind im Gesicht und das heftige Klopfen des Herzens.

Er ließ den Pferdejungen in seiner Kammer über dem Stall schlafen, gab seiner Stute, die ihn freundlich schnaubend begrüßte, die Hälfte des Brotes, und sattelte sie eilig. Aus dem Hof führte er sie zum unteren Fahrweg, der an der Alster entlang durch die Wiesen nach Norden führte, sprang in den Sattel, und als hätte die Stute nur darauf gewartet, galoppierte sie sofort los.

Er ritt bis zum Eichwald bei der Krugkoppel, wo die Alster vom langgestreckt aufgestauten See wieder zum Fluß wurde. Unwillig fügte sich die Stute in den Halt, und er blickte atemlos zurück. Wenn man von Altona kam, sah die Stadt hinter den Wällen mit ihren Türmen und den zusammengedrängten Dächern und Giebeln aus wie ein überladenes Fuhrwerk. Dann schien es ganz selbstverständlich, daß es dort schon am frühen Morgen stickig war. Besonders in diesen Wochen, in denen selbst die Nächte ohne Wind blieben, hingen die Ausdünstungen der hunderttausend Menschen und der moderige Geruch aus den Fleeten ständig über den Dächern. Von der Krugkoppel aber sah er über den ganzen langgestreckten See mit seinen sanften grünen Ufern, die die Festung durchbrachen, und das Bild der Stadt mit ihren eleganten Türmen bot im rosigen Morgenlicht kurz vor Sonnenaufgang den schönsten Anblick, den er je genossen hatte. Außer Lucia natürlich.

Christian wandte sich um und blickte nach Norden den Fluß hinauf. Ein müdes Bauernpaar aus Eppendorf, Wellingsbüttel oder Ohlsdorf stakte seinen mit Körben und Ballen beladenen Kahn flußabwärts zum See. Der dicke rotbraune Hund im Bug hielt genüßlich die Nase in die feuchte Morgenluft. Der Mann und die Frau mußten noch weit staken, bis sie über die Alster und durch die ganze Stadt den Markt an der Trostbrücke oder den Hafen erreichten.

Über St. Georg ging glühend die Sonne auf. Sie schien träge, als mache es ihr Mühe, die gelbgraue Wolkenwand vor dem Horizont zu überwinden. Das Land war still, nur die Vögel, die sich in den mächtigen Kronen der Eichen zu ihrem Morgenkonvent versammelt hatten, sangen und keckerten, schilpten und trillerten, als gelte es, den Preis der Meistersinger zu gewinnen.

Christian lenkte die Stute im langsamen Trab über den Lizentiatenberg, eine lindenbestandene Anhöhe, und bog in den mittleren Fahrweg ein, den die Leute aus den Dörfern einfach Mittelweg nannten. Über das dichte Gebüsch jenseits der Wiesen ragte der gedrungene Turm der Kirche von Eppendorf, einige Kühe und Ziegen standen schläfrig im Gras, die Welt schien menschenleer.

«Komm, Bella», er schnalzte leise, «nur noch eine kleine Galgenfrist, bis Stall und Kontor uns wieder einsperren.»

Sofort fiel die Stute in übermütigen Galopp, und Christian hörte sich lachen, er fühlte die starken Muskeln des Tieres zwischen seinen Schenkeln, eine Kraft, die auf ihn überging, die reine Freude war, Lust zu leben und die sichere Erwartung zukünftigen Glücks.

Wenn er den kürzesten Weg durch das Dammtor gewählt hätte, wären die nächsten Tage für ihn und auch für seinen Vater und Anne sehr viel beschaulicher gewesen, aber das ahnte er nicht, und so galoppierte er voller Lust über den beginnenden Tag den längsten Weg am breiten Stadtgraben entlang, der vor den Wällen die Stadt umschloß, und auf die Elbe und das Millerntor zu.

Durch dieses Tor strömten von jeher die meisten Menschen und Wagen in die Stadt. Auch an diesem Morgen, es mochte gerade sechs Uhr sein, stauten sich schon die Fuhrwerke und Karren aus Altona, Bahrenfeld oder Ottensen auf ihrem Weg zu den Märkten und Anlegern. Zwei Jungen zerrten ein schwarzweißes Rind und zwei geschorene Hammel an Stricken auf ihrem letzten Gang zu den Schlachterbuden an Wagen vorbei, eine ganze Schar ärmlich gekleideter Frauen mit schweren Körben oder in Tücher gewickelten Töpfen voller gesalzener Butter, Käse, Fleisch oder gerupftem Geflügel und frisch geschnittenen Kräutern stritten vor der Akzisebude mit einem rotgesichtigen Zolleinnehmer. Der verlangte standhaft, daß sich eine von ihnen, ein sommersprossiges Mädchen mit ungewöhnlich breiten Röcken, durchsuchen lasse. An keinem der Tore wurde so viel geschmuggelt wie an diesem.

Christian stieg ab, führte Bella an den Fuhrwerken vorbei auf der Zugbrücke über den Graben und hatte Glück: Die Wachsoldaten erkannten den jungen Herrmanns und winkten ihn an den anderen vorbei. Hier kam niemand hinein oder hinaus, ohne gesehen zu werden. Während am Steintor am anderen Ende der Stadt schon seit der Toröffnung ganze Wagenkolonnen auf die Straße nach Lübeck oder über Bergedorf elbaufwärts zur Furt bei Artlenburg oder zur Fähre nach Zollenspieker rollten, verließen um diese frühe Stunde nur sehr wenige Menschen und Wagen die Stadt in westliche Richtung und ins Dänische. Christian beachtete sie nicht, nur ein eiliger dicker Mann mit struppigem gelbem Haar fiel ihm auf. Sein Gesicht war sonnengebräunt, dennoch wirkte er bleich, und sein breites Kinn brauchte dringend ein Badermesser.

Schnell stieg Christian in den Sattel und beschloß, sich noch einen Blick nach Altona zu gönnen. Vielleicht erkannte er von der Bastion Albertus den Turm des Pavillons im Stedemühlenschen Garten. Und wer weiß, vielleicht konnte auch Lucia nicht mehr schlafen, ganz gewiß konnte sie das nicht, und er entdeckte einen Zipfel ihres Kleides zwischen den Büschen. Auch wenn er sie nicht treffen durfte, ein Blick über eine Meile Entfernung mußte erlaubt sein.

Unter den Ulmen auf dem Wall war es still, wer um diese Stunde schon emsig war, arbeitete in den Werkstätten und Küchen oder drängte in entgegengesetzter Richtung in die Stadt und zum Hafen. Albertus ragte hoch über die Elbe, und höchstens der Altan des Baumhauses bot einen schöneren Rundblick über den Hafen und die weite Landschaft bis zu den Marschen am südlichen Ufer.

Die Sonne war nun schon über die Dächer geklettert, sie hing am Himmel, blaß und grell zugleich. Es würde, natürlich, wieder ein heißer, drückender Tag werden.

Christian war enttäuscht. Vom Stedemühlenschen Garten war nicht einmal ein Zweig der äußeren Eibenhecke zu sehen. Er hätte es wissen müssen. Altona war schließlich kein Fischerdorf, sondern eine Stadt mit ebenso hohen Häusern wie Hamburg.

155

Das Haus in den Palmaillegärten und selbst der Pavillon am Ufer waren vollständig dahinter verborgen. Und selbst wenn Lucia auf einem der vorderen Dächer gesessen hätte, der gleißende Dunst ließ alle Konturen verschwimmen.

«Dann gehen wir eben frühstücken, Bella.» Er klopfte der Stute den schweißnassen Hals, und gerade als er die Bastion verlassen und sich über das Johannisbollwerk hinunter am Hafen entlang zum Neuen Wandrahm aufmachen wollte, entdeckte er ihn. Zuerst sah er nur die breit ausgestreckten Beine, die kräftigen Waden in weißen Seidenstrümpfen. Der Rest des Mannes, der da auf der Bank unter einer Ulme saß, war hinter dem dicken Stamm verborgen. Christian hatte das Gefühl zu stören, aber sein Weg führte an der Bank vorbei, und wobei sollte er jemanden stören, der nur wie er selbst über die Elbe blickte?

Er kam näher, sah den ganzen Mann und erkannte ihn sofort. Marburger, Zuckerbäcker und Profiteur erster Güte, hing schräg auf der Bank und schlief mit offenem Mund. Und das zu einer Stunde, in der in allen Zuckerraffinerien der Stadt längst Hochbetrieb herrschte. Auf seiner Jacke aus dunkelgelbem Samt, gerade an der Stelle, unter der selbst er ein Herz haben mußte, schimmerte ein grünlicher Fleck.

Christian grinste. Der Dicke hatte wohl eine schlechte Nacht gehabt, wenn er hier gestrandet war und die berüchtigte tyrannische Aufsicht über seine Knechte vergaß.

Zuerst wollte er einfach vorbeigehen, aber dann sah er wieder Oswalds hageres Gesicht vor sich und entschied anders. Die Gelegenheit, diesen miesen Kerl sturzbetrunken, denn das war er ganz gewiß, bei der Wache abzuliefern und dem öffentlichen Spott preiszugeben, kam so schnell nicht wieder.

«Marburger», rief er, «aufwachen, der Sirup kocht über!»

Aber so einfach war Marburger nicht wachzukriegen. Eine winzige rote Spinne kroch eilig über seine Stirn, kletterte mühsam durch die kräftigen Augenbrauen und verschwand schließlich in seinem linken Ohr.

Auch das konnte ihn nicht wecken, denn Marburger war tot.

Ein dünnes Rinnsal von Blut, es begann gerade erst zu trocknen, sickerte von einer schmierigen Wunde hinter dem Ohr, das die Spinne als Versteck gewählt hatte, den kurzen fleischigen Hals hinab und färbte seine Halsbinde dunkelrot. Die halbgeöffneten Augen und der offene Mund gaben ihm den Ausdruck eines mißtrauischen dicken Kindes. Lebend hatte er niemals so harmlos ausgesehen.

Christian hatte in den letzten Monaten oft gedacht, eines Tages werde ihn einer in seiner eigenen brodelnden Zuckerbrühe ersäufen. Eine wahrhaft unchristliche, aber doch sehr angenehme Vorstellung. Statt dessen hatte ihn jemand mit einer Zuckerhutform erschlagen. Die lag nun blutbeschmiert zwischen den Wurzeln der Ulme.

«Aber warum hast gerade du ihn gefunden?» Claes Herrmanns lehnte an seinem Schreibpult und sah seinen Sohn fragend an. «Was hast du überhaupt auf Albertus gemacht?»

«Es war noch so früh, als ich durchs Tor kam. Da bin ich einfach auf die Bastion geritten, um, na ja, um über den Hafen zu sehen. Du sagst doch selbst immer, daß das der schönste Blick über die Elbe ist.»

Claes nickte. «Natürlich. Entschuldige, Christian. Es geht mich ja auch gar nichts an, welchen Weg du nimmst.»

Er nahm ein Stück Schinken von der Platte, die Elsbeth den beiden Herrmanns ins Kontor gebracht hatte, wickelte es um ein Stück Roggenbrot und stopfte beides unachtsam in den Mund. Für ein ruhiges zweites Frühstück im Salon oder in der Küche war heute keine Zeit.

«Du sagst, es war noch früh. Wie früh? Hast du nicht auf die Uhr am Millerntorturm gesehen?»

Christian schüttelte den Kopf. «Daran habe ich gar nicht gedacht. Ich hatte ja sehr viel Zeit. Außerdem bleibt die in den letzten Wochen andauernd stehen. Es heißt, die Hitze habe das Öl im Räderwerk eintrocknen lassen.»

«Aber warum haben die Soldaten ihn nicht schon früher gefunden? Er kann doch nur wenige Schritte vom Wachhaus gestorben sein.»

«Da war niemand. Deshalb bin ich ja gleich zum Zeughaus geritten. Es ist ja sowieso nicht gerade klug, sich ausgerechnet den Platz neben einer Wache für ein Verbrechen auszusuchen. Aber ich weiß nicht, ob noch alle zweiundzwanzig Bastionen ständig bewacht werden.»

Das wußte Claes auch nicht. Es erschien ihm auch gerade bei der Bastion Albertus ziemlich überflüssig. Wer verrückt genug war, dort hinaufsteigen zu wollen, scheiterte schon am Vorwerk, und dann hatte er einen Wall vor sich, der dreißig Fuß steil aufragte. Es war unmöglich, dort hinaufzugelangen. Es sei denn, man besaß Flügel oder andere übermenschliche Gaben.

«Also war niemand außer dir dort. Wenn du auf der Bastion nur mit der Wache gesprochen hast, wird bald jemand von der Wedde kommen, um dich auch zu befragen. Laß uns alles noch einmal durchgehen, damit du gut vorbereitet bist.»

«Warum machst du dir so viele Gedanken, Vater? Ich habe Marburger entdeckt, ich habe die Wache geholt, und damit ist es doch erledigt. Du tust fast so, als hätte ich etwas mit seinem Tod zu tun.»

«Unsinn, Christian, niemand wird es wagen, dich zu verdächtigen.» Seine Worte klangen allerdings nicht überzeugend. «Aber so eine Sache ist immer mißlich. Es ist unangenehm für uns, mit einem Mord zu tun zu haben. Es kostet Zeit und Nerven, und die brauchen wir gerade jetzt für anderes. Also erzähl mir noch mal alles genau, dann geht die Unterhaltung mit der Wedde um so schneller, und wir können wieder unsere Arbeit tun.»

Die letzten Worte hatte er sehr laut gesprochen und dabei grimmig durch die von großen Fenstern durchbrochene Wand zum Raum der Lehrlinge gesehen. Fietz und Dübbel, die angestrengt lauschend versucht hatten, wenigstens ein paar Fetzen von dieser aufregenden Sache mitzubekommen, beugten sich eilig über ihre Tische.

Christian verstand die Nervosität seines Vaters zwar nicht, aber bereitwillig erzählte er noch einmal, wie er den Zuckerbäkker gefunden hatte.

«Ich war wirklich erschrocken», schloß er seinen Bericht, «als ich merkte, daß er tot war. Ich will nicht behaupten, daß ich von tiefer Trauer erfaßt wurde. Im Gegenteil, mein erster Gedanke war: Nun hat er bekommen, was er verdient...»

«Das, mein Sohn, wirst du der Wedde auf keinen Fall erzählen.»

Christian lachte. «Ganz wie du wünschst. Aber ich bin sicher, daß nur sehr wenige Menschen in der Stadt anders denken.»

«Was hast du dann gemacht?»

«Dann?» Christian überlegte einen Moment. «Dann habe ich gedacht, daß ich mich vielleicht irre. Ich kenne mich nicht gut aus mit Toten. Also habe ich ihn an der Schulter gerüttelt. Da rutschte er ganz langsam auf die Seite, was sehr gruselig war, weil er mich immer aus diesen halbgeöffneten Augen anstarrte. Dann bin ich so schnell ich konnte zur Wache am Zeughaus geritten und habe Alarm geschlagen. Die kamen alle gleich mit, es waren auch ein paar Dragoner da, ich glaube vier, und dann standen wir um den toten Marburger herum, bis einer der Dragoner ihn schließlich ordentlich auf die Bank legte. Aber da kam schon Wagner angerannt, der kleine Weddemeister, und scheuchte alle auseinander. Er hat sich meine Geschichte angehört, so genau wie du wollte er es allerdings gar nicht wissen, und mich nach Hause geschickt. Also bin ich hierher geritten, habe Bella in den Stall gebracht und bin auf der Suche nach einem Frühstück zu Elsbeth in die Küche gegangen. Ich hatte schrecklichen Hunger.»

Das Uhrwerk von St. Katharinen schlug, und Claes zählte die Schläge mit.

«Schon zehn», murmelte er. «Sie werden bald kommen. Kanntest du Marburger? Immerhin gönnst du ihm diesen Tod.»

«Ich kannte ihn nicht besser als du. Er hat von uns Zucker gekauft, aber das hat meistens Pagerian erledigt, sein Schreiber.

Daß er ein Mistkerl war, wußte jeder, und was er Oswald angetan hat, ist niederträchtig. Dafür müßte man ihn von der Börse ausschließen. Das ist jetzt ja überflüssig.»

Claes drehte Christian, der immer noch an dem großen Eichentisch nahe dem Postregal saß und sich gerade den dritten Buchweizenpfannkuchen auf den Teller lud, den Rücken zu und blickte über das Fleet hinüber zur Jungfernbrücke. Er kämpfte gegen ein dumpfes, schwarzes Gefühl. Es gab keinen Grund dafür, und doch war es da. Er wußte nur zu gut, wie schnell einer, der ganz und gar unschuldig ist, in falschen Verdacht geraten konnte.

«Und Oswald? Kennst du den?»

«Götz Oswald kenne ich schon sehr lange», hörte er seinen Sohn antworten. «Du auch, du hast es nur vergessen. Götz' Vater hat mit seiner Schute jahrelang Waren für dich transportiert. Ich durfte manchmal mitfahren, und obwohl er einige Jahre älter ist als ich, nahm er mich sonntags oft mit an den Oberbaum zum Angeln. Er war ein kluger Junge und hat mich immer gelöchert, was ich im Johanneum lernte. Er wäre sicher selbst gerne dort zur Schule gegangen.»

Claes versuchte sich zu erinnern, aber es gelang ihm nicht. «Und warum hat er die Schute seines Vaters nicht übernommen?»

«Der starb schon, als Götz etwa dreizehn Jahre alt war, seine Mutter mußte den Kahn wohl verkaufen. Ich habe ihn dann nicht mehr oft gesehen, ich lernte Latein, Mathematik, Französisch und die Gavotte, und er schuftete schon bei Marburger. Für eine richtige Lehre gab es kein Geld, und die Zuckerbäcker können als Unzünftige ja machen, was sie wollen. Auch mit ihren Leuten.»

Christian schob den leergegessenen Teller zur Seite, faltete das Mundtuch zusammen und sah den Rücken seines Vaters nachdenklich an.

«Vater?»

«Ja?»

160

Claes bemühte sich, die Unruhe aus seinem Gesicht zu verbannen, und wandte sich wieder seinem Sohn zu.

«Warum fragst du mich nach Oswald? Du glaubst doch nicht etwa, daß der mit dem Mord zu tun hat?»

«Was ich glaube, wird in den nächsten Tagen ziemlich gleichgültig sein. Aber viele haben den Streit im Kaffeehaus erlebt. Da muß man kein Verleumder sein, um auf diese Idee zu kommen. Und du weißt, wie die Zuckerknechte sind. Starrköpfig, immer unzufrieden und bei jeder Schlägerei dabei.»

«Wenn ich so hart arbeiten müßte, wäre ich vielleicht nicht anders. Aber so ist doch nicht jeder, nur weil er alle Tage im Zucker steht. Götz zu verdächtigen, ist wirklich verrückt. Entschuldige, Vater, aber so ist es nun mal. Ich habe ihn, nachdem ich aus Bergen zurück war, wiedergetroffen und sogar zwei- oder dreimal ein Bier mit ihm getrunken. Er ist immer noch ein sehr freundlicher Mensch, er hat eine liebe Frau und drei Kinder. Das jüngste wurde erst im Mai geboren. Vor allem ist er nicht dumm genug, so etwas zu tun.»

Claes wußte besser als sein Sohn, wie wenig Verbrechen mit Klugheit zu tun hatte, aber bevor er ihn darüber belehren konnte, wurde die Kontortür schwungvoll geöffnet.

«Da ist er ja, unser Bluthund.» Senator van Witten stand in der Tür und lachte dröhnend. Er ging mit großen Schritten auf Christian zu, schlug ihm auf die Schulter, als habe er einen Amboß vor sich, und musterte ihn mit breitem Grinsen.

«Das kommt davon, wenn man sich schon am frühen Morgen auf den Wällen verlustiert, anstatt wie ein ordentlicher Kaufmann Geld zu scheffeln.»

Christian schob den Stuhl zurück und erhob sich mit einer höflichen Verbeugung.

«Guten Morgen, Herr Senator», murmelte er und rieb sich verstohlen die Schulter, aber van Witten hatte sich schon Claes zugewandt. Er war vormittags immer in Eile und hielt wohlerzogene Floskeln außerhalb der Salons und Ballsäle und insbesondere in Abwesenheit von Damen für reine Zeitverschwendung.

161

«Herrmanns, mein Freund, das gefällt mir gar nicht. Es ist schon genug Unruhe in der Stadt, und jetzt muß sich noch der Marburger den Schädel einschlagen lassen. Sehr kapriziös. Wie geht es Madame Anne? Hat sie unseren gestrigen Überfall auf ihren Garten verkraftet? Und glaubt Ihr, Eure Küche kann ganz flink ein Täßchen von Eurem hervorragenden Kaffee zaubern? Oder gibt es bei Euch um diese Stunde noch keinen sündigen Türkentrank?»

Dabei ließ er sich mit einer für seine Körpergröße unerwarteten Geschmeidigkeit in Claes' Stuhl sinken, prüfte genüßlich die Bequemlichkeit der Lehnen und schnalzte mit der Zunge.

«Wirklich hübsch, Euer Kontor. Wo habt Ihr diesen Stuhl erstanden?»

«Welche Frage soll ich denn nun zuerst beantworten, van Witten?»

Claes lächelte den kräftigen Mann, der hellwach und ganz und gar zufrieden in seinem Stuhl lehnte, spöttisch an. Van Witten war neben vielem anderen auch einer der vier für die Wedde verantwortlichen Senatoren. Er mochte etwa zehn Jahre älter sein als Claes, doch heute morgen war er herausgeputzt wie ein junger Mann im Konkurrenzkampf um die schönste Tänzerin. Die matte Seide seines sandfarbenen Rockes schimmerte, die Silberknöpfe auf seiner langen Weste glänzten mit den Schnallen seiner Schuhe um die Wette. Wer ihn nicht kannte, hielt ihn leicht für einen polterigen, selbstgefälligen Großtuer. Wahrscheinlich war er tatsächlich ein bißchen selbstgefällig, aber hinter seiner lärmenden Fassade verbarg er einen klaren Verstand, und zuweilen zeigte er sogar ein großes Herz. Claes kannte van Witten gut und schätzte seine Direktheit. Die unerschöpflich gute Laune des Senators hatte ihn schon angesteckt, und vor allem war er erleichtert, daß van Witten Marburgers Tod untersuchte. Mit Holländer, der seine echte Eitelkeit mit bigotter Moral verkleisterte, wäre alles viel unangenehmer gewesen.

«Am besten schickt Ihr zuerst um den Kaffee», entschied der Senator, «dann wollen wir in Ruhe reden.»

Als Margret, eines der Mädchen, den Kaffee brachte, hatte Christian seine Geschichte noch einmal erzählt. Van Witten sah ihn dabei unverwandt an, während er die Reste vom Schinkenteller in seinen Mund schob, allerdings ohne Brot. Er stellte die gleichen Fragen wie Claes, jedoch keine nach Oswald, und das beruhigte Christian ein wenig, obwohl ihm klar war, daß nicht nur sein Vater diesen Verdacht hegen würde. Er wollte so schnell wie möglich mit Oswald sprechen, vorher allerdings mußte er herausfinden, wo er jetzt wohnte. Seit seinem Bankrott lebte eine andere Familie in der hellen kleinen Wohnung über der nun stillgelegten Zuckerbäckerei. Wahrscheinlich waren die Oswalds in das Labyrinth der schmutzigen Gänge um St. Jakobi zurückgekehrt.

«Gut.» Van Witten rieb sich die Hände und schnupperte nach dem würzigen Duft, der aus seiner Tasse aufstieg. «Das wäre erledigt. Ah, da kommt unsere Spürnase.»

Blohm hatte die Tür geöffnet, brummte: «Der Weddemeister», und schob den zögernden Wagner, klein und dick, rotgesichtig und schwitzend, ins Kontor.

«Komm rein, Wagner, immer geradeaus. Und setz dich da hin», van Witten zeigte auf einen Schemel zwischen den Fenstern, «du machst mich sonst nervös.» Wagner setzte sich gehorsam. Er schwitzte, und das lag nicht allein an der Hitze, die auch heute seit dem frühen Morgen über der Stadt lag. Er schwitzte immer, wenn ein Senator in der Nähe war.

«Christian», fuhr van Witten munter fort, «für dich ist die Sache nun erledigt. Jetzt hat Wagner sie am Hals. Und ich.»

Er rührte eifrig in seinem Kaffee, legte klirrend den Löffel auf die Untertasse und faltete die großen weißen Hände fest auf dem Tisch.

«Herrmanns», sagte er dann bedeutsam, «die Stadt braucht Euch. Natürlich braucht sie Euch immer, Ihr bringt gutes Geld in die Kassen. Aber sie braucht Euch in dieser speziellen Sache.» Er sah Claes auffordernd an. «Nun macht es mir nicht so schwer.»

«Schwer? Was denn? Ich habe keine Ahnung, was Ihr von mir wollt. Was für eine spezielle Sache?»

«Ich will, daß Ihr Euch ein bißchen um diese Mordsache kümmert. Ihr wißt ja, als Weddesenator muß ich diese völlig überflüssige Untat aufklären. Aber ich muß mich schon um viel zuviel kümmern, und auch mein Tag geht nur von Sonnenaufgang bis Sonnenuntergang. Natürlich ist unser Meister Wagner die beste Spürnase, die man sich denken kann, aber Ihr kennt die Leute, Ihr könnt in Häusern, in denen Wagner nur dienstlich ...»

«Moment. Nicht so schnell. Ihr wollt mir gerade sagen, daß Ihr keine Lust habt, herauszufinden, wer den Zuckerbäcker auf den Kopf geschlagen hat, und glaubt, daß ich Euch die Arbeit abnehme? Obwohl es weder meine Pflicht noch mein Recht ist, von meiner Zeit mal ganz abgesehen?»

«Genau das sollt Ihr.» Van Witten strahlte ihn an. Er erinnerte Christian an einen Schweißhund, der nach langem beschwerlichen Suchen seine Beute aufgebracht hatte.

«Das mit dem Recht ist kein Problem, das regeln wir schon, und das mit der Zeit, alter Freund, ist nicht so wichtig, wenn Eure Vaterstadt ruft.»

«Van Witten, mit Verlaub, das ist absurd. Und kommt mir nicht plötzlich vaterstädtisch. Das ist sonst auch nicht Eure Stärke. Wie stellt Ihr Euch das vor? Soll ich mich im Rathaus auf Euren Stuhl setzen und ...»

«Nein, eben nicht. Ich bin sicher ...»

Er brach ab und sah mit zusammengekniffenen Augen durch die Scheiben in den vorderen Raum. «Schickt erst mal die beiden Lauscher weg. Die haben doch sicher am Hafen zu tun. Sonst sollen sie sich da was zu tun machen.»

«Van Witten ...»

«Bitte, Herrmanns. Es ist wirklich wichtig.»

Seufzend nickte Claes Christian zu, und erst als Fietz und Dübbel widerwillig das Kontor verlassen hatten, sprach der Senator weiter.

«Ich bin sicher, daß die Sache mit Marburger ziemlich kompliziert ist. Wir wissen alle, daß er ein zwielichtiger Kerl war, nur konnte ihm nie einer was beweisen. Aber irgendwer muß ja was wissen. Wie ich schon sagte, Ihr kennt die Leute, und vor Euch hat keiner Angst. Wenn die Wedde kommt, sehen sich die meisten gleich in der Fronerei und halten den Mund, und wenn einer doch was sagt, dann selten die Wahrheit. Jeder kocht sein Süppchen, das wißt Ihr doch. Wenn *Ihr* aber mit den Leuten redet, so ganz nebenbei, einfach als neugieriger Bürger, ist das etwas ganz anderes. Keiner gibt gern Auskunft, doch alle klatschen gern. Das müßt Ihr doch verstehen. Ihr bekommt einfach viel mehr heraus als Wagner und ich. Und Ihr könnt Euch immer mit Wagner beraten, wenn es schwierig ist. Unser Wagner», schloß er mit einem gönnerhaften Blick auf seinen Weddemeister, «sieht zwar nicht nach viel aus, aber er hat was im Kopf. Und ich bin natürlich auch immer da. Denkt darüber nach, aber nicht zu lange.»

Er erhob sich und schritt, Wagner im Gefolge, zur Tür.

«Gebt mir morgen Bescheid, Herrmanns, aber ich will keine Ablehnung hören. Ihr seid genau der Richtige, das habt Ihr im letzten Frühjahr bewiesen. Und noch etwas, fast hätte ich es vergessen: Pagerian braucht dringend einen Aushilfsschreiber. Er muß jetzt Marburgers Arbeit miterledigen, und das ist offenbar ziemlich schwierig, weil der Kerl ständig irgendwelche undurchsichtigen Alleingänge gemacht hat. Pagerian hat einen Lehrling, aber der ist zu einer völlig überflüssigen Familiensache zu Hause in Höxter. Wenn Ihr jemanden wißt, schickt ihn einfach in das Kontor am Dreckwall neben der Zuckerbäckerei. Er soll sagen, er komme von mir.»

Später fragte sich Claes, welcher Teufel ihn geritten hatte, in van Wittens seltsamen Plan einzuwilligen, und für einen Moment gestand er sich ein, daß es einzig dieses völlig unvernünftige Kribbeln gewesen war, das er bei dem Gedanken gefühlt hatte, ein Geheimnis aufzuklären. Nur für einen Moment, aber bis unter die Haarwurzeln.

Der Senat brauche seine Hilfe, erklärte er seinem verblüfften Sohn, wer könne sich da verweigern?

Claes saß im Kontor in seinem Lehnstuhl, der für ihn immer der beste Ort war, um nachzudenken, zog den großen Tabaktopf aus portugiesischer Fayence heran und stopfte sich bedächtig eine Pfeife. Er liebte diesen Topf, der schon seit Generationen in seiner Familie war und stets im Kontor des jeweiligen Hausherrn stand. Er war groß wie eine Suppenterrine und bauchig wie ein Ballon. Die kunstvollen Blaumalereien hatten ihn als Kind von wunderbaren Abenteuern träumen lassen. Am oberen Rand posierten Elefanten und Löwen zwischen fremdartigen Gewächsen, und darunter lustwandelte ein vornehmes, von Vögeln und Blumen umgebenes Paar. Die lächelnde Dame mit dem verführerischen Dekolleté trug zierlich einen Fächer, der Herr mit dem großen Federhut und den langen Kräusellocken hielt eine langstielige Pfeife in der ausgestreckten Hand.

Claes drehte den Topf und betrachtete, wie er es vor vielen Jahren so oft getan hatte, auf der anderen Seite das Hamburger Wappen, das dreitürmige, von zwei aufrecht stehenden Löwen gestützte Stadttor. Darunter war die Jahreszahl gemalt, 1668. Fast hundert Jahre war der Topf in seiner Familie, und Claes wußte, daß er zur Aussteuer einer seiner Vorfahrinnen gehört hatte, als Teil eines großen Services mit allen erdenklichen dazu passenden Gefäßen, so wie es damals in den wohlhabenden Familien Brauch war.

Wenn seine Ahnin dem Bild auf dem Topf entsprochen hatte, mußte sie eine heitere Dame gewesen sein. Auf den zweiten Blick glich sie ein wenig Anne. Er legte die gestopfte Pfeife auf den Tisch und griff nach einem Bogen Papier. Dann schnitt er die Feder nach und tauchte sie in die Tinte. Er kam sich albern vor, wie er da an diesem Tisch saß, an dem sonst nur Zahlen, Listen und ordentliche Handelskorrespondenzen geschrieben wurden, und über den besten Plan nachsann, einen Mörder zu fangen.

Egal. Wer konnte Grund gehabt haben, Marburger zu töten? Gab es überhaupt einen vernünftigen Grund, einen Menschen zu töten, ihm morgens bald nach Sonnenaufgang eine schwere

Tonform auf den Schädel zu schlagen und ihn sterbend liegenzulassen?

Das war die falsche Frage. Mord und Totschlag waren nie vernünftig, aber sie geschahen dennoch. Und wer weiß, wie es zu dem tödlichen Schlag gekommen war? Vielleicht war der gar nicht geplant gewesen, vielleicht hatte Marburger mit seinen gefürchteten Beleidigungen und Hänseleien seinen Mörder erst zu der Tat gereizt.

Andererseits, wer eine Zuckerform auf die Bastion schleppte, mußte einen Grund dafür gehabt haben. Und wozu sonst konnte man so ein schweres unhandliches Ding dort brauchen?

Er mußte die Frage anders stellen: Wer hatte Grund gehabt, Marburger zu hassen? Wen hatte er so gequält oder betrogen?

Ja, so kam er weiter. Oswald, natürlich. Egal, wie sehr Christian für seinen Charakter bürgte, der haßte den Zuckerbäcker tatsächlich bis aufs Blut, und dazu aus gutem, aus sehr gutem Grund. Er mußte unbedingt mit ihm reden, und zwar bald, am besten heute noch.

Wieder öffnete Blohm die Tür, aber diesmal drängte Wagner sich schon an ihm vorbei, bevor der alte Diener ihn melden konnte.

Claes sah unwillig auf. Was wollte der schon wieder hier? Wagner war der letzte, den er jetzt sprechen wollte. Er sah, daß der Weddemeister schwer atmete, ganz offensichtlich hatte er sich auf seinem Weg vom Rathaus zum Neuen Wandrahm sehr beeilt.

«Bring uns Zitronenwasser, Blohm», sagte Claes.

«Danke, sehr freundlich. Die Hitze», Wagner zog mit einer entschuldigenden Handbewegung ein großes Tuch aus seiner Jacke, wischte sich energisch die Stirn und schielte dabei unverhohlen neugierig auf Claes' Liste.

«Ich sehe, Ihr habt schon begonnen. Sehr gut. Dann kommt meine Nachricht gerade recht. Sie duldet keinen Aufschub.»

«Laßt sie mich gleich hören.»

Claes nahm die Liste aus Wagners Blickfeld, es gefiel ihm gar nicht, daß ein Mitglied der Wedde darauf Oswalds Namen gelesen hatte.

«Natürlich. Gleich. Es ist sehr interessant. Die Ärzte haben den Toten nun untersucht. Ihr wißt sicher, daß jeder, der durch fremde Hand gestorben ist, im Keller des Eimbeckschen Hauses genau untersucht wird. Das ist nun geschehen, und man hat festgestellt, daß er *nicht* mit der Zuckerhutform erschlagen wurde.»

Wagner sah Claes triumphierend an.

Der Jagdhund hat apportiert, dachte der und fragte: «Wieso nicht? Die lag doch gleich daneben, und – das hat der Senator jedenfalls gesagt – sie war blutverschmiert.»

Wagner nickte eifrig.

«Das stimmt. Und ich denke, der Mörder hat sie auch tatsächlich benutzt. Aber so eine Zuckerhutform, sagen die Ärzte, ist nicht hart genug, um jemanden damit zu töten. Jedenfalls nicht gleich mit einem Schlag. Und vor allem: Wenn man so heftig mit ihr zuschlägt, daß ein Mensch ernstlich verletzt wird, würde sie zerbrechen. Sie haben es sogar ausprobiert. Natürlich nur auf einem Holzklotz aus harter Eiche. Dreimal. Nichts als Scherben. Tonscherben natürlich. Und menschliche Knochen sind härter als Eiche, eindeutig härter. Es war auch eine kleine Form, und eine neue dazu, das sind die leichtesten, weil sie noch nicht mit Zucker vollgesogen sind. Die alten sind härter, aber sie würden auch zerbrechen.»

Blohm trat ein, stellte einen Krug mit kaltem Zitronenwasser und zwei Gläser auf den Tisch und zog sich, nicht ohne dem unschicklichen Besuch einen herablassenden Blick zuzuwerfen, stumm wieder zurück.

«Danke, Blohm.» Claes goß beide Gläser randvoll und nahm einen großen Schluck. «Trinkt, Wagner, das wird Euch abkühlen.»

Wagner nahm sein Glas, aber er trank nicht, sondern sah Claes gespannt an.

«Was sagt Ihr dazu? Ist das nicht sehr seltsam?»

«Das ist tatsächlich seltsam. Ich verstehe es nicht. Die Zukkerhutform war doch blutig...»

«In der Tat, sogar sehr blutig. Aber ich habe sie mir nun ganz genau besehen. Und wenn man das tut, stellt man fest: Das Blut kam nicht von dem Schlag.»

«Nicht?»

«Nein. Es wurde auf die Form *gewischt*. Wenn man ein sehr hartes Objekt verwendet, zum Beispiel ein großes Bügeleisen, einen Schmiedehammer oder ein Bleigewicht, um damit auf einen Kopf zu schlagen, sieht das hinterher ganz anders aus. Die Kopfhaut platzt, der Knochen splittert, das gibt, sozusagen, einen Brei aus Blut und Knochensplittern, und wenn das Gehirn hervorgetreten ist, auch von dieser Masse, sie ist hellgrau, müßt Ihr wissen, fast schon weiß und sehr weich, klebt dann etwas auf der Form, wie ein...»

«Schon gut, Wagner.» Claes fühlte, wie leichte Übelkeit an die Stelle des anregenden Kribbelns trat. «Ihr braucht nicht so ins Detail zu gehen. Wenn ich Euch recht verstehe, fehlte auf der Form dieser..., nun, dieser Brei.»

«Genau. Es sieht aus, als habe ihn jemand mit einem anderen harten Gegenstand, einem Rohr oder sehr harten dicken Knüppel, niedergeschlagen und ein wenig von dem Blut, das von der Wunde den Hals hinunterlief, mit den Fingern auf die Form gewischt. Und es ist auch möglich, daß die Form, die wir dort fanden, gegen die Kopfwunde gedrückt wurde, um sie mit dem Brei aus... nun, mit dem Brei zu beschmutzen. Das heißt», nun leuchtete sein rundes Gesicht vor Triumph, «für den tödlichen Schlag hat jemand ein anderes Objekt benutzt. Und das hat er wieder mitgenommen, denn wir haben keines gefunden.»

«Aber warum dann dieser Umstand mit der Tonform?»

«Damit wir denken, diese Form sei das Corpus delicti. Versteht Ihr? Eine Täuschung.»

Claes bemühte sich um ein kluges Gesicht, aber tatsächlich fragte er sich, ob er der richtige Mann für diese Aufgabe war. Mit solchen Finessen hatte er nicht gerechnet.

«Eine Täuschung also. Ich muß gestehen, daß mir auch dazu keine Erklärung einfällt.»

«Es ist ganz einfach.» Endlich trank Wagner, sein Glas war mit einem Zug geleert, und Claes füllte es sofort nach. Vielleicht hatte van Witten recht, und hinter dem unbedarften Auftreten des Weddemeisters steckte wirklich ein schlauer Kopf.

«Ganz einfach», wiederholte der. «Der Täter will, daß wir *denken*, die Zuckerform sei die Mordwaffe. Und dafür gibt es zwei Erklärungen.»

«Nun sagt schon. Welche?»

«Erstens: Es ist eine Botschaft, die uns und der ganzen Stadt sagen soll: Der ist wegen eines Streites unter Zuckerleuten getötet worden. Ihr wißt, in den großen Zuckerbäckereien herrscht seit einigen Wochen viel Aufruhr. Es kann eine Warnung für die anderen Zuckerbäcker bedeuten, den Forderungen der Knechte nachzukommen. Zweitens», er trank wieder, aber diesmal nur einen kleinen eiligen Schluck, «der Mörder will, daß wir das denken, weil er den wahren Grund verbergen möchte.»

«Aber warum sollte er das wollen?»

Wagner seufzte, und Claes fand, daß es sich ein wenig ungeduldig anhörte.

«Auch das ist, mit Verlaub, ganz einfach. Wenn wir einen Mörder suchen, suchen wir doch immer einen, der Grund zu dieser Tat hatte.»

«Natürlich. Darüber hatte ich gerade nachgedacht, als Ihr kamt. Was haltet Ihr davon, wenn wir von nun an gemeinsam nachdenken?»

Wagner nickte ernsthaft, griff in seine Tasche und holte einen Bogen Papier hervor. Als er ihn auseinanderfaltete, sah Claes, daß die Liste des Weddemeisters schon sehr lang war. Beschämend lang.

8. KAPITEL

Es kostete Mühe, Brooks loszuwerden, und Claes wußte nicht,
ob er sich über ihn ärgern oder sich über die Fürsorglichkeit seines Stallmeisters freuen sollte. Als die Kutsche, diesmal war er
klug genug gewesen, die alte, kleinere zu nehmen, an der Springeltwiete hielt, sprang Brooks vom Bock, machte die Pferde an
der Haltestange vor Gulles Weinhaus fest und schickte sich an,
seinen Herrn zu begleiten.

«Du bleibst hier», sagte Claes, «ich will keine Eskorte.»

Aber ganz gegen seine Art widersprach Brooks. Es sei zu gefährlich für einen Herrn, allein in die Gänge zu gehen, das sei ein
Irrgarten, und das Volk da drin Lumpenpack oder immer hungrig, was beides große Lust machte, Fremden den letzten Silberknopf von der Weste zu reißen, und wenn es ganz arg komme ...

«Unsinn!» schnitt Claes ihm ärgerlich das Wort ab, drehte sich
um und stapfte die Twiete hinab. «Wenn ich heute abend nicht
zu Hause bin», rief er über die Schulter zurück, «darfst du mich
suchen kommen.»

Brooks sah ihm grimmig nach.

Claes lächelte nachsichtig. Guter alter Brooks. Er wußte
schließlich selbst, daß die Höfe und Gänge um St. Jakobi ein
Labyrinth waren, er wußte, daß hier auch der Bodensatz der
Stadt lebte, wie van Witten es gerne ausdrückte. Aber Pagerian
hatte ihm erklärt, wo Oswald mit seiner Familie jetzt wohnte.
Man mußte nur in den Hofdurchgang neben Seibolds Kamm-
macherei an der Steinstraße direkt gegenüber der Springel-

171

twiete gehen, in den dritten Gang links und dann, nun sei es sehr schwer zu erklären, am besten fragte man dann jemanden. Menschen seien da mehr als genug.

Ganz sicher hatte Pagerian nicht angenommen, der vornehme Kaufmann würde sich selbst auf die Suche nach Oswald machen, aber Claes hatte es ihm auch nicht auf die Nase gebunden. Nicht jeder sollte wissen, daß er van Witten half, Marburgers Mörder zu suchen.

Wer würde es schon wagen, ihm, einem kräftigen Mann, am hellen Tag etwas anzutun? Und was war einfacher, als einem Jungen ein kleines Kupferstück zu geben, damit er ihn führte? Hätte er eine Eskorte gebraucht, hätte er Wagner mitgenommen. Aber er wollte allein gehen, unbemerkt, damit Oswald nicht gewarnt wurde und ihm davonlief. Deshalb hatte er Brooks auch schon bei der Springeltwiete und nicht direkt vor dem Hof an der Steinstraße halten lassen, durch den man schneller zu Oswalds Wohnung gelangte.

Der Durchgang in den Hof war schmal und so niedrig, daß Claes den Kopf beugen mußte. Die Luft veränderte sich schlagartig. Auf der breiten, wie immer sehr belebten Steinstraße war es schwül und staubig wie in der ganzen Stadt gewesen, nun war ihm, als betrete er eine Orangerie. Allerdings duftete es nicht nach Zitronen, Pfirsichen und Rosen. Der faulige Gestank von Urin, Kohlsuppen, Schweine- und Hühnermist, altem Fisch, schimmeligen Mauern und verwesendem Abfall nahm ihm fast den Atem, und er beeilte sich, den dritten Gang zu erreichen. Der Streit gellender Stimmen drang aus einem der übervölkerten Keller herauf, ein Säugling schrie, oder war es eine gequälte Katze?, eine stumpfe Säge knarrte durch zu hartes Holz, und über allem sang wie zum Spott eine Amsel.

Endlich fand er den engen Durchlaß und stolperte fast über ein Kind, das trotz seiner von der Englischen Krankheit mißgestalteten kurzen Beine und des verkrümmten Rückens flink wie ein Wiesel durch den Gang huschte und in einer Tür verschwand. Gebückt ging er weiter und fand sich, nur wenige

Schritte von den schönen Häusern der Bürger, in einer Welt wieder, die nichts als Hoffnungslosigkeit atmete. Die nur notdürftig ausgebesserten schiefen Wände der uralten Häuser ließen kaum Raum für einen breitschultrigen Mann, Stockwerk für Stockwerk ragten sie weit vor, bis sie im Dachgeschoß fast zusammenwuchsen, geöffnete Fensterflügel waren einander im Weg, und auf Leinen hoch über seinem Kopf hingen dunkle, stockfleckige Wäschestücke, die noch das letzte Licht verschluckten. Seine Augen gewöhnten sich schnell an den dunstigen Dämmer, er sah nur wenige Menschen, aber er spürte deutlich die Gegenwart der Elenden, die hinter diesen Wänden von den feuchten Kellern bis zu den Böden unter löchrigen Dächern in unmenschlicher Enge hausten.

Ein fremder Kontinent, dachte er, und bedauerte zum ersten Mal, daß er Brooks Begleitung so unwirsch zurückgewiesen hatte. Ein zahnloser Alter drängte sich grinsend an ihn heran. Claes roch seinen Branntweinatem und die Ausdünstungen der eitrigen Schwären auf den Armen und griff eilig in die Tasche. Ohne ihn zu berühren, ließ er voller Ekel zwei Pfennige in seine gichtig verkrüppelte, fordernde Hand fallen und stolperte weiter.

Plötzlich endete der Gang. Wo ging es weiter? Hinter einer ausgetretenen Holztreppe, die in einen Kellergang hinabführte, glaubte er einen Schimmer von Tageslicht zu erkennen. Er dachte an die Labyrinthe aus Buchsbaum und hohen Eibenhecken der englischen und französischen Gärten, in denen wohlgenährte Damen und Herren in Samt, Seide und Spitzen sich neckten und amüsierten. Das düstere Gewirr dieser Gänge erschien ihm nun wie eine Verhöhnung jener zierlichen Irrgärten.

Der Unrat hatte seine Schuhe aufgeweicht, und als er über eine Bohle stolperte, die über einem ausgetrockneten Rinnsal lag, lösten sich die Sohlen. Er beugte sich über seine Schuhe, und gerade als er überlegte, ob es nicht klüger sei, sie liegenzulassen und auf Strümpfen weiter durch den Morast zu waten, schoben sich ein paar nackte, schwarze Füße in sein Blickfeld.

173

Vor ihm standen vier Männer, sehr junge Männer mit uralten Gesichtern, barfuß und fast kahlgeschoren, in zerlumpten Kleidern. Nur einer, der größte, trug einen Rock aus gutem braunem Tuch, schmutzig wie die der anderen, aber ganz sicher hatte er ihn nicht selbst bezahlt. In dem breiten Lederriemen, den er um seinen mageren, aber sehnigen Leib gewunden hatte, steckte ein Messer mit einem Hirschhorngriff. Claes hörte, wie eilig einige Fenster zugeklappt wurden, und plötzlich war es ganz still. Nur von Ferne klang das gleichmäßige Dröhnen eines Schmiedehammers.

Rosina sah mit gerunzelter Stirn auf den Brief, den sie gerade gelesen hatte, und gab ihn Sebastian zurück.

«Wirst du es tun?»

«Ich halte es für eine gute Idee. Es bringt uns ein wenig Geld, und ganz sicher ist es eine Gelegenheit, ein bißchen in Marburgers Geschäftspapieren zu blättern. Das steht zwar nicht so direkt in Herrmanns' Schreiben, aber natürlich erhofft er sich von diesem Arrangement auch ein paar interessante Auskünfte. Ich bin gewiß», Sebastian grinste breit, «er erinnert sich gut an unsere Gabe, Geheimnisse aufzuspüren.»

Rosina nickte lächelnd. «Das denke ich auch. Aber wer hätte gedacht, daß der ehrbare Kaufmann auf solche Mittel setzt?»

Ein Bote hatte den Brief vor einer Viertelstunde in die Wohnung der Beckerschen Gesellschaft in die Altonaer Elbstraße gebracht. Er war an Sebastian gerichtet und nur kurz. Claes hatte keine Zeit mit den sonst üblichen blumigen Höflichkeitsfloskeln verschwendet. Im Kontor des verstorbenen Zuckerbäckers Marburger, schrieb er, werde dringend ein Hilfsschreiber gebraucht. Nur für die nächsten zwei oder drei Wochen, bis Pagerian, der das Kontor seines toten Herrn nun leite, die in den letzten Jahren offenbar ein wenig unübersichtlich geratenen Geschäftsunterlagen geprüft und geordnet habe. Der Hilfsschreiber brauche keine besonderen Kenntnisse in Zuckergeschäften, er müsse nur sauber schreiben und gut rechnen können und fügsam und ver-

174

trauenswürdig sein. Er, Herrmanns, habe Pagerian in dieser doch sehr betrüblichen Notlage zugesichert, einen jungen Mann mit all diesen Eigenschaften und Fähigkeiten zu ihm zu schicken. Pagerian erwarte einen ehemaligen Studenten der Universität Halle, einen Verwandten eines Handelsfreundes der Familie Herrmanns. Er hoffe, er habe nicht zuviel versprochen, als er Pagerian, der im übrigen, ganz anders als sein einstiger Herr, ein angenehmer Mensch sei, diesen jungen Schreiber für Montag morgen, bald nach sieben Uhr, angekündigt hatte.

Nach einigen Worten über den Lohn und einer Beschreibung des Weges zum Kontor im Dreckwall schloß Herrmanns mit der Bitte, Sebastian möge eilendst Bescheid geben, wenn er aus irgendeinem Grund verhindert sei, das Angebot anzunehmen, was er sich allerdings bei dem allseitigen Interesse am Hause Marburger nicht vorstellen könne.

«Angebot?» sagte Rosina. «Das klingt eher wie ein Befehl.»

«Mehr wie eine sehr dringliche Bitte. Sei nicht so streng mit ihm, er ist gewöhnt, daß alle nach seiner Pfeife tanzen, und wie hätte er sich sonst ausdrücken sollen? Wenn der Brief in die falschen Hände gerät, bekommt er schon jetzt mächtig Ärger. Einen Zimtkringel für deine Gedanken, Rosina, du brütest doch irgendwas Unvernünftiges aus.»

«Unsinn. Aber wir sollten die anderen zusammenrufen und die Angelegenheit besprechen. Ich fürchte», und sie lächelte dabei ihr gefürchtetes Ozelotlächeln, «Rudolf braucht dich gerade am Montag ganz dringend in der Theaterscheune.»

In diesem Moment ging die Tür auf. Helena trat ein, begleitet von einem jungen Mann, den Rosina und Sebastian noch nie gesehen hatten.

«Ich bringe dir Monsieur Schmitt, Rosina.»

«Smid», verbesserte der und hob dabei vorsichtig den linken Zeigefinger, «van Smid.»

«Ich bin im Hof», sagte Sebastian und schob sich an Helena und dem Besucher vorbei auf die Treppe. «Jean soll den Brief gleich lesen.»

«Also, Monsieur van Smid», fuhr Helena mit einem neugierigen Blick auf das gesiegelte Papier, das Sebastian in der Hand hielt, fort. «Er möchte dich ganz dringlich sprechen, Rosina, und niemandem sonst verraten, was er will. Er sieht nicht aus wie ein Räuber, also überlasse ich ihn dir. Aber wenn du mich brauchst, bin ich gleich da.»

Cornelius van Smid errötete bei dieser Unterstellung und verbeugte sich höflich. Er mochte 25 Jahre alt sein, aber er hatte den rosigen Teint eines Knaben, was ihn unter seiner nußbraunen Perücke, deren akkurate Lockenrollen über die Ohren und bis zum Kinn reichten, noch jünger erscheinen ließ. Sein steifer umbrafarbener Rock war trotz der Schwüle bis zum letzten Knopf unter der makellos weißen Halsbinde geschlossen. Er sah Rosina an und versuchte, sein anhaltendes Erröten durch eine zweite kleine Verbeugung zu verbergen.

Rosina hatte schon viele dieser steifen jungen Männer gesehen, vor ihrer Bühne und auch in den Salons der wenigen Bürgerhäuser, in die man die Beckerschen Komödianten in Leipzig, Hannover oder Braunschweig hin und wieder einlud. Aber niemals hatte sich so einer bis in ihre Wohnung gewagt, die, egal, in welcher Stadt, stets eine Mietwohnung unter irgendeinem fremden Dach war. Natürlich gab es immer Männer, die die Komödiantinnen für käuflich hielten, aber das waren andere, mit blitzenderen Augen und feuchteren Lippen. Männer mit gierigen Händen, denen Titus oder Sebastian mit großem Vergnügen und im Handumdrehen ihren Irrtum klarmachten, wenn sie Rosinas und Helenas Abweisungen ignorierten.

«Mademoiselle, ich störe gewiß, und es ist eine große Vermessenheit, ohne Einladung in Euer Heim vorzudringen. Ich meine, Ihr kennt mich nicht, und was sollte Euch veranlassen, mich zu empfangen ...»

Er wußte nicht mehr weiter, und Rosinas Stirn, die sich bei seinem Eintreten in strenge Falten gelegt hatte, entspannte sich. Der wollte nicht ihre zarte Hand küssen, ihre reizende Schulter anbeten, oder was die Bürgersöhne sonst vorgaben, von einer Komödiantin zu wollen. Er war sicher nur ein heimlicher Dichter, der seine Werke Thalia und Euterpe darbringen wollte – oder besser Melpomene, denn seine Augen verrieten, daß ihm eher Dramen als Komödien und zarte Gedichte einfielen.

Sie versuchte nicht zu seufzen, dachte an das verlorene Stück – vielleicht bot sich hier ja, entgegen aller Erfahrung, ein Ersatz an – und lächelte freundlich.

«Ob ich Euch empfangen will oder nicht, Ihr seid nun da, dann könnt Ihr Euch auch setzen. Am besten auf den roten Sessel dort, der steht im Schatten.»

Er setzte sich brav, faltete die Hände auf den Knien und sah sie erwartungsvoll an.

«Nun? Ihr seid sicher nicht gekommen, um mich anzusehen.»

«O nein!» Er rutschte auf die Sesselkante, spreizte nervös die Finger und legte die Hände fest auf die Knie. «Das würde ich mir niemals erlauben. Es ist . . .»

Er holte tief Luft, und Rosina sah in seinem Gesicht, wie er seiner ängstlichen Seele einen großen, tapferen Schubs gab.

«Ich will zur Sache kommen.» Seine Finger spreizten sich wieder, er straffte seinen Rücken und sah sie gerade an. «Es wird Euch sehr befremdlich erscheinen. Aber ich möchte, ich bitte Euch ergebenst, mir Unterricht zu erteilen.»

Er lehnte sich zurück, und ein wenig von seiner Kaufmannswürde, denn er war gewiß ein junger Kaufmann oder Reeder, kehrte in seine Augen zurück.

«Unterricht?» Damit hatte sie als letztes gerechnet. «Ihr wollt doch nicht etwa zur Bühne? Das solltet Ihr Euch gut überlegen, es ist kein einfaches Leben, es . . .»

«Aber nein. Verzeiht meine Ungeschicklichkeit. Ich habe noch niemals so ein Gespräch geführt, und ich weiß nicht, was sich bei so einer Gelegenheit schickt. Und wie ich es ausdrücken soll.» Ein Grübchen schlich sich in seine rechte Wange, und endlich erschien er wie ein ganz normaler, höchst lebendiger junger Mann.

«Es ist ganz einfach. Wie ein Handel. Ihr wollt Unterricht.

Sagt mir, wozu und worin, dann sage ich Euch, ob ich Euch diese Ware liefern kann. Und zu welchem Preis», fügte sie mit einem kleinen Lächeln hinzu.

Er nickte mit dankbarem Ernst. «Wenn Ihr erlaubt. Ich möchte Unterricht in Liebesdingen.» Nun war es heraus, und er verstand überhaupt nicht, warum diese bisher so freundliche junge Frau plötzlich voller Empörung aufsprang. Es war wohl doch nicht so einfach.

«Monsieur!» rief Rosina. «Ihr seid schlecht informiert. Wenn Ihr diese Art Unterricht wollt, da gibt es ein Haus auf dem Hamburger Berg gleich hinter den Reepschlägerbuden. Da findet Ihr die richtigen Damen für solche Unterweisung. Und nun hinaus! Hier seid Ihr völlig falsch. Hinaus!»

Zornbebend sah sie auf sein fassungsloses Gesicht hinunter, und da erst begriff er.

«Nein, ich bitte Euch, Ihr habt mich ganz und gar falsch verstanden, niemals hätte ich es gewagt . . . nein, solchen Unterricht würde ich niemals fordern! Oh, beim Jakobus, wie bin ich dumm. Auf diese Idee wäre ich nie gekommen. Bitte», er ergriff flehend ihre Hand, «beruhigt Euch. Ich würde Euch nie so gering achten. Bitte, darf ich noch einmal von vorne anfangen?»

Nachdem Rosina zuerst Titus, der hereingestürzt war, um sie vor einem vermeintlich frechen Verehrer zu schützen, und dann sich selbst beruhigt hatte, ließ sie ihren seltsamen Besucher tatsächlich noch einmal von vorne anfangen. Sie war einfach zu neugierig, um ihn entschieden fortzuschicken. Sein Problem war ganz alltäglich. Er war verliebt, furchtbar verliebt, und das Mädchen, das sein Herz gefangen hielt, war nicht nur lieblich und eine wahrhaft reine Seele. An dieser Stelle bebte seine Stimme, wobei Rosina nicht klar war, ob wegen der Reinheit der Seele oder der außerordentlichen Lieblichkeit, die sich gewiß nicht nur auf ihr Gesicht beschränkte. Nein, das Mädchen war auch durchaus passend. Seine Familie würde mit dieser Verbindung sehr zufrieden sein, und es gebe sichere Anzeichen, daß auch ihre Eltern ihn nicht abweisen würden.

Bevor er die gewiß stichhaltigen Gründe für diese erfreuliche Gewißheit aufzählen und seine glänzenden Vermögensverhältnisse als ältester Sohn eines Bremer Reeders und Schiffbauers ausführlich darlegen konnte, unterbrach Rosina seinen plötzlichen Redefluß.

«Eine seltene Einigkeit. Wer oder was steht dann noch gegen Euer Glück?»

Er seufzte schwer. «Sie selbst. Ihr werdet verstehen, wenn ich ihren Namen nicht nenne, natürlich vertraue ich Eurer Diskretion, aber ...»

Rosina winkte ungeduldig ab.

«Natürlich. Ich erwarte nichts anderes. Sie hat Euch also abgewiesen. Warum?»

«Nun», er rutschte auf seiner Sesselkante gefährlich weit nach vorne, «nicht direkt. Genau gesagt: Sie konnte mich nicht abweisen, weil ich sie noch nicht gefragt habe.»

«Aber Ihr habt ihr doch gezeigt, daß Ihr sie liebt, sie zumindest verehrt. Und da hat sie Euch entmutigt.»

Cornelius schluckte und schwieg. Er machte ein Gesicht, wie ein junger Hund, dem man einen Knochen zugeworfen hat, der aber, obwohl ihm vor Appetit die Zähne tropfen, nicht weiß, was er damit anfangen soll.

«Nun?»

«Das ist es ja. Ich bin sehr ungeschickt in diesen Dingen. Wir sehen einander in der Kirche oder im Haus ihrer Eltern, und mir schien, daß sie mich stets gerne sah. Sie war immer sehr freundlich.»

«Höflich oder freundlich?»

«Besonders freundlich», antwortete er nun doch mit leichtem Trotz. «Ich hatte geplant, am letzten Maisonntag um sie anzuhalten, und bis dahin ...»

«Warum gerade am letzten Maisonntag?»

«Es schien mir der richtige Zeitpunkt», antwortete er nach kurzem Überlegen. «Aber dann wurde ich unsicher. Sie ist in den letzten Wochen verändert, auch wenn das niemand außer mir bemerkt. Sie ist nun wirklich nur noch höflich, unsere Augen treffen sich nicht mehr, ich bin sicher, sie weicht mir aus. Und wenn sie mir sonst ihre Hand stets einen Augenblick länger ließ, als es nötig war, so berührt sie nun kaum noch meine Fingerspitzen, und schon wendet sie sich jemand anderem zu.» Er seufzte verzagt. «Aber es ist mehr als das. Ich weiß nicht die richtigen Worte, aber es ist, als wäre eine Verbindung, die bisher zwischen uns bestand, abgerissen.»

«Ich verstehe», sagte Rosina, die tatsächlich langsam verstand. «Und dieser andere weiß besser mit dem, was Ihr Liebesdinge nennt, Bescheid.»

«Ich wußte, daß Ihr mich verstehen würdet. Und obwohl ich ihn beobachtet habe, sehr diskret natürlich, weiß ich nicht, wie er das macht.»

Daran hatte Rosina nicht den mindesten Zweifel.

«Und weil ich Euch im vergangenen Jahr auf der Bühne gesehen, ich darf sagen: bewundert habe, dachte ich, nun ja, ich dachte, Euer Spiel war so galant und niemals peinlich, ich hasse nämlich Peinlichkeiten, Ihr spieltet in diesem Stück eine große Liebende, ich habe den Namen der Dame und auch des Stücks vergessen. Zum Schluß starbt Ihr leider, das will ich natürlich nicht als Omen nehmen, aber Ihr liebtet so innig und doch so elegant. Bitte, lehrt es mich. Es bedeutet mir alles.»

Rosina sah teilnehmend in sein rundes glühendes Gesicht, aber tatsächlich überlegte sie, welches Stück er meinte, sie mußten ihr Theater füllen und gaben deshalb selten Tragödien, in denen die Liebenden am Schluß ehrbar, aber mausetot waren, anstatt sich selig in die Arme zu fallen. Wenn dieser zugeknöpfte junge Mann sie als elegant und gar nicht peinlich empfunden hatte, war sie an jenem Abend sehr wahrscheinlich ein wenig steif gewesen. Aber das war jetzt egal.

«Ich finde Euren Einfall ziemlich absurd. Was sollte ich mit Euch tun? Was sollte ich Euch lehren? Schluchzen? Deklamieren?»

«Wenn es hilft.»

Rosina lachte, und er stimmte nach einigem Zögern ein. Er hatte seine Scheu verloren, und sie entdeckte in seinen Augen das Fünkchen Humor, ohne das ein Mensch verloren ist, besonders in Liebesdingen.

«Ich bin kein romantischer Mensch, Mademoiselle», fuhr er ruhig fort. «Ich habe mir nie viel Gedanken über die Liebe gemacht. Ich dachte, sie sei einfach da, sie wachse aus sich selbst heraus, wenn zwei Menschen spüren, daß sie zueinander passen. Und dann liebt man sich, egal, was man tut oder wie man aussieht. Das ganze Getändel ist doch nur äußerlicher Schein. Aber jetzt bin ich nicht mehr so sicher. Es widerstrebt mir zutiefst, um Liebe zu buhlen. Aber ich will sie nur, wenn auch sie mich liebt.»

«Und ihr behauptet, ihr seid kein romantischer Mensch», murmelte Rosina, die mit den Gedanken schon mitten in diesem Projekt war, von dem sie befürchtete, daß es eines ihrer schwierigsten werden würde. Natürlich hätte sie ablehnen müssen, aber konnte sie sich dieses ehrgeizige Experiment entgehen lassen? Vielleicht sollte sie Sebastian um Rat fragen. Aber der Gedanke war noch absurder als dieser ganze Plan. Sebastian könnte selbst ein wenig Übung dieser Art brauchen.

«Ich finde Euren Plan ziemlich verrückt, Monsieur, aber ich fürchte, ich bin dumm genug, mich darauf einzulassen. Wenn Ihr Eure Geschäfte mit der gleichen Zielstrebigkeit verfolgt wie Eure Privatangelegenheiten, kann Eure Zukunft nur rosig aussehen. Obwohl ich das Gefühl habe, daß dieser Gedanke sehr vermessen ist.»

«Dann fangen wir gleich an.»

Rosina lachte vergnügt. Das war genau die Reaktion, die sie erwartet hatte und die ihr gefiel.

«Steht bitte auf.»

Sie führte ihn näher an die weit geöffneten Fenster ins Licht und ging langsam um ihn herum. Dann seufzte sie, seufzte noch einmal, nur sehr viel schwerer.

«Fangen wir mit dem Leichtesten an.» Sie ging zur Tür und

rief laut nach Helena. Die stand in ganz erstaunlicher Geschwindigkeit im Zimmer, und nach kurzem Geflüster betrachtete sie Rosinas Gast mit unverhohlener Neugier.

«Dreht Euch um», befahl sie, «nicht so schnell! Langsam, ganz langsam.»

Sie taxierte ihn wie ein Ballkleid, das jahrelang in der Truhe gelegen hatte und nun nach Mottenlöchern abgesucht werden mußte, klopfte sich ein paarmal nachdenklich mit dem Zeigefinger ans Kinn und nickte schließlich zufrieden.

«Ich bin ganz deiner Meinung, Rosina. Habt Ihr Geld, Monsieur? Natürlich habt Ihr Geld. Ihr gebt es nur den falschen Leuten, das kann ich sehen. Als erstes braucht er einen anderen Schneider, Rosina. Und zwar einen, der nicht mehr die Schnitte und Stoffe seines Urgroßvaters verwendet. Und der genug Gesellen hat, um sehr schnell zu arbeiten. Kennt Ihr so einen, oder sollen wir einen für Euch finden?»

Cornelius van Smid hatte mit vielem gerechnet, aber an seiner Kleidung, so hatte er gedacht, sei wirklich nichts auszusetzen. Sauberes solides Tuch, unauffällige Farben, ein schlichter, bequemer Schnitt. Er würde den Rock und auch die Kniehosen viele Jahre tragen, ohne daß sie schäbig aussahen.

Das sei gewiß wahr, wandte Rosina freundlich ein. Solide, unauffällig und schlicht seien bevorzugte Tugenden, wenn man eine Stiftsdame im Konvent an der Hamburger Steinstraße beeindrucken wolle.

«Und natürlich sind Eure Kleider nicht wirklich wichtig. Aber stellt Euch vor, Ihr müßtet aus einer Schale voller Pralinés das beste auswählen. Würde Euch nicht das mit dem delikatesten Zuckerguß den größten Appetit machen? Und nun zieht Euren Rock aus, damit wir Euer Hemd begutachten können. Und, Helena, erinnerst du dich, wie dieser neue Perückenmacher heißt, von dem Jean gestern sprach?»

Um Claes' Rock stritten die vier Männer nicht lange, den bekam der zweitgrößte, das Hemd der mit dem guten Rock, und die

Schuhe, genauer gesagt, was noch von ihnen übrig war, griff sich der Kleinste.

Nun fürchtete er um seine Hose, aber der Anführer zog sein Messer aus dem Leibriemen, betrachtete es gelangweilt, warf es mit einer flinken Bewegung aus dem Handgelenk in die Luft und hielt es noch im Auffangen an die nackte Brust seines Opfers.

«Jetzt der Ring», sagte er. «Erzähl mir nich, der geht nich ab. Dann schneid ich ihn ab.»

Claes spürte, wie die Spitze des Messers seine Haut über dem Herzen ritzte, und fror. In seinem Kopf überschlugen sich Gedanken, Pläne, Listen, Fluchten. Nicht den Ring, dachte er immer wieder, nicht den Ring. Sie waren zu viert und gut trainierte Schläger, er war allein, und seine letzte Prügelei lag Jahrzehnte zurück. Er hatte keine Chance, aber er würde sich diesen Ring, der von Generation zu Generation auf den ältesten Herrmanns überging, nicht abnehmen lassen. Er würde . . .

«Tu's nicht», sagte da eine fremde Stimme hinter ihm, «das ist natürlich nur ein Rat, aber glaub mir, habîbî, es wird dir schlecht bekommen. Und jetzt gib mir das Messer. Sofort.»

Claes drehte sich nicht um, er war wie versteinert, aber daß hinter ihm ein Retter stand, erkannte er an den schreckensgeweiteten Augen der struppigen Bande vor ihm. Sie starrten den Mann an, dem diese eigentümlich sanfte und zugleich herrische Stimme gehörte, als sei er eine Erscheinung, ganz besonders die große Pistole, die er in der rechten Hand hielt. Die Waffe war mit Silber eingelegt, sicher alt, aber kostbar, gut gepflegt und ganz gewiß schußbereit. Aber das konnte Claes jetzt noch nicht sehen.

«Und nun, Bürschchen», der Fremde griff blitzschnell an Claes vorbei den Anführer beim Kragen und bohrte ihm den Lauf der Pistole in den Hals, «jetzt bringt ihr diesen Herrn sicher an sein Ziel. Wohin wollt Ihr eigentlich?» fragte er.

«Zu Götz Oswald. Ich habe mich in diesen Gängen wohl verirrt, aber es kann nicht weit sein.»

Sein Hals war trocken wie altes Pergament und machte seine Stimme heiser. Er versuchte, das Gesicht des Mannes zu erkennen, doch es war zu finster in dem Gang, und unter der breiten Krempe seines Hutes erkannte Claes nur ein sauber rasiertes und sonnengebräuntes Kinn, beides ungewöhnlich genug in dieser Unterwelt, und den Schemen eines Gesichtes.

«Ihr habt es gehört: zu dem Hof, in dem Götz Oswald wohnt.» Die Pistole, deren Mündung immer noch in den Hals des Räubers drückte, vereitelte jeden Widerspruch. «Sag mir nicht, du weißt nicht, wo das ist, dann puste ich's aus dir raus. Und wenn du denkst, du kannst uns in irgendein Loch führen – laß es bleiben! Die anderen sind hinter mir. Beeil dich lieber, sonst sind sie hier, und du siehst die Sonne da draußen nie wieder. Los jetzt!»

Barfuß, nur in Leibhemd und Hosen, stolperte Claes hinter der eigenartigen Eskorte her, die er da ganz und gar wider Willen doch noch bekommen hatte, durch ein Gewirr von stinkenden dunklen Kellern, Gängen und Höfen, einen riesigen menschlichen Ameisenhaufen. Immer wartete er darauf, daß einige der Erbärmlichen dieses Schattenreiches den vier Kumpanen zu Hilfe kommen würden, aber auch als sie sich einmal nur mit Mühe durch ein Gewimmel von Menschen, Hunden, Federvieh und Schweinen drängten, schien sie niemand wahrzunehmen. Es war, als wären sie Gespenster. Ein Alptraum, dachte Claes, auch auf dem Weg durch die Hölle blieb man unsichtbar.

Schließlich erreichten sie einen helleren, saubereren Hof, und der Anblick der dünnen Kastanie in seiner Mitte erschien Claes wie ein Symbol für rettendes Licht, für das Leben. Nie wieder würde er über die Bäume in Annes Garten spotten.

Hinter der Toreinfahrt am Ende des Hofes glitten Wagen und Menschen vorbei. Er hörte das Knarren der Räder, und die heisere Stimme eines Straßenverkäufers bot fetten geräucherten Elblachs an. Das mußte die Spitalerstraße sein. Die wirkliche Welt, dachte er, aber er war nicht mehr sicher, ob er damit recht hatte.

Die vier Männer waren so plötzlich verschwunden, wie sie auf-
getaucht waren, und bevor Claes sich bei seinem Retter bedan-
ken konnte, löste sich auch seine Gestalt im Dunst der Gänge
auf.

Er fand den Aufgang zu Oswalds Wohnung schnell. Das Hin-
terhaus war alt und ärmlich, aber gegen das, was Claes in den
Gängen gesehen hatte, geradezu fürstlich. Von der Spitalerstraße hätte er es ohne Mühe gefunden. Hatte Pagerian ihn ab-
sichtlich in die Irre geschickt? Aber warum hätte er das tun sollen? Er mußte achtgeben, daß er nicht in jeder Verwirrung einen
Hinterhalt vermutete. Sicher hatte er dem Schreiber nur nicht
richtig zugehört.

Zwei kleine Mädchen saßen im Hof und pahlten Pferdeboh-
nen, sie zeigten ihm bereitwillig den richtigen Eingang und
nannten das Stockwerk. Es kostete ihn Überwindung, in nichts
als Strümpfen und Kniehosen einen Besuch zu machen. Aber er
wollte Oswald sofort und ungewarnt zur Rede stellen, da blieb
keine Zeit, auf Etikette zu achten.

Er kletterte die steile ausgetretene Treppe in den zweiten
Stock hinauf und hoffte, Oswald werde ihm für den Rückweg
durch die Stadt ein Hemd leihen.

Er klopfte, und eine blasse junge Frau öffnete. Sie sah den
halbnackten Fremden erstaunt an, aber sie führte ihn in die
kleine Kammer, in der Oswald mit einem anderen an einem
weißgescheuerten Tisch saß. Oswald erhob sich ruhig, senkte
leicht, nicht mehr als höflich, den Kopf zum Gruß und sagte:

«So schnell haben wir nicht mit Euch gerechnet.»

Der andere hatte Claes den Rücken zugewandt und drehte
sich nun um. Der Besucher war Christian.

Sie starrten einander an, der eine, weil er seinen Sohn hier als
letzten vermutet hatte, der andere, weil er seinen Vater niemals
in einer solchen Verkleidung gesehen hatte.

«Um Gottes willen, Vater, was ist passiert?»

Christians Stimme verriet besorgtes Erschrecken, aber sein
Gesicht zeigte eindeutig völlig unpassendes Amüsement.

«Das werde ich dir später erzählen. Würdest du mir bitte zuerst verraten, was du hier zu suchen hast?»

«Sicher, Vater. Aber du siehst wirklich schrecklich aus, und mit Verlaub, du riechst auch nicht besonders gut.»

«Wenn der Herr sich zuerst ein wenig erfrischen möchte», sagte eine leise Stimme hinter Claes, «ich habe in der Küche eine Schüssel mit Wasser bereitgestellt.»

«Danke, Gerlinde, das ist sehr nett. Geh erst mal in die Küche, Vater, Götz läuft dir nicht weg. Er ist genauso begierig herauszufinden, wer Marburger erschlagen hat. Aber warum hast du mir nicht gesagt, daß du schon heute mit ihm reden willst? Ich hätte dich doch mitgenommen.»

Selten hatte Claes das warme, brackige Wasser, das die Leute aus den Fleeten schöpften, oder, wenn sie es sich leisten konnten, bei einem der vielen Wasserträger kauften, so erfrischend gefunden.

Als er wenig später mit Christian, Oswald und Gerlinde an dem schmalen Tisch saß, fühlte er sich beschämt von der Freundlichkeit, mit der er hier empfangen wurde. Es würde ihn Mühe kosten, seine Urteilskraft davon nicht beeinflussen zu lassen. Götz Oswald mochte ein freundlicher Mensch mit einer sanften, taktvollen Frau sein, aber konnte so einer nicht auch aus Haß und Verzweiflung zum Mörder werden?

9. KAPITEL

Das matte Rot, das die untergehende Sonne auf den Himmel über den Bäumen der Alsterniederung gemalt hatte, verblaßte schnell. In einer halben Stunde schon würde es ganz dunkel sein. Anne stand unter einer Weide am Ufer und sah über die Außenalster zur Stadt. Auf den Wällen bewegten sich winzig wie Ameisen die letzten Spaziergänger, Laternenträger warteten auf der Bastion Vincent, um ihre Kundschaft sicher durch die dunklen Straßen nach Hause zu begleiten. Die matten Nachtleuchten schwankten auf ihren Stangen wie müde Glühwürmchen. Auch in den Häusern, deren obere Stockwerke die Wälle überragten, wurden schon die Kerzen und Rüböllampen entzündet. Der See war ruhig wie dunkler, rötlich schimmernder Satin, auch das letzte Boot lag längst vertäut in den Schuppen und bei den Anlegern. Aber Claes war immer noch nicht heimgekehrt. Langsam ging sie durch den Park zurück zur Terrasse. Aus dem Haus drang leises Klappern von Geschirr, Elsbeth, die mit Blohm am Nachmittag aus dem Neuen Wandrahm wieder herübergekommen war, deckte den Tisch für das späte Abendessen.

Es war immer noch schwül. Anne sah zum Himmel auf. Die Sterne nahmen ihre Plätze ein, und sie hielt nach dem Kometen Ausschau. Sie hatte erst einmal einen dieser geschweiften Himmelsboten gesehen und war begierig, diesen neuen zu entdekken. Auch wenn sie ihn nicht fürchtete, jedenfalls nicht wirklich, würde es aufregend sein, zu beobachten, wie er über die Stadt und den See wanderte.

Sie sehnte sich so sehr nach Aufregung. Als sie ihr stilles Jersey verlassen hatte, freute sie sich auf das turbulente Stadtleben, und tatsächlich genoß sie die Konzerte, das Theater, die Maskenbälle und Soireen wie ein hungriges Kind, dem man eine große bunte Torte vorsetzt.

Aber als der Winter zu Ende ging, als das Eis auf der Elbe schmolz und die ersten Schiffe ihre Segel setzten, wurde sie unruhig. Die Vergnügungen, die sie bisher als erheiternd, die Gespräche, die sie als anregend und interessant empfunden hatte, erschienen ihr plötzlich schal. Sie wußte zuerst nicht, warum, es waren ja dieselben Menschen, und ganz sicher bot diese Stadt viel mehr als das verschlafene St. Aubin auf der entlegenen Insel im englischen Kanal. Aber der matte Fleck auf ihrer Seele wurde trüber, und manchmal, wenn sie am Hafen die mächtigen Segler sah, die sich schwer beladen auf ihre langen Reisen die Elbe hinunter und über die weiten Meere machten, wurde die Unruhe in ihrer Brust zu einem drängenden Schmerz. Dann lief sie auf die Wälle und lief und lief, bis ihr Gesicht gerötet, ihr Geist klar und ihr Gemüt wieder heiter waren. Manche Leute in der Stadt meinten, Claes Herrmanns habe vielleicht eine Lady geheiratet, aber keine Dame.

Es lag nicht an Claes. Die Ehe gefiel ihr besser, als sie zu hoffen gewagt hatte, auch wenn es hin und wieder verwirrend war, einander so nah und sich doch oft so fremd zu sein. Aber weil das Nahsein häufiger war, und das Fremdsein stets schnell verging, sorgte sie sich nicht.

Nein, Claes war wirklich nicht die Ursache. Ihre Liebe zueinander wuchs, und gerade deshalb quälte sie diese Unruhe so sehr. Nicht, was sie gewonnen, sondern was sie für ihr neues Leben aufgegeben hatte, bedrückte sie. Anne Herrmanns vermißte die Arbeit, die die Tage der Anne St. Roberts ausgefüllt hatte. Sie vermißte sie sogar ganz schrecklich. Auch wenn sie selbst nicht um die Welt gereist war, die Arbeit im Kontor hatte ihre Gedanken doch mit den Westindischen Inseln, den amerikanischen Kolonien, mit Frankreich und Spanien, mit Ostindien

188

sogar oder der afrikanischen Küste verbunden. Der Handel, die Risiken der Geschäfte, die Verantwortung über Gewinn und Verlust waren auch Abenteuer gewesen.

Früher, wenn sie schon mit der Sonne aufgestanden und nach einem eiligen ersten Frühstück in das Kontor und die Speicher in dem kleinen Hafen geeilt war, hatte sie sich oft gewünscht, das behaglichere, überschaubare Leben der anderen Frauen zu führen. Es mußte doch recht angenehm sein, nur einem Haushalt vorzustehen, so hatte sie damals gedacht, sich um den Garten und die Familie zu kümmern, genug Zeit für die vielen Gäste des Hauses zu haben, auch für die Bedürftigen im Dorf und sogar ab und zu für eine hübsche Stickerei. Natürlich dachte sie bei diesen Träumen von der heimischen Idylle nicht an die Frauen in den kleinen Gehöften aus grauem Stein oder den engen Häuschen der Handwerker und Tagelöhner, sondern an ihre Freundinnen in den bequemen Bürger- und Herrenhäusern. Die beklagten sich zwar auch häufig über ihre geschäftigen Tage, aber die wirkliche Last luden sie doch bei Wäscherinnen, Köchinnen, Gärtnern und Stubenmädchen, die Kinder bei Nannys, Hauslehrern und Gouvernanten ab.

Auf der Insel und auf den Schiffen, die dort anlegten, wußte jeder, daß nicht Paul, sondern seine jüngere Schwester Anne die eigentliche Herrin des Handelshauses war. Mochten auch viele Anne St. Roberts für recht schrullig oder gar männlich gehalten haben, weil sie wie ihr Bruder Tag für Tag mit tintenfleckigen Fingern und staubigen Kleidern, den Kopf voller Zahlen und Lieferlisten im Kontor und auf der Pier anzutreffen war, sie hatte die Arbeit doch immer genossen. Und nun?

Der Herrmannssche Haushalt lief unter Elsbeths Führung ganz und gar von selbst, was ein Glück war, denn Anne hatte keine Ahnung von dessen Geheimnissen und tatsächlich weder Talent noch Neigung zu den vielfältigen Aufgaben einer Hausfrau, und wenn sie Claes mit nur mühsam verhohlener Wißbegierde nach seinen Geschäften fragte, antwortete er heiter, damit müsse sie sich nicht belasten, und plauderte über Dinge, die ehrbare Frauen zu interessieren hatten. Und ihr neuer Baumgarten? Der erforderte in der Tat viel Planung und Pflege, und auch wenn er genauso zu werden versprach, wie sie es sich gewünscht hatte, wuchs er nun, einmal angelegt, fast von allein. Es war hübsch, taunasse Rosen zu schneiden, das Haus mit Blumen zu schmücken und dem Gärtner beim Aufbinden der Büsche zuzusehen. Für eine Stunde. Oder für zwei. Aber die anfängliche Lust, die hohe Kunst der Gärtnerei tiefer zu ergründen, war längst verflogen.

Und nun? In den letzten Wochen ertappte sie sich immer wieder dabei, wie sie durch die großen Wandfenster in der Diele in das Kontor starrte und selbst Dübbel und Fietz beneidete, weil sie an dieser aufregenden Welt des Handels teilhatten. Sie hatte geglaubt, die Liebe werde ihr Leben ganz ausfüllen. Aber das stimmte nicht.

Eine Nachtigall schlug, sie klang seltsam rauh, und Anne wischte ihre Gedanken energisch fort. Sie hatte sich für dieses Leben entschieden, und sie würde das Beste daraus machen. Es war ein gutes Leben, und sie fand es vermessen, darüber zu klagen.

Die Nacht war nun ganz dunkel, der Mond, nur eine schmale Sichel tief über der Vorstadt St. Georg, gab kaum Licht, und obwohl die Stadt so nah war, fühlte sie sich plötzlich allein wie auf einem verlassenen Planeten. Es raschelte hinter der Ligusterhecke, die das runde Bassin um den Springbrunnen gegen den hinteren Teil des Parks abschirmte. Sicher ein Dachs oder ein Igel. Oder waren das Schritte? Vielleicht der Pferdejunge.

«Benni?» rief sie leise, aber es kam keine Antwort. Sie lauschte mit angehaltenem Atem und hörte nur das Schlagen ihres Herzens. Die Nachtigall schwieg. Da war auch kein Rascheln mehr, selbst aus dem Haus drang nicht das leiseste Geräusch. Über ihren Nacken strich ein kalter Hauch, dann hörte sie es wieder. Eine Wolkenschwade schob sich vor die Mondsichel und nahm das letzte Licht, schwarz lag die Nacht trotz der Myriaden von Sternen über dem Land. Doch dort hinter der Robinie, deren Zweige ihre honigsüß duftenden Blütentrauben der zarten Fontäne in der Mitte des Springbrunnens entgegenstreckten, war da nicht ein noch dunklerer Schatten? Etwas bewegte sich, es kam näher, ein Schemen nur ...

Hufe klapperten plötzlich auf den rundköpfigen Steinen des Hofes, und der Schatten, dieser Spuk in der Finsternis, war verschwunden.

«Anne?»

Claes, vom schnellen Ritt noch erhitzt, kam mit langen Schritten um das Haus, und sie stürzte in seine Arme wie ein verlorenes Kind.

«Ich habe so auf dich gewartet», flüsterte sie heiser, «so sehr. Warum läßt du mich so lange warten?»

Claes hielt sie fest in seinen Armen, er fühlte ihr Zittern, und weil er dachte, es sei ein Zeichen ihrer großen Sehnsucht, lächelte er glücklich.

SONNTAG, DEN 15. JUNIUS,
MORGENS IN BAD PYRMONT

«Und jetzt, Anneke, setzen wir uns dort unter diese hübsch duftenden Linden und trinken Schokolade.»

Augusta Kjellerup zeigte mit ihrem Sonnenschirm auf eine kleine Runde von zierlichen Tischen und bequemen Stühlen, die der Wirt des Kaffeehauses an der großen Allee in den Halbschatten gestellt hatte. Es war noch früh, die meisten Kurgäste lauschten wohl der Predigt in der Petri-Kirche oder verschliefen den schönen Sonntagmorgen in einem der vielen Gasthäuser und Privatquartiere des kleinen Ortes. Sie war wie immer früh erwacht, hatte mit Anneke, ihrer alten Dienerin, die nach nun schon fast fünfzig Jahren ihres Dienstes mit all ihrer Schrulligkeit eher Vertraute war, am Brunnen brav das weltberühmte Heilwasser getrunken. Sie hatten, wie schon so oft, den Springbrunnen bewundert, aus dem reines Mineralwasser plätscherte, das es in anderen Städten nur in winzigen Fläschchen in den Apothe-

191

ken zu kaufen gab. Hier gab es so viel davon, daß die Pyrmonter es wie die Hamburger ihr Bier ins Ausland verkauften. Sie hatte schon viele hochbeladene, von vier schweren Hannoveranern gezogene Fuhrwerke gesehen, die zahllose Fässer des guten Wassers nach Höxter brachten. Erst gestern hatte Niemeyer stolz berichtet, daß die Fässer dann auf den flachen Weserbooten bis nach Bremen und von dort mit großen Frachtseglern weiter bis nach den englischen Inseln und sogar nach den amerikanischen Kolonien gebracht wurden.

Aber nun, so fand Augusta, sei der Gesundheit genug gedient. «Da ist noch zu», brummte Anneke. «Und wo wir gerade das gute Wasser getrunken haben, ist das nicht richtig.»

«Du bist ein Griesgram, meine Alte, gerade *weil* wir das gute Wasser getrunken haben, haben wir uns jetzt eine Schokolade verdient. Murre nicht, sondern gib dem Wirt Bescheid, er soll uns flink Schokolade machen. Und an der Sahne nicht sparen.»

Anneke verschwand weniger widerstrebend, als sie vorgab, nichts liebte sie mehr als heiße Schokolade. Ihre Herrin ließ sich mit einem wohligen Seufzer auf einen der gepolsterten Stühle fallen. Die graue Seide der neuen Schuhe war wirklich sehr hübsch, aber eindeutig zu eng genäht. War die ständige Qual mit dem Korsett nicht genug? Mußten auch die Schuhe *immer* so zierlich sein? Und dieses Wasser! Es schmeckte doch recht schwefelig, auch wenn es ganz gewiß sehr heilsam war. Die Geschichten von alten Knochen, die hier wieder jung geworden waren, konnte man überall hören.

Augusta war nicht in der Stimmung, zu nörgeln, dazu war der Tag viel zu schön, und in ihrer Tasche steckte ein Brief von Claes aus Hamburg. Der reitende Bote der Kaiserlichen Eilpost hatte ihn gestern gleich nach seiner Ankunft am Abend im Haus Niemeyer abgegeben, in dem sie mit Anneke einige äußerst bequeme und sonnige Zimmer bewohnte. Der Wirt, der dumme Patron, hatte ihre Nachtruhe nicht stören wollen und ihr den Brief erst heute morgen gegeben.

Armer Claes. Da war ihr Neffe so glücklich, daß sein Sohn

heimgekehrt war und sich im Kontor als guter Kaufmann erwies, nun verliebte der hübsche Junge sich ausgerechnet in die Tochter der unglücklichen Jugendliebe seines Vaters. Eine Mennonitin zudem, und offenbar aus einer ganz altertümlichen Familie. Augusta fand Gunda Stedemühlens Empörung und die unerbittliche Trennung der beiden jungen Leute äußerst töricht. In Christians Alter war die Liebe noch schrecklich anstrengend.

Aber daß die Beckerschen Komödianten wieder da waren, freute sie sehr und bestärkte sie in ihrem Entschluß, bald nach Hamburg zurückzukehren. Die Erneuerung ihrer Bekanntschaft mit Rosina und Helena wollte sie nicht versäumen.

Sie sah die gepflegte vierreihige Allee hinunter, die sich allmählich mit Spaziergängern füllte. Pyrmont war eine ganz eigene Welt. Es gab auch hier Bäcker und Schornsteinfeger, Schweinehirten, Kohlenträger und Wäscherinnen, aber sie schienen im verborgenen zu leben. Auch besuchten erstaunlich viele Bauernfamilien Pyrmont, um an den Brunnen und bei den vielfältigen Wohltaten des Badehauses ihre Gesundheit wiederzufinden. Als Augusta nach einer äußerst ungemütlichen Kutschfahrt vor vier Wochen von Köln in Pyrmont ankam, waren die bäuerlichen Brunnengäste noch zahlreicher als die vornehmen gewesen. Sie reisten auf mit Vorräten vollgepackten Fuhrwerken an, oft von weit her, selbst aus dem Münsterländischen und dem Osnabrückischen kamen sie, nahmen im Weiler Oesdorf nahe der Quelle Quartier und verhielten sich stets würdig. Die Trinkkur war bei ihnen seit Generationen beliebt, und man sagte, dieses Recht könne ihnen niemand verwehren, denn schon ihre germanischen Vorfahren besuchten und verehrten die Pyrmonter Quellen als Heiligtum. Augusta hatte von einer jungen Frau aus dem Ravensbergischen gehört, die sich im Ehepakt von ihrem Gatten das Recht auf Pyrmonter Brunnenkuren einräumen ließ. Mittlerweile waren die meisten Bauern wieder verschwunden, der Sommer schritt voran, und ihre Felder brauchten sie.

Auf den Alleen und in den blühenden Gärten zwischen dem

Schloß und dem achteckigen Tempelchen über dem Trinkbrunnen bestand die Gesellschaft das ganze Jahr über nur aus reichgekleideten flanierenden und plaudernden Menschen. Die große Allee war den Landleuten wie der Besuch der Glücksspielsalons, der Konzerte und der Lesezimmer verboten. Die Trinkkur in Pyrmont gehörte in der feinen Gesellschaft der Residenzen und der Bürgerhäuser schon lange zum guten Ton. Wer auf sich hielt und die Mittel dazu hatte, mischte sich für einige Wochen unter die Fürsten, Herzöge und Grafen und hoffte, daß wieder einer wie Zar Peter der Große käme, mit 300 Pferden und einem Gefolge ohnegleichen. Das war schon fünfzig Jahre her, aber immer noch wurde daran erinnert, und wenn sich inzwischen auch andere gekrönte Häupter an der Brunnenkur und dem gesellschaftlichen Spektakel gelabt hatten, galt der Gewittersturm jenes glanzvollen Besuches als unübertroffen.

Augusta zog Claes' Brief aus ihrer Tasche, doch bevor sie ihn ein zweites Mal lesen und darüber nachdenken konnte, wurde sie durch ein lautes «Chère Augusta, bonjour, bonjou-hur» gestört. Gräfin Soldenborg eilte am allseits begehrten Arm von Monsieur Tischbein, dem Kabinettmaler des Landgrafen von Hessen, auf das Kaffeehaus zu und schien fest entschlossen, Augusta Gesellschaft zu leisten.

Augusta vermutete richtig. Die Gräfin hatte sie als williges Opfer ausgemacht, es gab keine Möglichkeit, ihr zu entkommen. Dafür hatte der Maler endlich eine Gelegenheit, der unablässig plätschernden Plauderei aus dem Mund der fülligen Kopenhagenerin zu entgehen. Er rückte seiner Begleiterin einen Sessel zurecht und überließ Augusta mit einer vollendet eleganten Verbeugung die schon um diese frühe Stunde entsetzlich muntere Dame, murmelte eine Entschuldigung von Morgenlicht und göttlichen Farben der Tabakblüten auf den Feldern im lieblichen Emmertal und schritt eilends davon.

«Augusta, meine Liebe, wie schön dich zu treffen, stell dir vor, was Monsieur Tischbein sagt. Ist er nicht ein wunderbarer Kavalier. Diese Augen! Und der göttliche Schwung seiner Lip-

194

pen! Und so ein begnadeter Künstler. Ich will meinen Thore doch unbedingt überreden, daß er uns von ihm porträtieren läßt. Und die Kinder. Aber er hat so viel in der Residenz zu Kassel zu tun. Für den Grafen. Der Arme. Nie wird er Zeit finden, uns in unserem neuen Palais in Kopenhagen zu besuchen. Wirklich, zu schade. Aber man wird sehen. Vielleicht sein jüngerer Bruder. Lebt er noch in Hamburg? Der hat auch die Unzers in Altona gemalt. Zartfühlend, sage ich dir. Besonders die Unzerin. Man weiß ja, wie groß ihr Kinn ist, aber nichts davon auf dem Porträt. Es soll auch einen sehr talentierten Neffen geben. Ist mein Kleid nicht delikat, liebste Augusta? Verte comme une prairie, sagt der Meister. Und ich bin die Blume darin. Das hat er zwar nicht gesagt, aber es versteht sich doch von selbst, daß er . . .»

«Aber ich verstehe kein Wort, Thomasine. Wenn du Luft geholt hast, verrate mir doch zuerst, was Monsieur Tischbein tatsächlich gesagt hat. Ich meine nicht über seine zahlreichen Brüder, Onkels und Neffen oder zu deinem Kleid.»

Das Kleid erinnerte Augusta weniger an eine Wiesenlandschaft als an einen Teich voller Entengrütze, aber sie wußte bei aller Spitzzüngigkeit stets, wann sie ihre Gedanken besser für sich behielt – obwohl das bei Thomasine manchmal an verschenkte Gelegenheiten zur Notwehr grenzte.

Thomasine kicherte, strich die gekräuselte Seide über ihrem üppigen Körper glatt und kicherte noch einmal.

«Ich weiß nicht, warum ich dich so mag, Augusta Kjellerup, du bist wirklich nicht immer comme il faut. Wahrscheinlich liegt es daran, daß . . .»

«Was, meine liebe Thomasine, hat Monsieur Tischbein gesagt?»

«Ach ja. Er sagt, morgen oder erst übermorgen, aber das ist ja fast dasselbe, wird Fürst zu Waldeck-Pyrmont auf dem Schloß erwartet. Mit der Fürstin. Ist das nicht fabelhaft?»

«Du kennst die fürstliche Familie?»

«Nein, noch nicht. Aber es ist doch sehr angenehm, den Landesherren mit seinem vornehmen Gefolge hier zu haben. Er soll ganz reizend sein, aber seine Gattin!» Sie hielt ihre kleine runde Hand im nicht minder wiesengrünen Handschuh vor den Mund und versicherte sich mit eiligen glitzernden Blicken, daß niemand von Bedeutung lauschte. «Also, seine fürstliche Gattin, ich sage dir! Ständig Kopfschmerzen! Und sehr streng. Und er? So lebenslustig. Der arme Mann.»

Sie sah Augusta triumphierend an, sichtlich enttäuscht, daß die gebührende Resonanz auf diese ungeheuer wichtige Enthüllung ausblieb.

«Es wird ein Konzert im Schloß geben», fuhr sie munter fort. «Wenn du eingeladen wirst, verdankst du es mir, meine Liebe. Ich habe dem Meister schon erzählt, daß du in Hamburg sehr vertrauten Verkehr mit Monsieur Telemann pflegst. Der Fürst bringt seine Hofkapelle mit, und man wird Telemanns *Pyrmonter Kurwoche* geben, die er für den seligen Vater des Fürsten komponiert hat. Melodische Frühstunden beim Pyrmonter Wasser. Ein schöner Titel, und so heitere Melodien. Zu schade, daß euer Herr Musikdirektor schon so gebrechlich ist, sonst hätte er dich begleiten und uns wie seinerzeit die fürstliche Gesellschaft auf dem Cembalo unterhalten können, und gewiß . . .»

«Die Schokolade kommt jetzt.»

Anneke war an den Tisch getreten und starrte die Gräfin mit unverhohlener Feindseligkeit an.

«Wunderbar», sagte Augusta. «Dann setz dich auf diesen Stuhl, lehn dich zurück und ruh dich aus.»

Thomasine, die nie verstanden hatte, wie Augusta mit einer Domestikin so vertraulichen Umgang pflegen konnte, tat, als habe sie Anneke nicht bemerkt. Ihr neugieriger Blick hatte gerade den Brief in Augustas Schoß entdeckt.

«Ein Brief? Womöglich von Monsieur Telemann?»

Sie drohte neckisch mit dem Finger, und Augusta bereute, daß sie den Bogen nicht in ihrer Tasche gelassen hatte. Andererseits, niemand war so perfekt informiert wie Thomasine. Und auch wenn nie ganz klar war, wie sehr sie ihre Informationen mit Phantasie und mehr oder weniger übler Nachrede vermischt hatte, waren sie von Zeit zu Zeit ganz gut zu gebrauchen. Augusta kannte Gunda Stedemühlen, Claes' Jugendliebe, nicht. In jenem Sommer, als die so plötzlich verschwunden war, lebte Augusta schon viele Jahre in Kopenhagen. Auch Thomasine stammte aus einer Hamburger Familie. Sie hatte in der Hansestadt einen Kopenhagener Kaufmann geheiratet, dem sie nach einigen Ehejahren in seine Heimat folgte. Dort hatte er sich vor allem um die Heringsfischerei und die marode königliche Kasse verdient gemacht und war deshalb vor einigen Jahren in den Adelsstand erhoben worden. Es würde anstrengend werden, aber es war einen Versuch wert.

«Nein, nicht von Telemann. Das ist ein Brief von Claes. Du erinnerst dich doch gewiß aus deiner Jugend an meinen Neffen?» Um Thomasine einen Köder hinzuwerfen, fuhr sie fort: «Er schreibt, daß Lysander Billkamp gestorben sei. Der Dichter aus der Gröninger Straße. Vielleicht erinnerst du dich auch an ihn. Bevor er sich vor einigen Jahren ganz der Dichtkunst verschrieb, war er ordentlicher Kaufmann.»

Still ertrug sie zuerst Thomasines Empörung über Kaufleute, die sich mit den Musen einlassen, dann das etwas angenehmere Loblied über ihren Neffen, den Kummer über den tragischen Tod von dessen erster Frau und den Zweifel an der Weisheit seiner Entscheidung für eine neue Ehe mit einer Engländerin. Thomasine war wirklich erstaunlich gut informiert. Augusta nutzte eine Atempause zu ihrer nächsten Frage.

«Aber gewiß erinnerst du dich nicht an Gunda Terhöft. Sie stammt aus einer mennonitischen Hamburger Familie, und Claes war in seiner Jugend gut mit ihr bekannt. Sie hat später einen Kapitän geheiratet, Stedemühlen, glaube ich. Sie leben jetzt wieder in Altona ...»

«Natürlich erinnere ich mich. Oh», wieder wackelte sie mit dem lustig drohenden Finger, «dein Neffe denkt, die Sache sei geheim gewesen. Aber ich weiß natürlich darüber Bescheid. Ich war damals schon lange verheiratet und Mutter, aber wir lebten noch in Hamburg.»

Nun folgte die Geschichte ihrer ersten und vor allem der zweiten, viel schwereren Niederkunft und die lebhafte Schilderung der Freude Thore Soldenborgs über seinen ersten Sohn. Anneke schnaufte vernehmlich.

«Natürlich war er sehr stolz, Thomasine», unterbrach Augusta schließlich das Wortgeplätscher. «Er hatte allen Grund, und du auch. Was sprach man damals über die junge Terhöft? Warum verschwand das Mädchen so plötzlich? Claes war eine gute Partie, und ganz gewiß hatte er die ehrbarsten ...»

«Mennoniten», unterbrach Thomasine sie düster, «du weißt doch, wie sie sind. Ehrbare Leute, und, das sagt Thore auch immer, äußerst tüchtig. Aber sie heiraten nur untereinander, obwohl es ja gar nicht so viele von ihnen gibt. Die reine Inzucht. Das will Thore nicht hören. Aber *ich* sage dir, da war mehr als die falsche Religion. Da stimmte irgend etwas ganz und gar nicht. Schau, da drüben geht Mademoiselle Liebig, wer ist wohl dieser häßliche Galan an ihrer Seite? Wo läßt der bloß schneidern? Also, ich hatte damals ein Mädchen, das kannte die Frau des Stallmeisters der Terhöfts, eine sehr unpassende Bekanntschaft übrigens, aber ich war immer großzügig in diesen Dingen, das weißt du ja, meine liebe Augusta. Ah, da kommt eure Schokolade, welch köstlicher Duft. Für mich auch, Wirt. Aber nur ganz wenig Sahne, ich halte auf Gesundheit. Ja. Was sagtest du gerade, Augusta?»

Augusta wünschte sich dringend einen Schluck von dem Rosmarin-Branntwein, der in der Vitrine in ihrem Salon im Neuen Wandrahm für Notfälle aller Art bereitstand. Aber der war weit, und so blieb ihr nur, besonders tief Luft zu holen.

«Du sagtest, dein Mädchen damals habe die Frau des Stallmeisters der Terhöfts gekannt, und die habe etwas über das Verschwinden des Mädchens gewußt.»

«Ja, richtig. Ist das nicht interessant? Die haben ihre Gunda von einem Tag auf den anderen einfach auf das nächste Schiff nach Lissabon gebracht, angeblich – und ich sage angeblich! – zu einem Verwandtenbesuch. Sie hatte nur eine Tante als Begleitung. Eine ledige natürlich, eine pflichtbewußte Ehefrau kann ja nicht so einfach wochenlang ihre Familie verlassen, es sei denn, um der Gesundheit willen. Aber stell dir vor, die Stallmeisterin war sicher, daß sie ihr Mohnsaft gegeben haben, damit sie schläfrig ist und nicht davonläuft. Hat man so etwas schon gehört?»

«Tatsächlich?»

Diesmal mußte Augusta sich nicht um angemessenes Erstaunen bemühen. Das war in der Tat unerhört. Obwohl viele Mädchen in eine ungeliebte Ehe gezwungen wurden und sicher oft mit den abenteuerlichsten Mitteln, fand sie hier keine Ursache. Gunda wurde am Ende dieser seltsamen Reise ja nicht von einem unliebsamen Bräutigam erwartet, sondern von Verwandten in einem sonnigen Land.

«Hast du eben gesagt, Lysander Billkamp sei gestorben?» Thomasine zog nachdenklich ihre Stirn kraus. «Das ist kurios. Da habe ich jahrelang nicht mehr an all diese Menschen aus meiner Jugend gedacht, und nun sprichst du an diesem einen Morgen gleich von mehreren. Ich erinnere mich an Julius Billkamp. Es ist wirklich lustig. Ich wußte nicht, daß Gunda den Stedemühlen geheiratet hat. Der war schon lange vorher Kapitän, und Julius Billkamp war mit auf seinem Schiff, als es den algerischen Barbaresken in die Hände fiel. Es war ja auch sehr dumm, durch die Gibraltar-Enge ins Mittelmeer zu segeln. Heute macht das kein vernünftiger Mensch. Nur die Engländer. Ich weiß gar nicht mehr, wie war das damals doch?» Nachdenklich zog sie Augustas Kakaotasse zu sich heran, rührte zwei gehäufte Löffel Zucker hinein und nahm einen zierlichen Schluck. Anneke schnaufte lauter, aber Augusta legte den Finger auf den Mund. Sie fühlte eine erregende Spannung, und auch wenn diese Sache nichts mit Gundas Verschwinden zu tun hatte, sagte ihr eine innere Stimme, daß die gemeinsame Fahrt von Billkamp und Stedemühlen wichtig war.

«Das war die Sache mit dem Freikauf. Erinnerst du dich nicht, Augusta? Du bist natürlich viel älter als ich und warst in jenem Jahr schon lange in Kopenhagen, aber gewiß hat dein Bruder dir damals davon berichtet. Alle Welt sprach darüber.»

Augusta sah keinen Grund, Thomasine darüber aufzuklären, daß ihr spröder Bruder ihr nie etwas berichtet und höchstens zu Weihnachten einen höflichen Gruß gesandt hatte.

«Das Schiff wurde von Barbaresken gekapert», fuhr Thomasine fort, «einige Männer wurden getötet, aber die meisten in die Sklaverei verschleppt, bis sie von der Sklavenkasse oder ihren Familien wieder freigekauft wurden. Ja, jetzt erinnere ich mich wieder! Billkamp und Stedemühlen waren die ersten, die zurückkamen. Aber wie war das nur? Ach, mehr weiß ich nicht. Es ist ja auch alles viel zu lange her. Und für diese dummen Männerangelegenheiten habe ich einfach kein Gedächtnis.»

Thomasine machte ein verzagtes Gesicht. Über die Privatangelegenheiten und Familiengeheimnisse anderer Leute nicht ausführlich Auskunft geben zu können, war für sie das schlimmste Versagen.

SONNTAG, DEN 15. JUNIUS,
NACHTS

Lucia löschte gerade die Kerzen auf ihrem Nachttisch, als sie das Geräusch hörte. Es klang, als habe ein Zweig des Walnußbaumes vor ihrem Fenster an der Scheibe gekratzt, aber das war unmöglich. Die breite Krone war im letzten Winter kräftig beschnitten worden, damit sie in Sturmnächten nicht störte oder gar die Scheiben zerbrach. Wieder hörte sie das leise Klicken. Neugierig glitt sie aus ihren Kissen und schlich auf Zehenspitzen zum Fenster.

Sie sah ihn gleich, der Schatten des Flieders verbarg ihn, aber er zeigte sich genug, damit sie ihn erkennen konnte. Christian Herrmanns, bis auf die weißseidenen Strümpfe ganz in Schwarz gekleidet, stand unter ihrem Fenster und hob gerade den Arm, um den nächsten Kiesel an ihre Scheibe zu werfen.

Das Fenster öffnete sich fast geräuschlos – ihre Mutter achtete

200

stets darauf, daß keine quietschenden Scharniere die Ruhe des Kapitäns störten –, und sie beugte sich hinaus.

Da stand er und sah zu ihr auf. Lucias Herz klopfte, und sie wußte nicht, was sie tun sollte. Natürlich hatte sie in ihren Romanen oft von solchen geheimen nächtlichen Rendezvous gelesen, aber das war doch etwas ganz anderes. Er stand einfach da, bewegungslos, mit noch erhobenem Arm. Was sollte sie tun? Was tat man in so einer Situation?

Lucia tat, was die Heldinnen in den Romanen taten. Sie warf ihm einen innigen Handkuß zu, formte mit den Lippen ein verheißungsvolles «Warte, ich komme zu dir», schlüpfte eilig in ihren neuesten Hausmantel mit dem Besatz aus Brüsseler Spitze und öffnete vorsichtig die Tür zum Flur. Sie lauschte, das ganze Haus lag still. Es war schon spät, sicher bald Mitternacht, eine Stunde, in der alles schlief. Auch sie war gewöhnlich zu dieser Zeit nicht mehr wach, aber der beunruhigende Trubel in ihrem Kopf hatte sie heute nicht einschlafen lassen.

Wie mußte er sie lieben, wenn er das Versprechen seines Vaters brach und auf diese unerhörte Weise ihre Nähe suchte. Im Flur und in der Diele war es dunkel wie in einem fensterlosen Keller. Sie schlich, die aprikosenfarbenen Pantöffelchen in der Hand, behutsam die Treppe hinab, mied die fünfte und die elfte Stufe, die immer schrecklich knarrten, und huschte durch die hintere Tür in den Garten.

«Lucia», flüsterte er, «Geliebte.»

Schnell legte sie ihm ihre Hand auf den Mund und spürte erschauernd den Kuß heißer Lippen. Sie nahm seine Hand und zog ihn im Schutz der Hecken auf die steinerne Bank am Rosenrondell.

«Ich mußte dich sehen», flüsterte er und ergriff ihre Hände, «ich mußte einfach. Du sollst wissen, daß ich mich höchst widerwillig den Wünschen unserer Eltern beuge, nur um ihnen zu beweisen, daß diese lächerlichen vier Wochen unsere Liebe niemals zerstören können. O Lucia, wie schön du bist.»

Lucia schwankte zwischen Entzücken und ängstlicher Sorge.

Ihre Eltern hatten einen leichten Schlaf. Vielleicht war ihr Vater sogar wach und in seinem Observatorium. Sie war nicht sicher, ob dieses nächtliche Treffen, auch wenn sie es äußerst erregend fand, die Qual des strafenden Schweigens ihrer Mutter aufwiegen konnte.

Aber sie sah seine brennenden Augen, roch den Duft von Rosen und Reseda ...

«Lucia!» Die Stimme ihres Vaters war leise, aber sie klang hart wie ein Donnerschlag und schneidend wie eine Sense.

«Du stehst sofort auf, Lucia.»

Seine Stimme war nun schon lauter, er packte seine Tochter hart am Arm und zog sie mit einem Ruck an seine Seite. «Und Ihr, Monsieur! Wie könnt Ihr es wagen, gegen mein Verbot und das Versprechen Eures Vaters in mein Haus einzudringen und meine Tochter mit dieser schmachvollen Szene zu beleidigen? Wenn Ihr auf meinem Schiff wärt, ich würde Euch kielholen lassen, bis die Muscheln am Bug Euren Körper zerfetzt, bis das salzige Wasser Eure Lungen gesprengt hätte und Eure ruchlose Seele zur Hölle gefahren wäre.»

Die letzten Sätze schrie er, seine Augen brannten schwarz, und seine Faust schwang drohend durch die Finsternis der Nacht.

«Wagt es nicht, nur ein Wort zu Eurer Verteidigung hervorzubringen, wagt es nicht! Und wenn Ihr nicht in einem Augenblick verschwunden seid, um nie, ich sage nie wieder, in die Nähe meiner Tochter zu kommen, werde ich Euch mit dieser Faust erschlagen. Kommt niemals wieder. Nicht in vier Wochen, in vier Jahren oder vier Leben. Eure Familie hat genug Leid über uns gebracht. Lauft, ehe ich mich vergesse. Lauft!»

Er stieß Christian, der erschrocken von der Bank aufgesprungen war, in besinnungslosem Zorn gegen die Brust, und dem blieb nichts, als vor diesem Wüten zu fliehen, wenn er sich nicht mit dem Vater seiner Geliebten schlagen wollte.

«Das werdet Ihr bereuen, Stedemühlen, furchtbar bereuen», schrie er im Davonlaufen über die Schulter zurück. «Vertraue auf mich, Lucia. Unsere Liebe ist unsterblich, was immer sie auch tun!»

Lucia stand neben ihrem zornbebenden Vater, bleich wie der Mond im Winter, sah Christian durch die Hecke verschwinden und wußte, daß sich dieses Abenteuer gelohnt hatte. Egal, was nun folgen würde.

Christian jagte sein Pferd in blindem Zorn über den Hamburger Berg und sann auf Rache für diese Demütigung. Nur eines beruhigte ihn: Niemand war Zeuge dieser peinlichen Begegnung gewesen, niemand würde sich das Maul darüber zerreißen, weder in Altona noch im Hamburg.

Doch zumindest in ersterem irrte er. Der Stedemühlensche Garten war in dieser Nacht und zu einer Stunde, da die Wächter längst zum Löschen allen Feuers und Lichts aufgerufen hatten, ungewöhnlich gut besucht.

Nachdem Christian verschwunden war und der Kapitän seine zitternde Tochter in ihr Zimmer gescheucht und sich an seinen Lieblingsplatz im Pavillon zurückgezogen hatte, fühlte sich die Igelfamilie in ihrem angestammten Revier in der seitlichen Hecke immer noch gestört.

Bei den Holunderbüschen am Rande des Gartens hockten zwei Gestalten mit heißen Wangen und klopfenden Herzen, Haar und Schultern mit winzigen weißen Sternblüten der Dolden berieselt. Christian wäre bei seiner Flucht aus dem Garten fast über sie gestolpert, aber er war so wütend und aufgeregt gewesen, daß er selbst einen Elefanten übersehen hätte.

Rosina und Cornelius van Smid saßen wie erstarrt in der Hecke. Cornelius hatte in dieser Nacht seine erste praktische Unterrichtsstunde in Liebeswerbung absolvieren wollen, und auch wenn ihm das innige Geflüster seiner Geliebten mit seinem Rivalen immer noch wie ein Traumtheater erschien, wurde die Mutlosigkeit, die sein Herz umfing, immer bitterer. Solange er hier im Schatten dieser Zweige verharrte, blieb das eben Erlebte ein Traum. Mit dem ersten Schritt zurück durch die Hecke auf den ganz realen Weg in die Stadt wurde auch die Liebe zwischen

Lucia und Christian Realität, und er wußte nicht, wie er das ertragen sollte.

Auch Rosina fühlte sich wie in einem Theater. Aber die Komödiantin spürte alles andere als Mutlosigkeit. Der maßlose Zorn des Kapitäns hatte sie gefesselt, und die Szene der beiden unglücklich Liebenden auf der Bank zwischen blühenden Büschen am Rosenbeet, der Himmel über ihnen ein schwarzes Spitzentuch voller Diamantengeglitzer, die Mondsichel scharf und schmal – sie hätte sich nicht gewundert, wenn plötzlich elysische Violinen und Engelsstimmen erklungen wären. Sie blickte ihren Begleiter an, der offenbar ganz anderen Tönen lauschte, und zupfte ihn zart am Ärmel.

«Laßt uns nun gehen», flüsterte sie kaum hörbar. «Sie sind alle fort, und für uns wird es höchste Zeit.»

Cornelius nickte, und sie schoben sich vorsichtig zurück durch die Hecke.

«Wir müssen auf die Nachtwächter achtgeben», sagte Rosina immer noch flüsternd. «Es wäre gar nicht passend, wenn sie uns um diese Stunde auf den Straßen antreffen. Denkt an Euren guten Ruf.»

Cornelius machte nicht den Eindruck, als sei er mit Scherzen aufzuheitern. Sie hätte nie geglaubt, daß sein rundes freundliches Knabengesicht so grimmig werden konnte.

«Es tut mir leid, Cornelius.»

Sein offensichtlicher Schmerz verführte Rosina ganz selbstverständlich zu der vertraulichen Anrede. Sie wußte, daß es für ihn jetzt keinen Trost gab, und bedauerte, daß er diesen absurden, gleichwohl heiteren Unterricht nun sicher beenden würde. Vielleicht war ihre Idee, Cornelius unter Lucias Fenster eine italienische Barkarole singen zu lassen, doch zu verrückt gewesen. Aber als sie feststellte, wie erstaunlich klar, melodisch und innig dieser vermeintlich so steife junge Mann zu singen vermochte, und daß er zudem das Italienische perfekt beherrschte, konnte sie nicht widerstehen. Zuerst sträubte er sich, aber schließlich siegte die romantische Seite seiner Seele.

Cornelius schüttelte heftig den Kopf, und die Verzagtheit seiner Miene wich kühner Entschlossenheit.

«Ich danke für Euer Mitgefühl, Rosina. Aber es muß Euch nicht leid tun, denn nun weiß ich um den Stand der Dinge. Wir müssen uns beeilen. Habt Ihr morgen wieder Zeit für mich? Am Vormittag?»

10. KAPITEL

Die Kammern der Dienstboten lagen im Stedemühlenschen Haus nach vorne zur Straße hinaus. Nur das Fenster der Köchin erlaubte den Blick über den Garten und den Fluß. Sie war eine Hugenottin aus Bristol, seit fünfzehn Jahren in Gundas Diensten und erfuhr deshalb und wegen ihrer außerordentlichen Fähigkeiten die beste Behandlung. Der Kapitän mochte karg und sparsam wirken, aber eine erstklassige Küche gehörte zu seinen wenigen Leidenschaften. Der Schlaf der Köchin widerstand Kanonendonner, die Stimme ihres Herrn, selbst wenn sie sich so ungewöhnlich hob wie in dieser Nacht, drang nicht einmal in ihre Träume.

Gunda Stedemühlen hingegen, deren Schlafzimmer unter der Kammer der Köchin lag, mußte gar nicht erst geweckt werden. Sie schlief in diesen Tagen schlecht. Als Christian Herrmanns ihr von dem jungen Matthew vorgestellt worden war, hatte sie, schon bevor sie seinen Namen hörte, gewußt, wer er war. Sein Lächeln, sein Gang, die Art, wie er beim Sprechen die Hände bewegte – in alledem glich er dem jungen Mann, der sein Vater einmal gewesen war.

Seit sie hierher zurückgekehrt war, hatte sie immer damit gerechnet, Claes zu treffen, unversehens auf irgendeinem Platz, in einem Konzert oder bei einer ihrer seltenen Besuche in den Nachbarhäusern. Sie hatte sich davor gefürchtet und war gegen diese Begegnung gewappnet gewesen. Seinen Sohn zu treffen, war wie eine unerwartete Zeitreise in alte Bilder und überwunden geglaubte Gefühle. Beim ersten Mal nahm ihr Christians Anblick den Atem, und sie entkam der Flucht in die Ohnmacht nur, weil der Kapitän aufmerksam ihren Arm stützte.

Natürlich war sie selbst schuld an allem, was seither geschehen war. Wie konnte sie nur dulden, daß er in ihr Haus kam wie irgendein beliebiger junger Mann aus den guten Familien der Stadt? Wußte sie nicht, daß genau dies passieren würde? Passieren mußte? War es die Bosheit gewesen, die sie seit ihrer Kindheit immer wieder in ihrer Seele spürte und nur mit Mühe und Gebeten im Zaum zu halten vermochte? Wollte sie Claes' Sohn den Schmerz widerfahren lassen, den sein Vater ihr einst angetan hatte? Wie töricht, wie unendlich dumm und kleinlich. Hatte sie nur an Rache für ihre gemarterte Mädchenseele gedacht und nicht an das Glück ihrer Tochter? Es gab keinen Grund für diese Rache, Gott war gnädig gewesen, als Er über ihr Schicksal entschieden hatte. Aber vielleicht war das nun eine späte Strafe.

In dieser Nacht jedoch gestand sie sich endlich ein, daß sie einfach nicht stark genug gewesen war, Christian von ihrem Haus fernzuhalten. Nach dem ersten Erschrecken über die Verwirrung ihrer Gefühle hatte sie begonnen, sich selbst zu belügen: Sie genoß seine Besuche und sagte sich, durch die Gewöhnung an die Gegenwart seines Sohnes werde nun endlich nach all den Jahren die Erinnerung an Claes alltäglich werden. Und weil sie es nicht anders sehen wollte, erschien ihr seine doch ganz offensichtliche Verehrung Lucias nur als jugendliche Galanterie, das übliche Spiel in den Salons. Und Lucia, versicherte sie sich stets, sei ein vernünftiges Mädchen und zudem Cornelius van Smid so gut wie versprochen.

Als sie nun die zornige Stimme ihres Mannes im Garten hörte, eilte sie ans Fenster und betrachtete bewegungslos die unwirkliche Szene am Rosenrondell. Sie hätte es wissen müssen. Niemand, auch Lucia und Christian nicht, war in diesen jungen Jahren das, was sie vernünftig nannte. Und rann nicht ihr Blut in Lucias Adern?

Als der Garten wieder still unter dem dunklen Himmel lag und die erschrockenen Zikaden ihr Lied von neuem begannen, schlüpfte sie in ihr Hauskleid und trat in den Flur. Sie erwartete, aus Lucias Zimmer Geräusche zu hören, auf- und abgehende Schritte, Schluchzen, aber kein Laut drang durch die Tür. Einen Moment lang fürchtete sie, das Mädchen könnte durch die Vordertür davongelaufen sein, aber soviel Übermut traute sie ihrer Tochter nicht zu.

Geräuschlos glitt Gunda die Treppe hinab – auch sie wußte um das verräterische Knarren der fünften und elften Stufe – und trat in den Garten. Die Sichel des Mondes stand nun hoch über der westlichen Elbe, und wenn die ersehnte Kühle auch in dieser Nacht ausbleiben würde, war die Luft doch frischer geworden. Sie mied wie zuvor ihre Tochter den breiten Kiesweg, um das Knirschen der Schritte zu verhindern, und ging auf dem schmalen Pfad zwischen der Hecke, die den Garten zu Van der Smissens Weg abgrenzte, und den buchsbaumgerahmten Beeten zum Pavillon.

Auf halbem Weg blieb sie stehen. Es war völlig windstill, aber da war ein beständiges Raunen in den Bäumen. Von der Elbstraße am Fuße des Hochufers glaubte sie Flüstern und leises Klirren zu vernehmen, als stieße man mit feinen Gläsern an. Ihre Nerven waren wirklich überreizt.

Aus den oberen Fenstern des Pavillons drang das milde Licht einer Kerze. Gunda seufzte. Er war nicht zu ihr gekommen, um das unerhörte Ereignis im Garten zu besprechen. Er hatte sich im Dachzimmer des Pavillons verkrochen, starrte in das Teleskop und versank, wie so oft in den letzten Jahren, in seinen Grübeleien. Sie wußte, er mied den Schlaf, um seinen Alpträumen zu entkommen.

Sie hatte ihren Mann immer als kühlen klaren Denker gekannt. Damals auf Madeira, als die Menschen der Insel von einem Kometen sprachen, begann er sich, zunächst beiläufig und dann immer stärker, für den erwarteten Unglücksboten zu interessieren. Sie hatte darüber gelächelt, als Seemann waren ihm die Gestirne ja vertraute Botschafter. Aber dann saß er

Nacht für Nacht im Turm, den ihr Haus wie viele andere in Funchal als Ausguck nach den gefürchteten Piraten hatte, und starrte durch ihr Fernrohr.

Der Kapitän, so hieß es, besitze ein Observatorium, aber tatsächlich war es Gunda, die die Sternenkunde betrieb. Als Mädchen hatte sie sich nie für die Sterne interessiert, doch auf ihrer langen gemeinsamen Reise von Hamburg in dieses neue unerwartete Leben, hatte er sie in die ersten Geheimnisse des nächtlichen Himmels eingeführt. Und der alte Jesuit, der in Stedemühlens Haus bis zu ihrer Ankunft das Privileg genoß, vom Turmzimmer aus den Himmel zu erforschen, setzte den Unterricht fort, nachdem auch der Kapitän ihm die Erlaubnis erteilt hatte, das Observatorium zu nutzen. Die nächtliche Welt des Himmels, die Suche nach neuen Sternen und Planeten wurde ihr bald mehr als der bewundernde Blick in eine schöne glitzernde Welt. Als der Mönch in seine portugiesische Heimat zurückbeordert wurde, bestellte der Kapitän in England ein neues Teleskop für seine Frau. Das kostbare Geschenk war seine Art, die Freude über Jakob, das gerade geborene zweite Kind, auszudrücken.

Aber als das Geflüster von dem bevorstehenden Kometen und die wilden Prophezeiungen über seine bedrohliche Bedeutung begannen, verdrängte er Gunda aus dem Turmzimmer. Sie fügte sich ohne Widerspruch, so wie sie es immer tat, und sorgte sich um seine wachsende Unruhe. Damals quälten ihn auch die ersten Alpträume. Das Erdbeben, das 1748 die stille Insel heimsuchte, sahen alle als Beweis für die drohende Kraft des Kometen, der zwar über der Insel nie gesehen wurde, dessen Existenz jedoch als sicher galt.

Als nun vor wenigen Wochen die ersten Gerüchte über einen neuen Kometen in Altona auftauchten, erfüllten sich ihre Befürchtungen schnell. Eines Abends, als sie wie oft in ihr Observatorium hinaufkletterte, saß er wie schon vor Jahren auf Madeira auf ihrem Platz vor dem Teleskop und schickte sie einfach fort.

Da erst begriff sie, daß vor allem der Pavillon mit dem weiten freien Blick über das Hochufer für seine Entscheidung, dieses

Haus zu kaufen, ausschlaggebend gewesen war. Er hatte das zierliche Gebäude am Ende des Gartens, gedacht für Mußestunden mit einem Buch oder eine Tasse Tee, stabiler machen und mit einem turmartigen Dachzimmer versehen lassen, in dem sie ihr kleines Observatorium einrichten konnte. Er schenkte ihrer Korrespondenz mit Astronomen in verschiedenen europäischen Ländern zwar kaum Beachtung, aber sie wußte, daß er die Briefe aus der Ledermappe auf dem Tisch nahe dem Teleskop heimlich las. Und wenn sie hohe Summen ihres eigenen ererbten Geldes für die neuesten Sternenkarten und kostbare Bücher über die Himmelskunde ausgab, hatte er stets geschwiegen, und sie ahnte, daß er diese Schriften genauso gründlich studierte wie sie. Sie hatte nie begriffen, warum er sein Interesse nicht offen mit ihr teilte.

Er hatte das Observatorium also nicht nur für sie bauen lassen, sondern aus Angst vor einem neuen Unglücksboten. Er wollte bereit sein, ihn zu suchen.

Sie erklomm die schmale Stiege, und als sie das Dachzimmer betrat, schob er eilig eine halbleere Flasche mit grünem Absinth hinter die Bücher. Dann sah er sie an, seine Augen lagen tief und dunkel in seinem hageren Gesicht, und seine Lippen waren zu einer schmalen Linie aufeinandergepreßt.

«Verzeih, wenn ich dich störe, Josua», begann Gunda, «aber ich habe den Streit im Garten gehört. War das Christian Herrmanns?»

Der Kapitän wandte sich abrupt ab. Das Fernrohr stand vor ihm auf dem Tisch, es ragte zum Himmel gerichtet aus dem weit geöffneten Fenster. Er starrte hinein, und die Fingerspitzen seiner linken Hand fuhren mit nervösen Strichen über das Schmuckmuster aus eingelegtem Perlmutt.

«Er hat es gewagt», stieß er schließlich hervor, «er hat es tatsächlich gewagt. Und du hast es nicht verhindert. Hat es bei dir auch so angefangen? Auf einer Gartenbank? In einer Nacht wie dieser? Ist sie ganz deine Tochter? Haltlos und ohne Ehre?»

Er sprach leise, aber seine Worte trafen Gunda wie ein Schlag ins Gesicht. Zweiundzwanzig Jahre hatte sie auf diese Worte gewartet und zuletzt geglaubt, sie würden niemals ausgesprochen. Sie wollte etwas sagen, doch sie wußte keine Antwort. Vielleicht hätte sie in diesem Moment gehen sollen, jedes Wort, das sie nun sprach, würde alles nur noch schlimmer machen. Aber sie konnte nun nicht gehen. Auch wenn sie immer geglaubt hatte, sie würde in diesem lange gefürchteten Moment demütig niedersinken, alles ertragen, was er über sie ausschüttete, alles hinnehmen im Bewußtsein ihres Versagens vor Gott und den Menschen, erhob sich in ihrem Herzen nun ein Sturm. Alle Sanftmut und Bescheidenheit fielen von ihr ab, und ihr gebeugter Stolz richtete sie endlich wieder auf. Es kostete sie dennoch keine Kraft, ruhig zu bleiben, jetzt nicht mehr. Sie sah auf den steif gekrümmten Rücken hinunter, auf den Mann, dessen Leben sie geteilt, dessen Kinder sie geboren und dessen Sorgen sie getragen hatte. Jetzt war es genug. Die Stimme, mit der sie nun sprach, war von kalter Entschlossenheit.

«Ich erlaube dir nicht, mit diesen Worten von Lucia zu sprechen, Josua. Und sprich mir nicht von Ehre, als hättest *du* immer ein ehrenvolles Leben gelebt. Nein, du wirst mir jetzt zuhören. Ich weiß, was ich dir schulde. Du hast mich geheiratet, als ich ohne Ausweg war, und mich meinen Makel niemals offen spüren lassen. Aber ich weiß auch, was du mir schuldest. Ich war dir zwei Jahrzehnte eine demütige Ehefrau, ich war es, die dir ein Heim gegeben und deiner einsamen Seele geholfen hat, Ruhe zu finden. Ich habe lange geglaubt, die Qual, die dich seit einigen Jahren heimsucht, sei die Schuld meiner Unzulänglichkeit. Ich habe Gott angefleht, sie von dir zu nehmen, damit du Frieden findest und unser Leben wieder glücklich wird. Denn es war glücklich, Josua, auch wenn du nun so tust, als hättest du Glück nie gekannt. Auf Madeira waren wir glücklich. Bis das Erdbeben die Insel erschütterte und du zu glauben begannst, Gott habe es geschickt, um dich zu strafen. Du warst tatsächlich so vermessen, zu denken, Gott schicke Verderben über die Menschen einer ganzen Insel, nur um dich, Josua Stedemühlen, zu strafen. Und du sprachst von Demut?»

«Schweig, Gunda. Hör auf!» Er starrte sie an, mit geballten Fäusten und drohendem Blick, aber sie hörte nicht auf. Sie spürte die Kraft, die die Worte ihr zurückgaben, und wenn sie grausam waren, so entsprachen sie doch der Wahrheit.

«Der überstürzte Umzug nach Bristol geschah nicht, wie du vorgabst, wegen des Klimas. Das ist nirgends auf der Welt besser als auf dieser blühenden Insel vor der afrikanischen Küste. Auch nicht, wie du ebenfalls alle Welt wissen ließest, aus Rücksicht auf meine von dem Erdbeben zerrütteten Nerven. Meine Nerven waren immer stark. Es war *deine* Flucht, Josua. Höre, was ich sage: deine Flucht. Wovor bist du geflohen? Ich war überzeugt, du fürchtetest Gottes Strafe, weil du mich geheiratet hattest. Du wußtest das, und ich werde dir nie verzeihen, daß du mir all die Jahre diesen Glauben ließest, der mein und der Kinder Leben verdüsterte.» Sie lachte böse. «Aber es war auch eine sehr praktische Flucht, nicht wahr? Endlich warst du im Zentrum deiner Geschäfte. Wurden sie dadurch noch besser? Gewiß wurden sie das. Erst als wir Bristol verließen, um hierher zurückzukehren, begriff ich. Du flohst vor deinem Gewissen, das dich Nacht für Nacht quälte. Ich weiß nicht, wer du warst, bevor ich deine Frau wurde. Aber ich weiß genau, wer mein Ehemann war. Und ist. Ich bin weder blind noch taub noch dumm. Ich weiß, womit du unser bequemes Leben bezahlst, die großen Kutschen und die edelsten Pferde, Porzellan aus Meißen und China, Seiden aus Ostindien und die reichen Gaben an die Kirche. Wußte John Wesley, als du ihn und seine Prediger so großzügig unterstütztest, daß das Geld mit Menschenblut erworben war? Daß du deine Geschäfte mit Kanonen, Pulver und Sklaven machtest? Oder war auch ihm das egal, wenn nur die Gaben groß genug waren und die Zahl der Gebete stimmte?»

Er saß vor ihr, zusammengesunken, ein alter Mann, sah auf seine Hände, die er drehte und wendete, als sehe er sie zum erstenmal. Schweiß rann ihm an Schläfen und Hals hinab, ein muffiger Geruch ging von ihm aus, und plötzlich, zum erstenmal in ihrer langen Ehe, haßte sie ihn. Kalt und unversöhnlich.

«Ich verachte diese Geschäfte, Josua. So wie jeder ehrliche Christ. Und wage nicht zu behaupten, du habest es für mich und die Kinder getan. Du wolltest reich und bedeutend sein, zu denen gehören, die all das haben, was du dir auf diese Weise erkauft hast», fuhr sie noch atemlos, aber in kalter Ruhe fort. «Ich verachte diese Geschäfte mit Menschenleben. Sie sind ekelhaft und jedes Menschen, egal, welcher Religion, unwürdig. Sprich mir also nie wieder von Haltlosigkeit und Ehre. Du hast kein Recht dazu. Mein Vergehen ist, so lange geschwiegen zu haben. Das ist nun vorbei. Ich ertrage dieses Leben nicht länger, Josua. Keinen Tag.»

So ließ sie ihn zurück, stieg die Treppe hinab und lief in den Garten. Nun fühlte sie den Schrei, all die stummen Schreie der letzten Jahre, in ihrer Kehle. Aber man kann nicht so einfach schreien, wenn man jahrelang stumm war. So eilte sie durch den Garten, umrundete das Rondell immer wieder, bis ihr Herz ruhiger schlug, ihre Brust ruhiger atmete und ihr Kopf begriff, was sie gerade getan hatte. Sie sank erschöpft auf die Steinbank, dieselbe, auf der Lucia und Christian erst vor kurzem gesessen hatten, und versuchte vernünftig nachzudenken. Vergeblich, aber es machte nichts. Auch morgen oder übermorgen würde sie ihre Worte nicht bereuen. Sie erhob sich, und ohne sich noch einmal umzuwenden, ging sie zurück in das dunkle Haus.

Stedemühlen saß immer noch vor dem Teleskop am Fenster des Pavillons. Er starrte durch das lange Rohr mit den geschliffenen Gläsern, die alles vergrößerten und ihn doch niemals sehen ließen, was er suchte.

Gunda hatte recht. Sein Reichtum war der eines Teilhabers ehrbarer Bristoler Kaufleute, deren Schiffe englische Waren nach Afrika lieferten, dafür Sklaven eintauschten, die sie in den amerikanischen und westindischen Kolonien verschacherten. Dann kehrten diese Schiffe, beladen mit Indigo, Kaffee oder Zucker, vor allem Zucker, nach Europa zurück, und die Rundreise begann von neuem.

Er selbst hatte nie ein solches Schiff geführt, aber er war durch diesen Handel reich geworden. Der Menschenhandel, der doch all seinen christlichen Prinzipien zuwiderlief, hatte ihn dennoch stets gequält. Und auch wenn er niemals begriff, warum, hatte diese Qual sich wie eine Decke über jene andere gelegt, die stetig darunter schwärte. Wie eine frische Wunde, die von einer älteren, tieferen, ablenkte. Wie ein neues Vergehen, das ein anderes übertreffen und damit nichtig machen sollte? Ein Beweis, daß er durch und durch verderbt und deshalb nicht verantwortlich für diesen ersten Betrug war? Egal, warum, es hatte nicht funktioniert. Ein Mensch blieb immer verantwortlich für seine Taten.

Die Gesichter der Männer, die er nun wieder anstelle des friedvollen Himmels sah, die Schreie, die er hörte, die Schuld, die ihn marterte, wuchsen nicht aus den Erinnerungen an die Sklavenschiffe, an denen er verdient, die er aber nie betreten hatte.

Wenn Gunda sagte, die Unruhe seines Gewissens habe ihn zuerst von Madeira und später aus Bristol fortgetrieben, irrte sie dennoch nicht. Wie sie mit allen diesen entsetzlichen Worten recht gehabt hatte. Aber von dem wahren Grund seiner Angst und Sehnsucht nach Gottes Strafe ahnte sie nichts. Zum erstenmal wünschte er sich, er könnte ihr anvertrauen, womit er seinen Reichtum tatsächlich begründet und den Frieden seiner Seele zerstört hatte. Waren nicht alles Glück, jede friedvolle Minute seines Lebens, nach jenem Tag nur von ihr gekommen?

Der Gedanke gab ihm Hoffnung, das Rauschen der panischen Erregung in seinem Kopf wurde leiser, er hörte den Uhu rufen, der über der Remise wohnte, und dann begann eine Nachtigall zu schlagen. Sie schluchzte, und es klang ein wenig rauh.

Claes betrachtete nachdenklich seinen Sohn, der bleich und übernächtigt an seinem Tisch saß und so tat, als prüfe er die Preise eines Londoner Maklers. Sein Ärger über Christians nächtliche Eskapade in Stedemühlens Garten war schnell verflogen, und tatsächlich war dieser Ärger mehr aus väterlicher Pflicht als aus echter Empörung erwachsen. Christian hatte sein Versprechen, Lucia vier Wochen nicht zu treffen, gebrochen. Das war nicht gerade ehrenhaft, aber in einer warmen Sommernacht, das Herz voller Liebe und den Kopf voller Ärger über elterlichen Unverstand, wurden Versprechen dieser Art schnell dünn. Und hatte Gunda diesen Auftritt nicht verdient? Er hoffte nur, daß das Unwetter, das über Lucia gewiß hereinbrechen würde, nicht zu heftig war.

Claes war bei Sonnenaufgang in Harvestehude erwacht und in den Garten gegangen, um als Morgengabe für Anne eine der großen tiefgelben Rosen mit dem lachsfarbenen Hauch am Rand der Blütenblätter zu schneiden. Die Rosenstöcke standen an der Südseite des Hauses, so verließ er es durch das Gartenzimmer, schritt über die Terrasse und stolperte über zwei ausgestreckte Beine. Christians Beine. Sein Sohn saß dösend auf der Bank hinter den Fliederbüschen, den Rücken an die Hauswand gelehnt, mit bleichem, erschöpften Gesicht und wirrem Haar. Bevor sein Vater nach der Ursache seines seltsamen Schlafplatzes und zerzausten Zustandes fragen konnte, beichtete er die Sünden der vergangenen Nacht, als habe er nur darauf gewartet, sie endlich loszuwerden. Daß er so dumm gewesen war, sich von dem Kapitän erwischen zu lassen, quälte ihn mindestens sosehr wie die Schuld des gebrochenen Versprechens.

Nach seinem Zusammenstoß mit Lucias Vater war es ihm unmöglich gewesen zu schlafen. Zorn, Scham und Sorge um Lucia fochten in ihm einen heftigen Streit, und so jagte er über das freie Vorland an der Sternschanze vorbei nach Nordosten. Bei dem Holzsteg von der Eppendorfer auf die Winterhuder Seite lenkte er sein Pferd durch die Alsterfurt und galoppierte am Ufer den Leinpfad entlang weiter flußaufwärts, bis weißschäumender Schweiß das Pferd bedeckte und sein Zorn sich zumindest etwas gelegt hatte. Er war erst gegen Morgen zurückgekehrt und, weil die Tore noch verschlossen waren, nicht zum Neuen Wandrahm, sondern zum Gartenhaus geritten.

Nach dem Frühstück – die Rose für Anne hatte Claes völlig vergessen – ritten sie gemeinsam in die Stadt. Claes hatte gedacht, Christian würde seine gute Laune schnell wiederfinden, aber es schien, als werde er immer bedrückter.

Nun ging es schon auf zehn, und Claes wunderte sich, daß noch kein Bote erschienen war, um einen gebührend empörten Brief des Kapitäns zu überbringen. Er konnte warten, und ganz gewiß würde er ohne Aufforderung nicht wieder in die Palmaille fahren, um sich für seinen Sohn zu entschuldigen. Es gab Wichtigeres zu tun.

Er schob den Stuhl zurück und ging zum Fenster. Der Himmel – in welchem Sommer hatten die Hamburger so häufig zum Himmel geblickt wie in diesem? – war auch heute morgen von seltsam gelblichem Dunst verhangen, aber im Westen waren über Nacht Wolken aufgezogen. Sie hingen bleigrau über der Elbe, und auf den Märkten und am Hafen sprachen die Leute davon, daß nun bald Sturm aufziehen und Regen mitbringen müsse. Hoffentlich hatten sie recht. Er war diese drückende Schwüle Tag für Tag wirklich leid. Vielleicht war der Kometenbeschwörer heimlich ja doch ein Regenmacher.

«Christian?»

«Ja, Vater?»

«Nun mach nicht so ein schuldbewußtes Gesicht. Die Zeiten, in denen ich als dein Vater auch dein Richter war, sind vorbei, und glaube mir, ich bin sehr froh darüber. Und ich bin auch froh darüber, daß ich nicht mehr auf deine Schwester Sophie aufpassen muß. Seit sie verheiratet ist, sind meine Tage sehr viel ruhiger. Was ich damit sagen will: Ich kann Stedemühlens Zorn und

Sorge verstehen, und wenn du ihm schreiben willst, um dich demütig zu entschuldigen, ist das nur recht und billig. Aber im übrigen gibt es jetzt wichtigere Dinge auf der Welt als ein verbotenes Rendezvous. Hier ist ein Mord geschehen, vielleicht sogar zwei, und das muß geklärt werden.»

«Ja, Vater.»

«Himmel! Du bist wortkarg heute morgen, äußerst wortkarg. Lucia ist nicht gestorben, ihre Eltern sind nur etwas seltsam, und mit ein wenig Glück wird sich alles regeln. Vertraue auf die Zeit. Und jetzt sage nur nicht wieder ‹Ja, Vater›. Leg die Feder hin, ich will mit dir noch einmal über Oswald sprechen.»

Christian öffnete den Mund, schloß ihn wieder, nickte und legte die Feder in die Schreibschale.

«Verdächtigst du ihn immer noch?»

«Nein, Christian, aber das heißt nicht, daß er freigesprochen ist. Die Nachbarin schwört, Oswald habe die ganze Nacht am Bett ihres sterbenden Mannes gewacht. Aber er könnte sie bezahlt haben, und ihr Mann ist tot. Ein ganz schlechter Zeuge. Vielleicht ist die Frau auch gegen Morgen eingeschlafen, und als sie erwachte, war Oswald schon wieder zurück. Das dürfte sie natürlich niemals zugeben. Am Sterbebett des eigenen Mannes schläft eine gute Ehefrau nicht ein, egal, wie erschöpft sie ist.»

«Das wäre auch ganz unmöglich. Von Oswalds Wohnung hinter der Steinstraße bis Albertus ist es weit, auch bei eiligem Gang wohl eine halbe Stunde. Das konnte er nicht riskieren. Und ein Mann, der um diese Zeit quer durch die ganze Stadt rennt, fällt allen auf. Die Straßen sind dann noch nicht gedrängt voll, aber wenigstens zur Zeit seines Rückwegs waren doch schon viele unterwegs.»

«Das stimmt. Natürlich. Und warum sollte Marburger sich um diese ungewöhnliche Zeit allein und ausgerechnet mit Oswald, den er nach dem Auftritt im Kaffeehaus doch fürchten muß, auf einer der Bastionen verabreden? Andererseits, wenn seine Nachbarin gelogen hat, könnte er Marburger die ganze

217

Nacht verfolgt und auf eine günstige Gelegenheit gewartet haben, um ihn zu erschlagen.»

«Dann müßte der Zuckerbäcker sich auch die ganze Nacht irgendwo anders als in seinem Bett aufgehalten haben. Hast du gestern herausbekommen, wo er vor dem Mord war?»

Claes schüttelte den Kopf. Er hatte inzwischen Marburgers Frau besucht, sie seines Beileids versichert und so diskret wie möglich ausgehorcht. Sie war eine zierliche Frau mit einem trotz ihrer mehr als vierzig Jahre mädchenhaft runden Gesicht und erstaunlich freundlichen Augen. Noch erstaunlicher fand Claes, daß ihre Trauer tief und echt war. Die Liebe ging wirklich seltsame Wege. Sie wußte nur, daß ihr Mann am Abend mit ihr zu Bett gegangen und schnell eingeschlafen war. Wann er das Bett und das Haus verlassen hatte, wußte sie nicht. Sie hatte es nicht bemerkt, denn, so versicherte sie, ihr Schlaf war stets tief und gesund, ganz besonders gegen Morgen. Auch die Dienstboten, sie hatte sie schon selbst danach gefragt, wußten nichts von nächtlichen Geräuschen auf der Treppe oder an den Türen.

«Obwohl Marburger so ein polteriger schwerer Kerl war?» Christian zog skeptisch die Brauen hoch. «Und wenn Oswald ihm gefolgt wäre, Vater, dann hätte er die ganze Nacht die Zukkerhutform mit sich herumschleppen müssen. Oder glaubst du, daß der Mörder sie zufällig unter der Bank auf Albertus gefunden und zum Spaß mit Blut beschmiert hat?» Die Sache mit der Zukkerhutform hatte Claes nicht bedacht. Natürlich schleppte niemand eine ganze Nacht so ein unhandliches Ding mit sich herum. Sehr lästig, diese Zuckerhutform. Irgendwer machte sich ein makabres Vergnügen.

«Du solltest dich nicht zu lange mit Oswald aufhalten, Vater. Auch wenn seine Frau noch so innig um ihn trauert, Marburger war beliebt wie Faulfieber. Seine Geschäfte galten oft als fragwürdig, auf seine Rücksichtslosigkeit war er stolz, und seine Vorliebe für Vergnügen auf Kosten anderer war stadtbekannt. Sicher hatte er auch Freunde oder was er dafür halten mochte, aber ich habe immer nur gehört, daß man ihn am besten meide.»

«Von wem?»

«Von niemand Besonderem. Es war die allgemeine Meinung über ihn. Du kennst dich in der Stadt und in den Kontoren doch viel besser aus, Vater. Weißt du nicht, wer ihm außer Oswald noch feind war?»

Wieder schüttelte Claes den Kopf. «Ich dachte, ich kenne diese Stadt wie meine Westentasche. Aber das stimmt wohl nicht. Am besten, ich spreche gleich mit Pagerian. Das Kontor überlasse ich jetzt dir und deinem schlauen Kopf. Mach unserem Haus Ehre, mein Sohn, das lenkt dich von nächtlichen Gartenpartien ab. Wenn du mich brauchst, was ich nicht hoffe, findest du mich heute abend in Harvestehude.»

Er pfiff leise und zufrieden vor sich hin, als er das Haus durch die hintere Tür verließ und über den schattigen Innenhof zu den Ställen hinüberging. Es war doch wunderbar, einen Sohn zu haben, dem man für eine Weile die alltäglichen Pflichten aufbürden konnte.

Brooks sattelte ihm brummig die ältere Stute. Das nervöse Temperament der jüngeren war für die schnellen Ritte vor den Wällen ein reines Vergnügen, für einen ganzen Tag in der Stadt bedeutete es nichts als Ärger. Der Stallmeister war immer noch schlecht gelaunt. Er konnte sich nicht verzeihen, daß er der unvernünftigen Anordnung seines Herrn gefolgt war und ihn im finsteren Labyrinth der Gänge und Höfe allein gelassen hatte. Da mußte irgend so ein Fremder kommen, um ihn rauszuhauen. Wäre er, Brooks, an Claes' Seite gewesen, hätten sich die Räuber gar nicht erst aus ihren Löchern getraut. Wahrscheinlich hatte er damit sogar recht.

Claes ritt über die Jungfernbrücke und den Katharinenkirchhof und lenkte seine Stute in den Grimm. Die Hufe klapperten hohl auf den runden Kopfsteinen der schmalen Straße, deren Häuser fast alle fünf Böden hoch aufragten. Hier war es endlich ein wenig kühler. Vor Bocholts Haus stand der Hausherr, zeigte auf das Wappen über seinem Portal und erklärte seinem Begleiter dessen Bedeutung. Claes erkannte Kosjan, er sah nur sein

Profil, die Augenbraue schien geschwollen, aber sicher war das nur ein Spiel der Schatten. Bocholts rechte Hand lag auf dem Kopf des kleinen steinernen Löwen, der den Stufenaufgang zu dem mit kunstvoll gemeißelten Ranken und Reben verzierten Portal bewachte. Er hörte die Hufe und drehte sich um.

«Guten Morgen, Herrmanns. Wir wollen uns gerade zur Uhlenhorst rudern lassen. Kosjan will sich dort ein Grundstück ansehen. Warum leistest du uns nicht Gesellschaft?»

«Guten Morgen», Claes nickte den beiden zu, «an einem anderen Tag sehr gerne, aber heute geht es nicht. Die Pflicht ruft zu laut. Und außerdem, wenn ein Schiff zu klein für ein ordentliches Segel ist, steige ich nur ein, wenn ich unbedingt muß. Mir sind diese Nußschalen einfach zu wackelig, vielleicht liegt's auch daran, daß ich nicht schwimmen kann.»

Bocholt nickte ernst. Daß Herrmanns nicht schwimmen konnte, war ihm ohne Belang, wer konnte das schon? Nur Bauernkinder. Aber es ging ihm wenig über hanseatische Strebsamkeit.

Claes hob die Hand zum Abschied und überlegte, welches Grundstück Kosjan wohl interessieren mochte, er hatte von keinem gehört, das zum Verkauf stand. Und vor allem: Was wollte er damit? Während er über die Zollernbrücke ritt, dachte er darüber nach, warum er Kosjans interessierten Blick nicht nur freundlich, sondern auch ein wenig beunruhigend gefunden hatte.

Auf dem Nikolaifleet drängten sich viele Schuten und ein paar kleinere Ewer mit umgelegtem Mast. Wieder einmal waren sich zwei von den größeren in die Quere gekommen, und die beiden Schiffsführer stritten, wer nun zurückstaken müsse.

«Da soll dich doch der Komet treffen, du Dasselkopp», brüllte einer. Normalerweise hätte Claes sich darüber amüsiert, wie schnell selbst ein neuer Fluch in Mode kommt, aber heute war sein Kopf mit anderen Gedanken beschäftigt.

Auf dem langgestreckten Platz, der zwischen Bank, Rathaus, Niederngericht, Börse und dem Hotel Kaiserhof als das Herz der

Stadt galt, herrschte die übliche morgendliche Geschäftigkeit. Zwischen Marktbuden und Verkaufsständen trödelten Mägde und Kontorboten, eilten Köchinnen und Hausfrauen. Kutschen und kleine Fuhrwerke rollten langsam durch die Menge; zwischen den drei Portalen des Rathauses, den Türen der Bank und des Gerichts trugen eilige Männer Dokumente und schwere Gedanken hin und her. Die Börsendiener begannen schon, die ersten Listen an die Säulen der zum Platz hin offenen Börsenhalle zu hängen, und verscheuchten ein paar dürre Hunde, die die Säulen gierig beschnüffelten. Das größte Gedränge herrschte heute jedoch vor einer Bude am Anfang der Trostbrücke. Da wurden seit vorgestern Wetten angenommen, ob mit dem Kometen die Pest, eine Sturmflut oder der Weltuntergang komme. Wetten auf den Tod des Kaisers und ganz besonders des Ersten Bürgermeisters, Magnifizenz Martin Hieronimus Schele, wurden nicht angenommen. Spitzenreiter war eindeutig die Pest. Einer setzte auf einen Brand im Dom, der die Kirche endgültig vernichten würde, damit blieb er allerdings allein, weil das kaum jemand als wirklich bedeutendes Unglück ansah.

Behutsam lenkte Claes die schwarze Stute durch das Gedränge vor der Börsenhalle, wich der Ratskutsche aus, nickte Elsbeth zu, die mit dem ältesten ihrer Waisenmädchen die frischen Erdbeeren einer Vierländer Bäuerin überprüfte, und hätte Pagerian bestimmt übersehen, wenn der sich ihm nicht einfach in den Weg gestellt hätte.

«Monsieur Herrmanns, wie gut, daß ich Euch treffe, ich bin Euch wirklich zu Dank verpflichtet ...»

«Wartet, Pagerian, nur einen Augenblick.»

Claes schwang sich aus dem Sattel und nahm die Stute beim kurzen Zügel. Trotzdem mußte er auf den Schreiber des toten Zuckerbäckers hinuntersehen. Pagerian, offenbar selbst sein bester Kunde, trug sein kugelrundes Gesicht über einem kugelrunden Bauch auf sehr kurzen Beinen.

«Ich bin gerade auf dem Weg zu Euch, Pagerian. Es gibt da ein paar Fragen ...»

«Gewiß, gewiß. Jederzeit. Ich habe schon gehört, daß Ihr dem Senator in diesem tragischen Fall Eure Hilfe gewährt.» Sein strahlendes Gesicht verzog sich schlagartig zu einem Ensemble tiefer Kummerfalten. «Sehr verdienstvoll. Ein paar Fragen, gewiß. Nur leider, gerade jetzt bin ich sehr in Eile, ich werde in der Bank erwartet, es gibt so viel zu regeln. Wenn Ihr Euch ein Stündchen gedulden könntet? Dann bin ich wieder im Kontor und stehe Euch ganz zur Verfügung. Aber bevor ich enteile, laßt mich Euch sagen, der Hilfsschreiber, den der Senator heute morgen mit Eurer Empfehlung geschickt hat, ist wirklich ein Glücksfall. Nicht daß er viel vom Zuckergeschäft verstünde, das ist ja gar nicht nötig, aber seine Schrift! Exzellent. Und das Französische, wir haben ja so viel Korrespondenz mit Frankreich, ist ihm vertraut wie Monsieur Voltaire persönlich. Und selbst mit den Zahlen», nun schlug er begeistert seine kleinen rundlichen Hände zusammen, «mit den Zahlen macht er keinen Fehler. Ich habe ihn gleich heute morgen zwei Stunden examiniert, und es war die reine Freude. Aber nun muß ich eilen, die Bank, Ihr versteht. Noch eines, Monsieur Herrmanns, der junge Mylau ist auch ein ernsthafter junger Mann, der die Erfahrungen von uns Älteren zu würdigen weiß. Aber gewiß hat er bei all seiner Jugend schon einiges erlebt ...» Er schlenkerte drohend mit der erhobenen Hand. «Die Ursache seiner Narbe, mitten im Gesicht und doch recht männlich kleidsam für einen jungen Mann von zarter Statur, wollte er nicht verraten. Nun denn. In einer Stunde, Monsieur, in einer Stunde.»

Und schon trippelte er auf seinen kurzen Beinen, die in prächtigen Schnallenschuhen mit ganz außerordentlichen Absätzen steckten, im Gedränge davon.

Claes erholte sich mit einem tiefen Atemzug von Pagerians begeistertem Redeschwall und rieb sich zufrieden die Hände. Er hatte gleich gedacht, daß Sebastian sich gut einfügen würde. Er war ein ruhiger und gewiß kluger junger Mensch, und seine Ausbildung an der Universität war ganz sicher ausreichend für das Kontor einer Zuckerbäckerei.

Während er darüber nachdachte, daß es doch beachtlich sei, daß einer wie Pagerian Voltaire lese, führte er die Stute über die Trostbrücke und aus dem Gedränge. Gerade als er sich wieder in den Sattel schwang, um zum Dreckwall zu reiten und mit Sebastian zu besprechen, worauf er als Spion im Hause des Ermordeten zu achten habe, trafen ihn die letzten Worte von Pagerians Loblied.

‹Die Ursache seiner Narbe mitten im Gesicht›?

Dieses verdammte Frauenzimmer. Hatte sie nicht schon im letzten Jahr die halbe Stadt an der Nase herumgeführt? Plötzlich hatte er es sehr eilig.

Sven Mylau saß an seinem Tisch im Marburgerschen Kontor und dachte nach. Die ersten eiligen Blicke in die Geschäftspapiere hatten keine Spur gezeigt. Das war nicht verwunderlich, denn die wichtigen wurden gewiß in der messingbeschlagenen Truhe mit den drei dicken Schlüssellöchern verwahrt. Am besten wäre es, das langweilige Kontor zu verlassen und sich in der Raffinerie umzusehen. Am besten ...

«Verdammt, Rosina. Was fällt Euch ein?!»

Rosina, heute in der Rolle des Sven Mylau, sprang erschrocken auf, schubste den aufgebrachten Besucher beiseite und schloß eilig die Tür.

«Wenn Ihr weiter so herumschreit», sagte sie ärgerlich, «weiß gleich die ganze Stadt, daß Eure Hilfsbereitschaft nicht so selbstlos ist, wie sie scheint, und unser schöner Plan ist geplatzt.»

Er starrte sie wütend an, aber ihr Anblick ließ jeden Ärger verrauchen. Er hatte erwartet, sie würde wieder so aussehen wie im letzten Jahr, als sie als junger Reisender aus Sachsen tagelang alle Männer im Kaffeehaus zum besten gehalten hatte. Niemand hatte gemerkt, daß sie eine Frau war, nur Telemann, den ihre Scharade viel zu sehr amüsierte, als daß er sie verraten hätte. Sie war klug genug gewesen, Sven Mylau ein anderes Aussehen zu geben, und er war nicht sicher, ob er sie ohne Pagerians Bemerkung über die Narbe sofort erkannt hätte.

Aus Rosina, blond und gertenschlank, war der pummelige Sven Mylau geworden, sie mußte viele Meter eines dicken Stoffs um ihren Körper gebunden und Polster in die Schultern ihrer Jacke genäht haben. Kein Wunder, daß auf ihrer Stirn und über der Oberlippe feine Schweißperlen glänzten. Am verblüffendsten jedoch war das feuerrote Haar, das sie geglättet und im Nacken mit einer schwarzen Schleife gebändigt hatte. Ihre Lippen, sonst voll und kirschrot, wirkten blaß und schmal. Aber das würde niemand bemerken. Jeder, der sie sah, mußte auf das rote Haar achten, nicht auf das Gesicht darunter.

«Starrt mich nicht so an.» Ihre Stimme klang nun schon freundlicher. «Ich wollte schon immer rote Haare haben. Obwohl ich hoffe, daß Helenas Versicherung, die Farbe lasse sich mit der Zeit wieder auswaschen, der Wahrheit entspricht.»

«Aber warum seid *Ihr* hier? Warum nicht Sebastian?»

«Das ist ganz einfach», erklärte sie. «Aber setzt Euch doch, und wenn Ihr bitte ein wenig leiser reden würdet. Ich bin noch nicht lange genug hier, um zu wissen, ob man hören kann, wenn jemand durch die Diele kommt.»

Sie schob ihm einen Stuhl in den Erker, so weit wie möglich von der Tür entfernt, und setzte sich ihm gegenüber.

«Als Sebastian Euren Brief bekam», erklärte sie und beugte sich möglichst nah an sein Ohr, «wollte er Eurem Wunsch sofort entsprechen; um ehrlich zu sein, er wollte nichts lieber als das. Ich verstehe das zwar nicht, aber manchmal sehnt er sich ein wenig nach, Ihr würdet sagen: ordentlichen Verhältnissen. Aber wir haben auch unsere Arbeit, und als wir uns alle zusammensetzten, um diese Sache zu besprechen, fanden wir, daß ich im Theater zur Zeit am wenigsten gebraucht werde.»

Jean habe allerdings behauptet, er selbst würde den besten Schreiber abgeben, doch Helena habe ihn überzeugt, daß der Prinzipal niemals abkömmlich sei. Das habe alle erleichtert, denn niemand konnte sich vorstellen, daß er seine großen Erfolge auf der Bühne und bei den Damen lange für sich zu behalten vermochte. Sebastian sei zunächst ein wenig verstimmt gewesen, dann habe er jedoch eingesehen, daß Rudolf ohne seine Hilfe die Galerie in der Altonaer Theaterscheune nicht bauen konnte. Und wenn Rosina auf dem Kutschbock und auch sonst zu allem gut zu gebrauchen sei, als Baumeistergehilfin habe sie überhaupt kein Talent.

Damit mußte Claes sich zufriedengeben. Daß Sebastian zwar das Lateinische einigermaßen, den Umgang mit Zahlen halbwegs, aber das Französische überhaupt nicht beherrschte, behielt Rosina für sich. Und daß sie gewiß die größere Meisterin in der Kunst der Verstellung war, erforderte keinen besonderen Hinweis.

«Dann versprecht mir wenigstens, gut auf Euch achtzugeben, Rosina», sagte Claes voller Sorge. «Ich habe nichts gegen diese Scharade, ich weiß ja, wie gut Ihr Eure Rollen spielt. Reichenbachs Kaffeehausauftritte», fügte er grinsend hinzu, «haben es mich im letzten Jahr zur Genüge gelehrt. Aber wenn mein Verdacht stimmt, daß Marburgers Tod mit seinen Geschäften oder den Unruhen unter den Zuckerknechten zu tun hat, kann Euer Aufenthalt in diesem Haus gefährlich sein. Niemand darf merken, warum Ihr hier seid. Niemand, auch Pagerian nicht.»

Der am wenigsten, dachte sie und sagte: «Ich werde mein Bestes tun. Aber die ganze Hilfsschreiberei nützt nichts, wenn ich auf meinem Stuhl sitze und abwarte. Gerade als Ihr kamt, wollte ich in die Zuckerkocherei ...»

«Auf gar keinen Fall. Ihr seid hier, um Augen und Ohren offenzuhalten und um vielleicht das eine oder andere Schriftstück, das nicht für fremde Augen bestimmt ist, zu lesen. Aber haltet Euch von den Knechten fern, und ...»

In diesem Moment klopfte es heftig an die Tür, und bevor Rosina von ihrem Stuhl aufspringen konnte, um die verräterische Zweisamkeit zu beenden, wurde die Tür aufgerissen und Wagner, der Weddemeister, stürmte herein.

«Monsieur Herrmanns», keuchte er, «ich habe Euch gesucht, Euer Sohn sagte, Ihr wäret hier. Ich habe Neuigkeiten – Mademoiselle Rosina? Seid Ihr es?»

Claes stöhnte. «Wagner, Ihr seid ein Spielverderber. Wieso habt Ihr sie erkannt? So macht doch Euren Mund zu.»

Wieder eilte Rosina zur Tür, die immer noch weit offenstand, sah in die Diele und auf die Galerie, und zog die Tür ins Schloß.

«Nicht so laut, lieber Wagner, und nennt mich einfach Mylau.» An Claes gewandt fuhr sie fort: «Wenn er mich erkennt, hat das keine Bedeutung, er hat eben ein besonders gutes Auge. Niemand sonst wird mich hier erkennen, weil mich hier niemand sonst zuvor gesehen hat und schon gar nicht hier vermutet. Die Leute sehen selten, was sie nicht erwarten. Aber schnell, Wagner, sagt zuerst, welche Neuigkeiten Euch so außer Atem gebracht haben?»

Der ließ das große Tuch, mit dem er vergeblich die schweißnasse Stirn zu trocknen versucht hatte, in der Tasche seines Uniformrockes verschwinden und räusperte sich verwirrt.

«Und sprecht leise», erinnerte ihn Rosina und legte einen Finger auf die Lippen.

«Gewiß. Leise.»

Er starrte sie immer noch an, und ein Hauch von Entzücken trat in seine Augen, aber nur für einen kurzen Moment, dann war er wieder ganz der ernste, unbestechliche Weddemeister.

«Monsieur Herrmanns, sicher hat das mit unseren Toten nicht das geringste zu tun, aber es ist doch beunruhigend. Drüben in Altona ist auch ein Mann ermordet worden. Ein ehemaliger Kapitän, Josua Stedemühlen, und es heißt, daß er sich kurz vor seinem Tod in seinem Garten mit einem jungen Mann gestritten habe. Sehr laut und wegen seiner Tochter. Der habe ihm dabei übel gedroht, und die Nachbarn sagen, der sei ein Verehrer der Tochter», er sah auf einen zerknitterten Bogen Papier, «Mademoiselle Lucia Stedemühlen. Er sei ganz gewiß aus Hamburg. Der Tote wurde bei Morgengrauen von seiner Gattin im Gartenpavillon gefunden. Tragisch, in der Tat. Aber andererseits, was mag sie zu dieser Stunde im Garten getan haben?»

11. KAPITEL

Nach ihrem Streit im Pavillon hatte Gunda Stedemühlen nicht einmal an Schlaf gedacht, doch schon wenige Minuten nachdem sie sich erschöpft, aber mit aufgewühltem Geist in ihre Kissen zurückgelehnt hatte, war sie sofort in einen tiefen traumlosen Schlaf gefallen. Der Lärm zweier Amseln, die im Birnbaum vor ihrem Fenster um den lautesten Gesang wetteiferten, weckte sie schon im Morgengrauen. Obwohl sie nur wenige Stunden geschlafen hatte, war sie hellwach und überlegte, was sie nun tun sollte.

Das einmal Gesagte war nicht mehr zurückzunehmen, und das wollte sie auch nicht. Auch ihr Entschluß, dieses Leben zu verändern, wankte nicht. Aber der Zorn der vergangenen Nacht war nun milder, und sie fragte sich, ob ihr hartes Urteil nicht sehr selbstgerecht gewesen war. Sie hatte ihm nicht einmal die Chance gegeben zu antworten. Vielleicht gab es eine Erklärung, warum gerade er, ein frommer Mennonit und streng auf Ehre und gute Sitten bedachter Mann, in diese Geschäfte verstrickt gewesen war. Auch das, dachte sie, war ein Übel des viel zu langen Schweigens. Wenn es endlich gebrochen wird, bricht das, was dahinter verborgen war, hervor wie ein Gewittersturm; ohrenbetäubend, ohne Rücksicht und bar aller Milde und Weisheit schlug er eine Schneise der Zerstörung in ein scheinbar ruhiges gutbestelltes Feld.

Sie war frisch erwacht, doch nun spürte sie im Nacken den dumpfen Druck, der eine ihrer gefürchteten Kopfschmerzattakken ankündigte. Sie erhob sich, um in der Wasserschale ein Tuch anzufeuchten – manchmal verhinderte eine kühlende Kompresse die ärgsten Schmerzen –, und dabei sah sie durch das Fenster, daß im Pavillon immer noch Licht war. Wenn Josua den Himmel beobachtete, löschte er gewöhnlich die Lampe, damit seine Augen sich an die Dunkelheit gewöhnen und die Lichter des Himmels besser erkennen konnten.

Der im beginnenden Tageslicht nur noch matte Schein stimmte sie milde. Er hatte sich also nicht einfach wieder seiner Kometensuche zugewandt. Vielleicht war es doch möglich, einen Weg zu finden, die Bitterkeit in ihrer beider Herzen zu besiegen. Vielleicht war es doch möglich, nach all den Jahren wie Vertraute miteinander zu sprechen. Und zu verzeihen?

Sie ließ das nasse Tuch in die Schüssel gleiten, schlüpfte in ihr Hauskleid und machte sich auf den Weg zum Pavillon. Sie ließ sich Zeit, begutachtete einige der Beete und überlegte, welche Anweisungen die Gärtner heute vormittag brauchen würden. Aber als sie erkannte, daß sie nur die Begegnung mit ihrem Mann hinauszögern wollte, ging sie eilig zum Pavillon.

Die Vögel machten immer noch großen Lärm. In das übermütige Konzert der Amseln mischten sich nun alle die anderen gefiederten Gartenbewohner, die Rotkehlchen und Meisen, die Zeisige, Ammern, Buchfinken und auch das Zaunkönigpärchen, das in diesem Jahr in einer Mauernische nistete. Das Haus mit seinem reich mit Ornamenten geschmückten Seitengiebel und dem kleinen Glockenturm in der Mitte des Daches sah hinter den Büschen und wiegenden Baumkronen wie ein Hort des Glücks und des Friedens aus.

Sie drückte entschlossen die Klinke hinunter, schloß noch für einen Moment die Augen, um all ihre Kraft zu sammeln, und schob die Tür auf.

Er lag am Fuß der Treppe, die Glieder verrenkt, seine zur Faust verkrampfte Hand direkt vor ihren Füßen, als wolle er ihr drohen. Seine weit geöffneten Augen sahen sie an, aber er sah sie doch nicht, denn Josua Stedemühlen war tot.

«So hat sie es der Wedde in Altona erzählt», schloß Wagner seinen Bericht. «Daran ist auch gewiß nicht zu zweifeln . . .»

«Aber das ist doch eine ganz andere Sache als bei uns», unterbrach Claes, der sich verzweifelt bemühte, klar zu denken. Wieder einmal überschlugen sich die Bilder in seinem Kopf, die Gefühle in seiner Brust. Er dachte an Gunda, an das Entsetzliche, das sie erlebte, und er dachte an den jungen Mann, mit dem sich Stedemühlen kurz vor seinem Tod so schrecklich gestritten hatte, an seinen Sohn, auf dem nun endgültig ein schwerer Verdacht lasten mußte. War es nur ein böser Scherz des Schicksals, daß Christian zuerst den gerade erschlagenen Marburger fand und wenige Tage später der letzte war, der sich mit dem Kapitän gestritten hatte, bevor der eine Treppe hinuntergestoßen wurde? Nein! Ganz gewiß nicht wirklich der letzte. Das war der gewesen, der ihn getötet hatte.

«Aber es ist ganz anders als bei Marburger», fuhr Claes hastig fort. «Der Mann wird einfach die Treppe hinuntergefallen sein, völlig übermüdet, und er war ja auch nicht mehr jung, da passiert so etwas schon mal mitten in der Nacht und bei schlechtem Licht.»

«Das dachte Madame Stedemühlen auch, aber es gibt Hinweise», Wagners sonst so träge Augen begannen jagdfiebrig zu glitzern, «Hinweise, daß ihm dabei jemand geholfen hat. Ein Riß in seinem Rock, und eine deftige Schramme vom Kinn bis zum Ohr.»

«Wer die Treppe hinuntergefallen ist, hat immer Schrammen», wandte Rosina ein.

Wagner nickte mit einem nachsichtigen Lächeln.

«Aber diese, sagt der Arzt, habe ihm jemand vorher zugefügt. Madame Stedemühlen hat nämlich gleich nach einem Arzt geschickt. Sicher hat sie auch gehofft, er könne ihrem Gatten noch helfen, aber dem war nicht mehr zu helfen. Er war tot, noch nicht lange, aber doch schon eine ganze Weile. Sie hat den Arzt übrigens auch gleich selbst gebraucht: Als sie zum Haus zurücklief, sprang sie über ein Blumenbeet, um den Weg durch den Garten abzukürzen, und stolperte dabei in ein Mauseloch. Nun ist ihr Knöchel verletzt. Sie sollte ihre Gärtner wirklich besser beaufsichtigen. Mauselöcher haben in einem gut bestellten Garten nichts zu suchen.»

Claes sehnte sich nach einem Kaffee, schwarz, stark, mit viel Kardamom. Er mußte nachdenken, er mußte Gunda besuchen, er mußte mit Christian sprechen, was sollte er zuerst tun? Er mußte auch Marburgers Mörder finden. Wie hatte er sich nur von van Witten dazu überreden lassen können?

«Was nun, Wagner? Was denkt Ihr?»

Wagner dachte nach. «Ich denke, daß das alles recht seltsam ist», sagte er schließlich. «Wir haben drei Tote, die alle nichts miteinander zu tun hatten. So scheint es jedenfalls. Aber auch wenn es ganz unvernünftig ist, habe ich das Gefühl, als hätten sie *doch* etwas miteinander zu tun.»

Rosina nickte. «Das glaube ich auch. Wir müssen nur herausfinden, was es sein kann. Drei Männer sind tot, drei sehr verschiedene Männer.»

«Ein Dichter», begann Wagner mit der Aufzählung, «dessen Kunst nicht gerade verehrt wurde, der aber doch niemanden störte.»

«Aber», unterbrach Claes, «immer vorausgesetzt, er starb wirklich nicht zufällig, sein Tod oder zumindest sein Irrsinn muß jemandem genützt haben. Vielleicht seinem Erben? Er war sehr wohlhabend.»

«Das Testament ist noch nicht verlesen, aber er hatte keine Kinder, und es ist sicher, daß sein Cousin als einziger Verwandter der Erbe ist. Doch der ist ein honoriger Mensch und hat schon jetzt mehr, als der Dichter je hatte. Marburger war fast ebenso reich, wie reich, weiß bis jetzt allerdings noch niemand genau. Seine beiden Söhne sind seine Erben, aber der älteste ist zur Lehre in Bordeaux und der jüngere gerade fünfzehn Jahre alt und Schüler am Johanneum. Sehr brav, wie man hört. Und seine Gattin, so sagt man», er senkte die Stimme vertraulich, «ist der einzige Mensch auf Erden, der ihn wirklich geliebt hat.»

«Bleibt der Kapitän.»

Claes trommelte nervös mit den Fingerspitzen seiner rechten Hand auf den Tisch. Jetzt war nicht die Zeit, über Christians Verbindung zu den Stedemühlens zu sprechen, aber es wäre dumm, so zu tun, als kenne er die Familie nicht.

«Ich habe ihn selbst nicht kennengelernt, er war nicht sehr wohl in der letzten Zeit, aber ich kenne seine Frau. Wir waren in unserer Jugend ...» Er räusperte sich und fühlte ärgerlich Rosinas aufmerksamen Blick und die Hitze in seinem Gesicht, «... wir waren recht gut bekannt. Ich sollte gleich nach Altona reiten.»

Rosina sah ihn an, und auch wenn er die Botschaft ihrer Augen nicht deuten konnte, bereitete sie ihm Unbehagen.

«Von ihm wissen wir am wenigsten», sagte sie langsam und wandte ihren Blick Wagner zu. «Vielleicht kann Monsieur Herrmanns in Altona erfahren, ob der Kapitän mit Billkamp oder Marburger bekannt war. Oder mit beiden. Natürlich, wie dumm von uns!» Sie sprang auf und schlug sich mit der Hand an die Stirn. «Wie dumm. *Natürlich* hatten sie etwas gemeinsam. Es fiel uns nur nicht auf, weil das in dieser Stadt ganz gewöhnlich ist. Alle waren mit dem Handel verbunden, jeder auf seine Art. Billkamp war Kaufmann, bevor er sich in seine Dichterklause zurückzog. Marburger, das ist einfach, handelte mit Zucker und mit wer weiß was noch. Das werde ich schon herausfinden. Und Stedemühlen», schloß sie triumphierend, «war als Kapitän für viele Kaufleute auf den Meeren unterwegs.»

«Bravo, Mademoiselle.» Wagner schüttelte ihr überschwenglich die Hand. «Ich sage immer, der einfachste Weg führt zum Ziel. Das ist zwar noch nicht in Sicht, aber der erste Schritt ist der wichtigste. Und nun weiß ich auch, warum Ihr hier seid, und warum so seltsam verkl...»

«Donnerwetter, was für eine Versammlung in meinem Kontor!» Pagerian stand in der Tür und betrachtete verwundert das ungewöhnliche Trio. «So, so, Ihr wißt, warum unser Mylau hier ist? Er wird mir tüchtig helfen, ganz gewiß wird er das. Was sonst? Und nun, Messieurs, habe ich auch Zeit für Eure Fragen. Verzeiht, daß es ein wenig länger gedauert hat, aber wie ich sehe, habt Ihr Euch bestens unterhalten. Wenn ich bitten darf, wir wollen Mylau nicht bei der Arbeit stören, folgt mir in diesen Raum.» Mit einer sehr kleinen Verbeugung öffnete er die Tür und schritt, nun schon viel weniger trippelnd, in das fürstlich ausgestattete Zimmer, von dem aus sein Herr bis vor wenigen Tagen die Zuckerbäckerei regiert hatte.

Rosina, nun wieder ganz Sven Mylau, blieb allein zurück. Ihr Herz klopfte, und sie fragte sich, wie lange Pagerian wohl schon hinter der Tür gestanden und gelauscht haben mochte. Aber vor allem mußte sie Claes Herrmanns ganz schnell wissen lassen, was Lies und Matti herausgefunden hatten. Sie vertraute Wagner, aber Weddemeister blieb Weddemeister. Es war nicht klug, so einen hören zu lassen, daß die beiden alten Frauen sich nicht nur auf Dinge wie Hexensalbe verstanden, sondern sie auch gründlich ausprobiert hatten. Und wahrscheinlich mit dem größten Vergnügen. In dem gläsernen Näpfchen war tatsächlich Hexensalbe gewesen, und zwar, so hatte Matti immer noch erschöpft betont, von exzellenter Qualität. Am besten wäre es, sobald sie heute abend das Kontor verlassen konnte, nach Harvestehude hinauszugehen. Wenn sie sich beeilte, konnte sie es vor dem Dunkelwerden noch zurück nach Altona schaffen. Helena würde schon vor Neugier platzen.

Claes Herrmanns hielt sich nicht lange bei Pagerian auf. Der mußte auf der Bank gute Nachricht bekommen haben, denn er saß auf dem kostbaren Lehnstuhl seines toten Herrn und machte die schmalen Schultern breit, als sei das schon immer sein Stuhl gewesen. Er verabschiedete sich schnell und überließ es Wagner, der wieder das harmlose Gesicht eines einfachen dicken Weddemeisters aufgesetzt hatte, Marburgers Schreiber auszufragen. Wagner wußte sowieso besser, wie man das machte. Der beherrschte die seltene Kunst der wahrhaft Selbstbewußten, sich so dumm zu zeigen, daß sein Opfer alle Vorsicht vergaß.

Nie war Claes der Weg bis zum Millerntor länger vorgekommen. Alles, was die Stadt an Wasserträgern, Wäscherinnen und Straßenhändlern mit ihren dicken Körben, gemächlich flanierenden Spaziergängern, streunenden Hunden und sperrigen Kutschen und Fuhrwerken zu bieten hatte, schien sich heute auf den Straßen herumzutreiben, nur um ihn aufzuhalten.

Als er endlich das Tor passierte, zweifelte er, ob es nicht doch besser wäre, zuerst mit Christian zu reden. Ganz sicher hatte Wagner ihm den Grund genannt, warum er ihn, Claes, so eilig suchte. Und ganz sicher saß Christian nun im Kontor und grübelte, was zu tun sei. Hoffentlich tat er das. Womöglich war er verrückt genug, auf sein Pferd zu springen und nach Altona zu reiten, um seiner geliebten Lucia in dieser schweren Stunde die Hand zu halten. Er schickte ein Stoßgebet zum Himmel, sein Sohn möge so klug sein, wie er dachte, und als genau in dem Moment ein violetter Blitz grell am Himmel über Altona zuckte, hoffte er, daß das kein Zeichen für weiteres Unheil war. Es war nun mehr als genug geschehen. Und dann ärgerte er sich, daß er auf solche Zeichen doch noch hereinfiel. Dabei, das hatte er im Vorbeireiten bemerkt, stand der Kometenbeschwörer nicht einmal mehr an seinem Platz auf dem Großneumarkt. Auf dem kleinen Podest aus Steinen hatte er nur den blinden Leierspieler gesehen. Und dann ärgerte er sich, daß seine Gefühle und Gedanken nichts als ein großes Durcheinander waren, und sorgte sich plötzlich um Anne, die von alledem noch nichts wußte und bei einem aufziehenden Gewittersturm allein mit einem Mädchen und einem Pferdejungen in Harvestehude war.

Donner grollte dumpf und von ferne nach, und Claes zügelte die Stute. So konnte er Gunda nicht begegnen. Erst mußte er sich beruhigen und seine Gedanken sortieren. *Wie* sollte er ihr entgegentreten? Als alter Freund, der ihr beistehen wollte? Als Christians Vater, der für seinen Sohn bitten wollte? Gewiß hatte sie den Streit in der letzten Nacht gehört. Sie konnte doch nicht glauben, daß sein freundlicher Sohn ihren Mann getötet hatte?

Langsam ritt er weiter, zwei Schwalben schossen nur wenige

Handbreit über dem trockenen Gras nahe an ihm vorbei. Die Wolken über dem Horizont hatten sich seit dem Morgen fast schwarz gefärbt, die Luft war schwer und klebrig wie in den Trockenkammern der Zuckerbäckereien, die Elbe, bleiern und schwarz wie der Himmel, lag immer noch öde. Nur ein kleiner Ewer mit gerefftem Segel wurde von zwei Männern mit der Strömung nach einer der Elbinseln hinübergewriggt. Möwen flogen mit gierigen Schreien in engen Runden um das Boot. Offenbar waren die Männer Fischer, die ihren Fang heimbrachten.

Er war nun ruhiger, aber die Erregung hatte einer drückenden Verzagtheit Raum gegeben. Als van Witten ihm auftrug, Marburgers Tod zu untersuchen, hatte er sich gefühlt wie ein Junge vor seiner ersten Jagd. Dabei hatte er vergessen, daß er die Jagd nie gemocht hatte. Nun war aus dem Spiel tatsächlich eine mörderische Hatz geworden, und er wußte nicht mehr, ob er zu den Jägern oder zu den Gejagten gehörte.

Die Palmaille lag still, nur eine alte Kutsche rollte ratternd und quietschend auf der breiten Straße mit ihren vier stolzen Baumreihen stadtauswärts. Ein dürrer rotbrauner Hund sprang ihr kläffend nach.

Claes band seine Stute an den Eisenring neben dem Portal, und noch bevor er klopfen konnte, wurde es geöffnet. Doktor Struensee, seine große schwarze Tasche unter dem einen, die zerzauste Perücke unter dem anderen Arm, trat heraus.

«Monsieur Herrmanns! Hat sich das Unglück schon bis in Euer Kontor herumgesprochen?»

«Wie geht es Gunda? Madame Stedemühlen? Ich habe gehört, sie sei verletzt?»

«Das stimmt. Aber es ist nicht schlimm. Sie ist zu eilig durch den Garten gelaufen, nachdem sie den Kapitän am Fuß der Treppe fand. Ihr habt sicher auch gehört, daß er im Pavillon starb.» Er zögerte einen Augenblick und fuhr energisch fort: «Ach was, es wird sich ja doch herumsprechen wie ein Lauffeuer. Jemand hat ihn die Treppe hinuntergestoßen, wahrscheinlich nach einem kurzen Kampf. Das Teleskop und eines

234

der Bücher lagen auf dem Boden, und der linke Ärmel seines Hausmantels ist fast herausgerissen. Und an seinem Kopf ...»

«Gewiß. Aber wie geht es Madame Stedemühlen?»

«Ach ja, der Fuß. Wie ich schon sagte, nichts Schlimmes, der Knöchel ist nur ein wenig verstaucht. Das ist schmerzhaft und schwillt beängstigend, aber mit ein wenig Ruhe, Beinwellsalbe und Essigwasserkompressen ist es bald vergessen. Ihr seid gut mit der Familie des Kapitäns bekannt?»

«Nicht sehr gut, nur mein Sohn – doch das wißt Ihr wahrscheinlich schon viel länger als ich. Aber es stimmt, ich kenne Madame Stedemühlen aus meiner Jugend. Und nun entschuldigt mich, Doktor, ich möchte ihr mein Beileid aussprechen.»

«Gut.» Struensee nickte. «Und wenn das Mädchen Euch nicht vorlassen will, sagt nur, ich habe Euch Sondererlaubnis gegeben, Madame solle Euch unbedingt empfangen. Es wird ihr guttun, einen alten Freund zu sehen. Lebt wohl. Das Zuchthaus wartet auf mich, dort wird heute wieder geboren.» Er blickte skeptisch zum Himmel auf, stopfte die Perücke nachlässig in seine Tasche und verschwand in der Allee.

Struensees Sondererlaubnis, wie er es genannt hatte, wirkte wie ein Zauberspruch. Ohne ihre Herrin auch nur zu fragen, führte ihn das Mädchen die Treppe hinauf und in einen kleinen Salon im ersten Stock. Er möge warten, sie werde den Herrn bei Madame melden.

Claes trat an das zum Garten geöffnete Fenster. Die äußerst akkurate Idylle von quadratischen und runden Beeten lag verlassen. Es war sehr still, die Tür des Pavillons stand offen, und Claes fröstelte bei dem Gedanken, daß dort vor einigen Stunden ein Mensch getötet worden war. Nicht irgendein Mensch, sondern Gundas Ehemann, der Vater des Mädchens, das Christian liebte. Das gedrungene Gebäude mit dem kleinen Turm, umgeben von Goldregen und Holunder mit den letzten leuchtend gelb und weiß blühenden Dolden vor diesem düster dräuenden Himmel erinnerte ihn an ein altes holländisches Gemälde.

Aus dem Nebenzimmer hörte er leise Stimmen, wahrscheinlich würde das Mädchen gleich zurückkommen und ihn wieder fortschicken. Und auch wenn ihm in diesem Moment nichts lieber gewesen wäre, wußte er, daß er sich nicht fortschicken lassen durfte. Er mußte mit Gunda sprechen, weil er mehr über den Kapitän erfahren mußte. Vielleicht sollte er Struensee besuchen, der hatte den Kapitän sicher gut gekannt, oder er wußte, wer über ihn Auskunft geben konnte.

Die Tür zum Nebenzimmer öffnete sich, und Gunda betrat, leicht auf den Arm des Mädchens gestützt, den Salon.

Sie trug ein schlichtes Kleid aus grauem Musselin, ihre Augen glänzten dunkel und fiebrig in ihrem blassen Gesicht.

«Mit dir habe ich nicht gerechnet, Claes», sagte sie. «Bitte, setz dich doch.» Sie zeigte auf zwei zierliche Sessel, die links und rechts von einem niedrigen Rosenholztischchen nahe den Fenstern standen. Sie selbst wählte den linken, so daß sie mit dem Rücken zum Blick auf den Pavillon saß.

«Es tut mir so leid, Gunda. Ich weiß nicht, was ich sagen soll ...»

«Warum bist du gekommen?»

«Gut. Kein Drumherumreden. Auf meinem Weg hierher war ich sehr verwirrt. Ich wollte dir beistehen, obwohl ich kein Recht dazu habe. Und ich wollte von dir hören, daß du ...», er suchte angestrengt nach den richtigen Worten, «daß du, wie soll ich es nur sagen? Gunda, du weißt sicher, daß Christian gestern nacht in eurem Garten war, daß dein Mann ihn fand und sie heftig miteinander stritten.»

«Zuletzt rief er, Josua werde seinen Zorn bereuen. Natürlich habe ich es gehört. Ich stand am Fenster und sah ihn fortlaufen.» Sie lächelte müde, zog eine kleine Bank heran und legte ihren dick verbundenen Fuß darauf. «Und nun fürchtest du», fuhr sie fort, «ich könnte glauben, Christian sei gegen Morgen zurückgekehrt und habe seine Drohung wahr gemacht.»

«Glaubst du das?»

Sie drehte sich um, sah hinaus in den Garten, als könne sie

dort die Wahrheit oder wenigstens die alte Klarheit ihrer Gedanken finden, dann sah sie ihn fest an.

«Zuerst habe ich es geglaubt. Für einen winzigen Moment. Es lag so nahe. Doch dann sah ich ihn vor mir, deinen Sohn, und konnte es nicht mehr glauben. Er gleicht dir so sehr, Claes, so sehr, daß es mir den Atem nahm, als ich ihn das erste Mal sah. Das sollte ich dir sicher nicht sagen, Struensees Tee macht wohl nicht nur matt, sondern auch schwatzhaft.»

Sie beugte sich vor und strich sanft mit den Fingerspitzen über seine Hand.

«Er hat auch deine Hände, Claes. Die gleichen Hände, die du damals hattest. Er bewegt sich wie du. Wußtest du das? Eltern erkennen wenig von sich selbst in ihren Kindern.»

Ihre Hand lag auf seiner, und er spürte heiß die Berührung ihrer kühlen Haut.

Dann lehnte sie sich abrupt zurück, faltete die Hände fest im Schoß und schloß die Augen.

«Gunda . . .»

«Psst, sag nichts. Das ist lange her, und heute ist heute. Ein schlechter Tag.»

Sie schlug die Augen auf und sah ihn an, fest und klar, als habe sie seine Hand nie berührt.

«Nein, ich glaube nicht, daß dein Sohn zurückgekommen ist, um meinen Mann zu erschlagen.» Ihre Worte klangen hart, aber er wußte, daß sie diese Härte jetzt brauchte. «Er ist zu weich für eine solche Untat. Und sollte er danach fragen, auch Lucia glaubt nicht an seine Schuld. Aber das ändert nichts, absolut nichts an meinem Verbot, sie zu treffen. Er soll es nicht wagen, an unsere Tür zu klopfen. Oder jemals wieder unseren Garten zu betreten. Bei Tag oder bei Nacht. Und nun mußt du gehen. Ich bin sehr müde.»

«Erlaubst du noch eine letzte Frage?»

«Das kommt auf die Frage an.»

Ein Hauch des alten vertrauten Lächelns glitt plötzlich über ihr Gesicht, und Claes faßte Mut.

«Es gibt noch einen Grund, warum ich mit dir sprechen mußte. Aber der hat weder mit uns noch mit unseren Kindern zu tun. Der Tod deines Mannes ist eine Tragödie, und sein Mörder muß gefunden werden. In den letzten Tagen sind noch zwei andere Männer gestorben. Der eine wurde erschlagen, der andere starb im Pesthof, aber es ist sehr wahrscheinlich, daß man ihm vorher ein Gift gab, das seine Sinne verwirrte und letztlich zu seinem Tod führte. Verzeih, ich will dich nicht noch mehr beunruhigen, aber ich muß dich fragen, denn ich habe den Verdacht, daß diese drei Tode zusammenhängen, daß es irgendeine Verbindung gibt. Frag heute bitte nicht, warum, die Geschichte ist ganz vage und zu verworren, um dich jetzt damit zu belasten. Aber sage mir bitte: Weißt du, ob der Kapitän einen Dichter mit Namen Lysander Julius Billkamp kannte? Oder Augustus Marburger? Ihm gehörte eine der größten Hamburger Zuckerbäckereien. Hat er sie besucht, mit ihnen Geschäfte gemacht, oder waren sie je in eurem Haus?»

Gunda schüttelte langsam den Kopf. «Die Namen sagen mir nichts», sagte sie dann. «Und ich bin ziemlich sicher, daß auch der Kapitän sie nicht kannte. Ein Dichter und ein Zuckerbäcker? Wie seltsam. Das müßte ich wissen. Aber außer mit einigen Brüdern aus unserer Gemeinde verkehrte er mit niemandem, seit wir hier leben. Und er ging auch nie ohne mich aus. Nein, Claes, ich glaube nicht, daß er sie gekannt hat. Ich bin sogar sicher.»

«Ich danke dir, Gunda. Ich hatte zwar auf eine andere Antwort gehofft, um endlich den Anfang eines Fadens in diesem wirren Knäuel zu finden, aber auch diese wird uns weiterhelfen.»

Er erhob sich und wollte ihr zum Abschied die Hand reichen, doch als er sah, daß sie ihre Hände immer noch fest gefaltet im Schoß hielt, verbeugte er sich und wandte sich zur Tür. «Wenn du Hilfe brauchst, Gunda, ich hoffe, du weißt, daß du sie immer bei mir findest. Ich will dich nicht beleidigen, aber ihr habt wenig Freunde hier, und wenn eure Verhältnisse . . .»

«Unsere Verhältnisse? Die sind ausgezeichnet.» Sie lachte spöttisch, aber ihre Stimme klirrte vor unterdrücktem Zorn.

«Der Kapitän war ein reicher Mann. Während unserer Jahre auf Madeira und in Bristol hat er sich sehr erfolgreich am Sklavenhandel beteiligt. All das, was du hier siehst, und auch etliches, was du nicht siehst, ist mit dem Diebstahl und Verkauf von Menschen bezahlt.»

Er war schon fast auf der Treppe, als er sie seinen Namen rufen hörte. Sie stand in der Tür des Salons, auf ihren Wangen glühten rote Flecken.

«Noch ein Wort zu deiner Frage, Claes», sagte sie. «Ich bin sicher, daß er die beiden Männer nicht getroffen hat, seit wir in Altona sind. Aber du solltest bedenken, daß er vor unserer Ehe wie du und ich in Hamburg gelebt hat. Als ich ihn traf, fuhr er nur auf englischen Schiffen. Ich weiß nicht, wessen Schiffe er davor befehligt hat.»

MONTAG, DEN 16. JUNIUS,
NACHMITTAGS

Augustus Marburgers Haus am Dreckwall war sehr groß. Tatsächlich bestand es aus zwei Häusern. Das linke, etwas schmalere, hatte er stets das Stammhaus genannt, denn als er darin wie zuvor sein Vater geboren wurde, beherbergte es die Wohnräume, die Zuckerbäckerei und das Lager. Seine Geschäfte gingen erstaunlich schnell immer besser, schließlich kaufte er das Nachbarhaus dazu und richtete darin eine sehr viel größere Zuckerbäckerei ein. Die Lage in der engen, ruhigen Straße war besonders günstig. Nur in solchen Straßen und Twieten konnte guter Zucker gemacht werden, denn die Erschütterung des Bodens durch vorbeiratternde Fuhrwerke oder Kutschen, durch die Hufe trabender oder gar galoppierender Pferde störten die empfindliche Kristallisation des Zuckers.

Das erste Haus behielt Marburger als Wohnhaus für seine wachsende Familie. Außer den beiden Söhnen, von denen Wagner gesprochen hatte, gebar ihm seine Frau auch fünf Töchter. Das Haus hatte er von innen ganz und gar neu machen lassen, überall gab es seidene und lederne Tapeten, französische Sessel und Tische, italienische Uhren und Schränkchen. Die schönen Möbel aus dem fremden gelben Holz der Zuckerkisten, die auch die Hamburger Möbelmacher so kunstvoll tischlerten und an betuchte Bürger verkauften, kamen ihm nicht ins Haus. Die schlichte Vordertür aus polierter alter Eiche hatte er durch ein prächtiges Portal ersetzen lassen, umrahmt von zwei Pilastern, die einen reich mit steinernen Früchten und gewundenem Laubwerk geschmückten Giebel trugen. Der dickbäuchige Wassermann, den der Steinmetz gerne als Krönung des Kunstwerks gesehen hätte, hatte seine Gattin zwar entzückt, aber ihm war er für ein behauenes Stück Stein zu teuer gewesen.

In die benachbarte Zuckerbäckerei gelangte man durch drei Eingänge. Der für die Zuckerknechte und Besucher befand sich an der Vorderseite des Hauses am Dreckwall. Der hintere bestand aus den Luken auf der Wasserseite des Gebäudes an der Kleinen Alster. Hier legten die Schuten und Ewer an, die den Rohzucker von den Schiffen und aus den Lagern der Zuckermakler brachten oder die in feste Kisten verpackten Zuckerhüte für ihre Reise über die Ostsee nach Schweden, Polen, Rußland und Kurland oder über die Flüsse und über Land bis hinunter ins Österreichische einluden. Auch die schottische und englische Steinkohle für die Feuer unter den Zuckerpfannen, die Putten, runde Töpfe für den Sirup, und die Hutformen aus der besten Manufaktur am Stadtdeich, die nur den guten französischen Ton verarbeitete, sowie Kisten, Papier und Stroh für den sicheren Transport der brüchigen Zuckerhüte wurden hier angeliefert. Die Seilwinde hievte die schweren Lasten fünf Böden hoch hinauf und hinunter und war Tag um Tag in Betrieb.

Der dritte Eingang verband die Dielen der beiden Häuser miteinander und war Marburger und seinen Söhnen vorbehalten. Seine Frau betrat die Zuckerbäckerei nie, und den Töchtern war es streng verboten, in die Nähe der groben Zuckerknechte zu kommen.

Ein weiterer Durchgang in der Mauer auf dem letzten, dem

fünften Boden direkt unter dem Dach, war nicht größer als eine Luke, mit dem Deckel einer Zuckerkiste nur notdürftig versperrt und lange vergessen. Nur Marburgers mittlere Tochter, ein eigensinniges Kind von großem Forscherdrang, kannte ihn. Aber sie war nun zwölf Jahre alt, fast schon eine junge Dame, und interessierte sich viel mehr für den neuen, ganz delikat nach Lavendel duftenden Gesangslehrer ihrer älteren Schwestern, dem sie mit staubigen Zuckerbödengeheimnissen gewiß nicht imponieren konnte.

Das Kontor, in dem Sven Mylau zum Hilfsschreiber geworden war, lag im Hochparterre neben der Diele des Arbeitshauses. Es kostete Rosina Mühe, ihre Gedanken beim Zuckerhandel zu lassen. Sie hatte schon herausgefunden, daß in den Papieren des Kontors keine Geheimnisse zu entdecken waren. Es gab noch andere in Marburgers Zimmer, und solange Pagerian dort thronte, konnte sie es nicht wagen, darin herumzustöbern. Sie mußte erst seine Gewohnheiten kennenlernen, bevor sie sich unbemerkt hineinschleichen konnte.

Aber da waren ja nicht nur die Papiere, da waren noch die mehr als dreißig Zuckerknechte und Lehrlinge, die in der Kocherei, den Abfüll- und Trockenkammern, im Zuckerlager und an den Seilwinden arbeiteten. Vielleicht wußten sie nicht viel, aber auf alle Fälle mehr als sie selbst. Egal, was Claes Herrmanns sagte oder befürchtete, sie mußte in die Siederei. Die Tür ging auf, und Pagerian trat ein, ein Bündel mit Listen und Briefen unter dem Arm, die der neue Hilfsschreiber in seiner akkuraten zierlichen Schrift sauber kopieren und zur Post bringen sollte.

«Natürlich», dienerte Rosina, «unverzüglich», und hoffte, daß sie die richtigen Briefe in die jeweils richtige Poststation bringen würde. Dann hatte sie eine Idee.

«Monsieur Pagerian, verzeiht, Eure Zeit ist kostbar und knapp bemessen, aber ich habe eine Bitte.»

«Fragt nur, Mylau, immer heraus damit.»

Es konnte nicht schaden, einem Verwandten von Claes Herrmanns' Freunden großzügig entgegenzukommen, auch wenn er

241

nur einer sächsischen Nebenlinie entstammte und im dritten, oder war es gar im vierten Grad?, verschwägert war.

«Ich bin so dankbar, daß ich diese wichtige Erfahrung in Eurem Kontor sammeln darf, es wird gewiß für mein weiteres Leben von außerordentlicher Bedeutung sein, und der Zuckerhandel», sie sah ihn aus großen Augen ehrfürchtig an, «galt mir schon immer als der bedeutendste.»

«Sehr klug, mein Sohn», schnurrte Pagerian und hob anerkennend den Zeigefinger, «sehr verständig. Er ist in der Tat der gesunde Boden unseres Wohlstandes.»

«Ja. Wie Ihr es sagt. Gewiß werdet Ihr mir dann einen großen Wunsch erfüllen, der meine Bildung befördern soll. Es drängt mich, nicht nur das Kontor, sondern auch all die anderen Bereiche Eurer verdienstvollen Arbeit kennenzulernen. Könntet Ihr mich durch die Zuckerbäckerei führen und mir erklären, wie der Zucker raffiniert wird? Es ist doch auch von Nutzen für meine Arbeit in Eurem Kontor», fügte sie hastig hinzu, «ich verstehe alles viel besser, wenn ich weiß, wie die Arbeit versehen wird.»

«Löblich. Sehr löblich. Ich sage immer: Nur das Ganze bringt den Erfolg.»

Das erinnerte Rosina an einen anderen dicken kleinen Mann. Sie strahlte ihn dankbar an und vergaß fast, daß sie gerade nicht die Rolle eines Mädchens spielte.

«Jetzt gleich?» bat sie und gab darauf acht, daß ihre Stimme nicht wieder in ihre natürliche, etwas höhere Tonlage glitt. «Könnten wir gleich gehen? Ich bin so begierig, alles von Euch zu lernen.»

«Nun gut», Pagerian zögerte nur so lange, wie es für einen mit Verantwortung überlasteten Mann schicklich war, «verschließt die Tür zur Straße, dann können wir gehen.»

Sie schritten durch die große Diele, und der süße, brandige Geruch, der selbst das Kontor beherrschte, wurde immer stärker. Pagerian öffnete die Tür, und Rosina, die gedacht hatte, es sei schon im Kontor stickig gewesen, betrat die backofenheiße Siederei, die fast das ganze Erdgeschoß einnahm. Zuerst ließ Pagerian sie jedoch einen Blick in das hintere Lager mit der Luke zur Kleinen Alster werfen. Der hoch aufgeschüttete Rohzucker glänzte matt in allen Schattierungen von gelb über hell- bis schwarzbraun, er kam aus Manila, Surinam, den karibischen oder brasilianischen Kolonien. Der von San Domingo war der dunkelste und der von Java, der feinste, schon fast weiß. Auf den Plantagen, erklärte Pagerian stolz, als habe nicht eine Vielzahl afrikanischer Sklaven, sondern er persönlich in tropischer Hitze das harte Rohr geschnitten und verarbeitet, werde der Zuckersaft aus dem Rohr gepreßt und vorraffiniert. Aber für die verfeinerte europäische Zunge, so sagte er, werde er erst in diesen Kammern genießbar gemacht. Dabei schnalzte er genüßlich und zog Rosina zurück zu den Siedepfannen. Die Hitze erschien ihr unerträglich, wie hielten die Knechte das nur aus?

Die Jungen und Männer schienen sie nicht zu beachten. Ihre Arbeit erforderte große Kraft und der Umgang mit dem siedenden Zucker höchste Aufmerksamkeit. Sie riefen sich Worte zu, auch Sätze, kurz und knapp, aber Rosina wußte nicht, ob das freche Scherze über die seltenen Besucher, Befehle oder einfach Schwätzereien waren. Sie verstand die Männer nicht. Der Hamburger Dialekt war viel mehr eine eigene Sprache als das Sächsische ihrer Heimat. Das würde es schwer machen, heimlich mit dem einen oder anderen zu sprechen.

Rosina zählte sechs Klärpfannen, große Kupferbottiche über glühendem Kohlenfeuer. An jeder stand ein Mann mit einer riesigen weißen Schürze und rührte mit einem dicken Holz in der Masse. Die begann im zweiten Kessel gerade zu kochen, zähe Blasen stiegen auf und platzten, und an den Rändern des Bottichs sammelten sich trüber Schaum und allerlei Schmutz. Auf einen Pfiff des Mannes mit dem Rührholz eilte ein Junge herbei, ein fast kahlköpfiger vierschrötiger kleiner Kerl, und schob nasse Kohlen aufs Feuer, um die Hitze zu dämpfen. Dampf und Geruch der zischenden schwarzen Brocken unter dem Kessel mischten sich mit dem des Zuckers. Nachdem die Masse kräftig gekocht und geblubbert hatte, ließ sie der Zuckerknecht durch ein dickes Rohr am Boden des Kessels in einen anderen, spiegelblank geputzten ablaufen.

«Weiter, Mylau. Drüben sind sie schon beim nächsten Schritt.» Pagerian schob sie vor sich her zu zwei Männern und einem Jungen, die mit großen Messern aus einer zähen Masse in einer anderen Pfanne handgroße Stücke schnitten. Das war schon vorher abgelassener Zucker, der nun abgekühlt und steif geworden war. Die weißlichen Brocken warfen sie in einen weiteren Kessel, unter dem ein heißes Feuer loderte.

«Wird der Zucker jetzt noch mal gekocht?» fragte Rosina. Ihr Interesse war mittlerweile nicht mehr geheuchelt.

«Gewiß», Pagerian nickte eifrig. Die Hitze schien ihn nicht zu stören. «Wenn er in dieser Pfanne tüchtig gekocht hat, werden der Schaum wie der Schmutz abgeschöpft, und der Zuckersaft ist klar und gelblich wie Rheinwein. Kommt weiter.»

In einer anderen Ecke des großen Raumes gossen Männer heißen Zuckersaft durch Tücher aus weichem weißem Wollstoff. Er sammelte sich darunter in einer großen, flacheren Pfanne.

«Die Kühlpfanne», erklärte Pagerian. «Wenn der Saft etwas abgekühlt ist, wird er in die Formen gegossen.»

Er eilte ihr voraus die Treppe hinauf und zeigte auf lange Reihen von Tonformen, die mit der Spitze nach unten in bauchigen Töpfen standen. Vier Männer trampelten die Treppe herauf und drängten sich an ihnen vorbei.

«Hier stören wir jetzt», sagte Pagerian. «Es ist auch nicht mehr viel zu sehen. Die Knechte bringen die Formen nun auf den nächsten Boden.»

Rosina beobachtete, wie die Männer eine Kette bildeten und die warmen, steinschweren Zuckerhutformen die Treppe mehr hinaufwarfen als -reichten.

«Und jetzt ist der Zucker fertig?»

«Wo denkt Ihr hin, Mylau? Sobald der Zucker fest genug ist, werden die Formen mit englischer Erde bedeckt, das ist ein sehr delikater nasser Ton. Der sickert durch die Masse, und seine Feuchte kommt unten als gelber Sirup wieder heraus. Dann erst, es dauert gewöhnlich zehn Tage und Nächte, ist der Zucker richtig rein, weiß und süß. Die Knechte stülpen die Formen um», er machte die Handbewegung nach, als handele es sich nicht um große schwere Tonformen, sondern um zierliche Marzipanhütchen, «klopfen die Zuckerhüte heraus und prüfen ihr Aussehen.» Er blickte mit hochgezogenen Brauen auf den imaginären Zuckerhut auf seiner kleinen weichen Hand. «Wenn sie rein und scheinbar trocken sind, bleiben sie noch einmal zehn Tage in der heißen Trockenstube, bis die Feuchte auch das innerste Kristall verlassen hat. Dann erst», er hob wieder bedeutsam den Zeigefinger, «werden sie in blaue Bogen aus der neuen Papiermühle in Fuhlsbüttel gewickelt und zwischen viel Stroh in Fässer gepackt. Alle bekommen unser Zeichen, das ist ein Gesetz. Sonst könnte jeder, der eine Partie englischen Lumpenzucker anzubieten hat, behaupten, im Faß sei bester Marburger-Zucker aus Hamburg. Die Fässer müssen dann nur noch auf die Schuten abgeseilt werden, und fort geht's in die weite Welt. Ach», seufzte er zärtlich, «die weite Welt. Manchmal möchte man doch gerne ein Zuckerhut sein.»

Als sie wieder im Kontor waren und einander gegenseitig erlaubt hatten, die Jacken auszuziehen, stellte Rosina eine letzte Frage: «Wann beginnt denn am Morgen die Arbeit in der Siederei, Monsieur Pagerian?»

Die Feuer, erklärte Pagerian, würden schon morgens um zwei vom jüngsten Lehrjungen entzündet, der danach auch die anderen Lehrjungen und die Knechte, die im Hause unter dem Dach wohnten, wecken müsse. Zu der Zeit kämen auch die, die ihre Wohnung in der Stadt hätten. Dann begännen sie mit ihrem Tagwerk. Einer der Knechte und drei der Jungen kämen jedoch immer erst zwei Stunden später, die blieben am Nachmittag, wenn die anderen sich zum Essen begaben, noch da und wüschen die geleerten Tonformen und vor allem die Schürzen der Knechte. Die Reinheit der Schürzen zeuge von der Reinheit des Zuckers. Das sei so Brauch. Nein, nicht immer die gleichen, es seien an jedem Tag andere. Ja, und der Meisterknecht beaufsichtige am Morgen zuerst die richtige Mischung aus rohem Zucker, Ochsenblut und Kalkwasser, und so gehe es fort. Das habe er ja jetzt alles selbst gesehen. «Und nun, Mylau, geschwind. Die Post. Ich werde bei Madame Marburger erwartet, zum Tee. Die Arme ist so mutlos, sie braucht meine Kraft.»

Er schlüpfte wieder in seine Jacke, band sich eine frische Halsbinde, die er aus den Tiefen des Kontorschrankes geholt hatte, und trippelte, schon die richtige Mischung aus angemessener Trauer und schmeichelndem Lächeln im Gesicht, eilig davon.

Rosina sehnte sich nach einem Bad. Sie fühlte sich wie eine Zuckerstange, klebrig durch und durch und mit süßem Guß überzogen. Wahrscheinlich war sie das auch, der zähe Dampf des kochenden Zuckers überzog alles, was in der Siederei, aber auch noch auf den oberen Böden stand, ging oder benutzt wurde, mit einer zähen Zuckerschicht. Nun war sie ein Teil davon.

Ob es erlaubt war, ins Stammhaus hinüberzugehen und in der Küche ein wenig Wasser zu erbitten, damit sie sich wenigstens die Hände waschen konnte? Es mußte erlaubt sein. Klebrige Briefe machten wahrlich keinen guten Eindruck, selbst wenn sie von einer Zuckerbäckerei kamen.

In der Küche herrschte Hochbetrieb. Die Köchin, eine junge Frau, deren hübsches Gesicht vom Dampf über den Töpfen und Pfannen gerötet war, schlug dem neuen Hilfsschreiber mit den schönen Augen seine Bitte nicht ab. Leider konnte sie ihn nicht selbst in die Spülküche begleiten. Der Lachs war in der kritischen Phase, und nichts haßte Madame so sehr wie zerfallenen Lachs. Außerdem schlug sie gerade Sahne für das Dessert, eine Erdbeermousse mit Vanillebaisers, das ihre ganze Aufmerksamkeit erforderte. So schickte sie die Spülmagd, ein recht unansehnliches Geschöpf mit schlechten Zähnen, dem jungen Mann Wasser zu schöpfen und das Handtuch anzureichen. Dem Mädchen mochte es an Glanz fehlen, aber es fehlte ihm ebenso an Scheu.

«Ihr seid neu, nich?» begann sie, und fuhr gleich mit gesenkter Stimme fort: «Gebt bloß acht.»

246

«Worauf?»

«In diesem Haus wird ständig gebrüllt. Aber nun, wo der Herr tot ist, wird's ja vielleicht besser.»

Rosina fand, das Mädchen schöpfe äußerst langsam, das war ihr sehr recht. «Wo hat er gebrüllt? Und mit wem?»

«Überall. Und mit allen. Nur mit Madam nich, das wäre ihm auch schlecht bekommen.» Sie grinste zufrieden und zeigte eine beachtliche Zahnlücke. «Ich wunder mich nich, dasser tot is. Ich wüßt, wer's gemacht hat, wenn der nich auch schon hin wär. Aber ich hab nix gesagt. Wo er ja auch seit Samstag im Grab ...»

«Wer? Wen meinst du? Wer ist auch schon tot?»

Rosinas Herz klopfte, jede Sekunde konnte die Köchin hereinkommen, weil das Mädchen so lange fortblieb. Sie mußte sich beeilen. «Nun sag schon. Wer ist außer deinem Herrn noch tot?»

«Wenn Ihr so herrisch seid, sag ich gar nix.»

«Verzeih», sie strich mit eiligem Lächeln über die rauhe Hand des Mädchens, «das wollte ich nicht. Bitte, sag mir, wer?»

«Der war doch hier, vor ein paar Wochen, nich im Kontor, sondern in dem Herrn sein Zimmer, das war, als er noch nicht verrückt war, und ...»

«Ebba!»

Nun war es passiert. Die Köchin stand in der Spülküche, die Fäuste in die Hüften gestemmt, und blitzte ihre Magd zornig an. «Wie lange brauchst du, um eine Schüssel zu füllen?»

Sie nahm dem Mädchen unwirsch den Schöpfbecher aus der Hand, tauchte ihn flink ein paarmal in die Wassertonne, und schon war die Schüssel bis zum Rand gefüllt. «Nun könnt Ihr Euch waschen.»

Sie lächelte Rosina, besser gesagt: den hübschen jungen Mann namens Sven Mylau an, und ihre Stimme war wieder ruhig und ein ganz klein wenig schmelzend. «Wenn Ihr mich braucht, ruft nur, die Mousse ist fertig. Vielleicht mögt Ihr sie probieren? Und du», sie schubste das Mädchen derb in die Küche zurück, «geh endlich Spargel schälen!»

247

12. KAPITEL

Von dem Platz nahe St. Petri, der Berg genannt wurde und direkt vor der Fronerei lag, klang ein hoher, zirpender Gesang in die Pelzerstraße. Claes fand, es seien ganz schauerliche Töne, und beschleunigte seine Schritte, um ihre Ursache zu besehen. Er traf auf ein kurioses Schauspiel.

Vor dem Pranger, um den gewöhnlich alle einen Bogen machten, wenn es nicht gerade galt, einen Sünder mit dampfenden Pferdeäpfeln oder fauligen Zwiebeln zu bewerfen, wurden ein Mann und eine Frau von einer schweigenden Menge umringt. Beide waren sehr jung und in unförmige weiße Gewänder gekleidet, sie hatten die Arme weit ausgebreitet, die des Mannes wurden auf jeder Seite von lumpigen Kindern gestützt. Die Frau, fast ein Mädchen noch, mit dem gleichen fast weißen Haar wie die Kinder, sang mit hoher Stimme einen Choral. Claes konnte nicht erkennen, welcher es war. Ihre Stimme klang dünn und doch schrill, und die Worte blieben unverständlich.

«Wer sind die?» fragte er einen Schusterjungen, der, auf seine Kiepe mit Ledermustern gestützt, die seltsamen Gestalten aus sicherer Entfernung beobachtete.

«Wo der Kometenbeschwörer verschwunden ist», sagte der Junge, ohne den Blick von dem Schauspiel zu lassen, «stehen die jetzt da. Sie sind seine Jünger, sagen sie, aber mein Meister sagt, das ist Ketzerei. Nur unser Herr Christus hatte Jünger. Aber er sagt, die stehn hier richtig, weil sie ganz bestimmt bald an den Pranger gekettet werden.»

248

«Dann sag deinem Meister», mischte sich eine Vierländerin ein, die den großen runden Strohhut ihrer Tracht schützend über die müden Blumen in ihrem Korb hielt, «das ham sie von unserm Herrn Christus auch gesagt, daß er ein Ketzer ist. Und wenn die» – sie wies mit ihrem Hut in der Hand auf die beiden selbsternannten Jünger des Kometenbeschwörers – «am Pranger enden, dann ist das wie bei unserm Herrn Christus, als sie ihn ans Kreuz schlugen. Amen.»

«Dein Meister», brummte ein Windradverkäufer, «soll man gut aufpassen, daß ihn der Komet nicht zuerst trifft!»

Die Turmuhr schlug viermal, und Claes ging weiter. Der Mann mit den hellen Augen und dem langen schwarzen Haar war also verschwunden. Noch so ein Rätsel in diesen Tagen. Er hätte ihn gerne einmal von nahem besehen und herausbekommen, wer er war. Niemand wird als Kometenbeschwörer geboren.

Die Stadt erschien Claes heute besonders eng. Der Himmel war zwar wieder ein wenig heller, die Hoffnung der Menschen auf Regen und den befreienden kühlen Wind aus Nordwest wuchs, aber die Schwüle wurde immer unerträglicher. Die Menschen, die ihm auf seinem Weg vom Kontor zu Jensens Kaffeehaus hinter der Börse begegneten, hatten müde Gesichter, und es hieß, daß in diesen Tagen, die das Blut in den Adern dick werden ließen, mehr starben als sonst.

Die Bänke der Kirchen waren heute besser besucht als an anderen Tagen, denn auch die Angst vor dem großen Unwetter, vor der tödlichen Kraft der Blitze und vor den Donnerschlägen, die selbst die standhaftesten Seelen erschüttern, wuchs und trieb viele zum Gebet. Dann war da noch der Komet. Es schien gewiß, daß diese Düsternis sein Vorbote war. Der Himmel würde zerreißen wie an dem Tag, da Christus ans Kreuz geschlagen worden war, die Blitze würden Feuer regnen lassen und nur die Gerechten verschonen. Selbst einige Prediger baten Gott auf den Kanzeln und vor den Altären, er möge sich gnädig zeigen und die Kraft seines Himmelsboten nur zum Guten senden. Er möge nicht Sturm, sondern guten Wind bringen, der die Segel der Schiffe füllte und den Atem der Menschen befreite, Regen, der das verdorrende Land labte und das Wasser in den Fleeten und Brunnen zum Wohl der Menschen und Tiere, der Kinder Gottes, erfrischte.

Und außerdem, dachte Claes, war es heute in den Kirchen gewiß am kühlsten. Aber selbst wenn er es sich nur widerwillig eingestand, auch ihm war die Düsternis, die der dunkle Himmel schon in der Mitte des Tages verbreitete, unheimlich.

Im Kaffeehaus saßen nur zwei Fremde an einem der hinteren Tische und lasen, ohne auf den neuen Gast zu achten, in französischen Zeitungen. Wer nicht an der Börse oder im Kontor zu tun hatte, war heute zu Hause, stellte die Schaufeln zurecht und füllte die Wassereimer, um für einen Brand vorbereitet zu sein.

Claes nickte Jensen zu, der eilig in die Küche lief, um die übliche Bestellung auszuführen.

«Und einen Krug Wasser, Jensen!» rief Claes ihm nach, denn der Kaffee würde seinen Durst nicht löschen. Als er sich an seinen Lieblingstisch an einem der vorderen Fenster setzte, spürte er den Brief, den er in die Tasche seiner Weste gesteckt hatte, als er das Kontor verließ. Fietz war gerade mit Post gekommen, und dieser Brief, hatte er gesagt, sei eben erst eingetroffen, das Pferd des Eilpostreiters habe noch im Hof gedampft. Die Schrift war ihm vertraut, Augusta hatte aus Pyrmont geschrieben. Es rührte ihn, daß sie so schnell auf seinen Brief antwortete. Sicher hatte sie seine bedrückte Stimmung bemerkt und wollte ihn aufheitern.

Er brach das Siegel auf, ihre Schrift war nicht so akkurat wie sonst und zeugte von großer Hast. Er begann zu lesen, und Augustas Botschaft ließ ihn schlagartig alle Mattigkeit vergessen.

Lieber Claes,

ich bin sehr in Eile, der Postreiter ist schon da, und sobald er sich erfrischt und ein neues Pferd gesattelt hat, muß dieser Brief in seiner Tasche sein. Aber ich habe hier interessante Dinge gehört, die Du so schnell wie möglich wissen sollst. Vom wem, tut nun nichts zur Sache, ich vermag auch nicht zu sagen, wie verläßlich die Auskünfte sind. Wenn sie aber stimmen, steckt offenbar mehr als Du annimmst hinter der törichten Haltung der Eltern des Mädchens, in das Christian verliebt ist. Gunda Stedemühlen, mit der Du in Eurer Jugend so innig bekannt warst, wurde von ihren Eltern nicht einfach nur fortgeschickt, man hat das Mädchen damals mit Mohnsaft gefügig gemacht. Das erscheint mir unerhört, und es muß einen Grund für dieses Vorgehen gegeben haben. Bist Du sicher, daß sie nur fortgeschafft wurde, weil Ihr Euch liebtet? Vielleicht erklärt sie es Dir, wenn Du sie fragst, und vielleicht läßt sich dann doch noch ein Weg finden, Christians Kummer zu beenden.

Aber ich habe noch etwas ganz anderes gehört. Es scheint nicht sehr wichtig, doch ich habe so ein Gefühl, daß es für Dich doch von Bedeutung ist. Lysander Julius Billkamp, so hat mir erst vor einer Stunde eine Freundin aus alten Tagen erzählt, ist vor sehr langer Zeit auf einem Schiff, das Stedemühlen als Kapitän befehligte, in einen Überfall durch algerische Barbaresken geraten. Ich weiß nicht, wie lange es her ist, aber ganz sicher geschah es, bevor Gunda die Frau des Kapitäns wurde. Ich weiß auch nicht, was Billkamp, der ja zuletzt ein Dichter war, auf dem Schiff gemacht hat. Fuhr er in jungen Jahren zur See? Oder war er seinerzeit in Geschäften unterwegs?

Einige Männer starben damals, die meisten wurden als Sklaven in die Bagnos von Algier verschleppt, viele später durch die Sklavenkasse freigekauft. Billkamp und der Kapitän sollen zu den ersten gehört haben, die zurückkehrten. Danach soll es einen Skandal um den Freikauf einiger anderer Seeleute gegeben haben. Genaueres konnte ich leider nicht erfahren, aber damals, so wurde mir gesagt, habe man viel darüber gesprochen. Wahrscheinlich erinnerst Du Dich nicht, weil Du womöglich zu jener Zeit in der Lehre in London warst.

Ich kenne mich mit den Regeln der Sklavenkasse nicht so gut aus, aber Anneke, deren jüngster Bruder vor vielen Jahren aus der Sklaverei ausgelöst wurde, weiß, daß nur freigekauft wird, wer sich bei dem Überfall wehrhaft verhalten hatte. Ist es nicht eigentümlich, daß gerade der Kapitän, der doch als letzter sein Schiff verlassen muß, als erster freigekauft wurde? Anneke sagt allerdings, das sei so Brauch.

Nun muß ich den Brief versiegeln, Anneke ist nicht mehr hübsch genug, *um den Postreiter länger aufzuhalten, als es dauert, seinem Pferd ein Stück Brot zu geben.*

Lebe wohl und viel Glück. Gib gut auf Dich acht, mein Lieber, im Alltag ist das Leben am gefährlichsten.

Deine Augusta.

P.S. Meine herzlichsten Grüße an Anne und Christian, die liebe Elsbeth und natürlich Blohm. Und an die Komödianten, wenn Du sie triffst. Und Telemann und Sonnin. Ich werde nun bald nach Hamburg zurückkehren, und hoffe, daß Du und Anne . . .

Was Augusta hoffte, stand nicht da. Die alte Anneke war eben wirklich nicht mehr hübsch genug.

Claes schwitzte, allerdings weniger wegen des Wetters. Die längst vergangene Zeit, in der er Gunda geliebt hatte, war plötzlich wieder ganz nah, und er ahnte, daß ihre Eltern es doch herausgefunden hatten. Aber war das wirklich ein Grund, die eigene Tochter verschwinden zu lassen? Zu verbannen wie eine Aussätzige? War das nicht viel eher ein Grund, den Widerstand gegen diese Liebe aufzugeben und in einer ehrbaren Verbindung enden zu lassen? Hatte er damals nicht gerade das gehofft? Oder belog er sich, redete er sich seine Jugendsünden schön? Er mußte unbedingt mit Gunda sprechen. Diesmal mußte sie ihm alles sagen.

Aber seine Gedanken sprangen schon weiter. Billkamp und Stedemühlen auf einem Schiff? Und beide waren nach dem Barbareskenüberfall als erste ausgelöst worden? Das mußte nichts bedeuten. Billkamp war reich, seine Familie konnte schnell ein großzügiges Lösegeld bezahlen. Aber was hatte er überhaupt auf dem Schiff gemacht?

Claes' Blick fiel aus dem Fenster, und plötzlich sprang er auf. War das nicht Wagner gewesen, der da gerade vorbeiging? Er lief zur Tür, und tatsächlich verschwand der Weddemeister gerade um die Ecke. Mit wenigen Schritten holte Claes ihn ein.

«Wagner, schnell, ich habe Neuigkeiten. Kommt mit ins Kaffeehaus, ich muß Euch einen Brief zeigen.»

Wagner folgte dem Kaufmann zögernd, als der, ohne seine Antwort abzuwarten, zurückeilte. Er hatte den Brief auf dem Tisch liegengelassen und sorgte sich plötzlich, er könnte verschwunden sein, wenn er zu lange wegbliebe.

Aber der Brief lag noch da, und Claes forderte Wagner ungeduldig auf, sich zu setzen. «Jensen», rief er, «noch zweimal Kaffee. Und Wasser. Aber bring besser Limonenwasser als das hier.»

Wagner war sowieso auf der Suche nach Claes Herrmanns gewesen, doch nun hockte er unglücklich auf der Stuhlkante. Zum einen, weil er dieses Kaffeehaus noch nie betreten hatte, und ganz sicher war hier auch nie ein einfacher Weddemeister bedient worden. Zum anderen, weil er einige sehr unangenehme Fragen stellen mußte. Er hoffte nur, es gab eine gute Erklärung dafür, daß Christian Herrmanns kurz vor dem Tod des Kapitäns in der Nähe von dessen Garten gesehen worden war.

Aber nachdem Claes ihm die Zeilen über Billkamp, Stedemühlen und den Barbareskenüberfall vorgelesen hatte, vergaß er den Verdacht gegen Christian für eine Weile. Auch er konnte sich nicht an den Skandal erinnern. Er sei damals noch ein Kind gewesen, erklärte er, aber er wolle sich umhören.

«Und ich», sagte Claes, den das Jagdfieber nun doch wieder in den Fängen hatte, «werde noch einmal zu Madame Stedemühlen nach Altona reiten. Vielleicht gibt es irgendwelche Unterlagen, Tagebücher, irgend etwas, unter den nachgelassenen Papieren des Kapitäns. Ich muß sie sowieso wegen einer anderen Sache aufsuchen.»

«Gewiß, das wird sehr hilfreich sein», Wagner hüstelte. «Da ist noch eine Frage von Bedeutung. Sie betrifft, leider, möchte ich sagen, Euren ...»

«Bocholt!» Claes hatte den Kaufmann in der Tür entdeckt und winkte ihm eifrig zu. «Entschuldigt, Wagner, wir kommen gleich zu Eurer Frage. Aber Bocholt kennt alle Leute und jede Geschichte von Belang. Wir wollen ihn nach unserer Sache fragen. Setz dich doch zu uns, Bocholt. Kennst du Wagner?»

Nein, Bocholt kannte Wagner nicht. Seine in der Tat vielfältigen Bekanntschaften beschränkten sich auf Leute, die sich Silberknöpfe an der Weste leisten konnten. Seiner Miene war deutlich anzusehen, daß er auf geringere Bekanntschaften auch keinen Wert legte, was Claes aber überhaupt nicht störte. Er saß im Kaffeehaus, mit wem er wollte. Sollte sich Bocholt, der sehr stolz darauf war, daß seine Großmutter aus einem adeligen Haushalt im Flämischen stammte, nur ein wenig sorgen, weil man ihn in dieser Gesellschaft sah.

Der Kaufmann hörte sich Augustas Geschichte an, und nachdem er mit genüßlich geschlossenen Augen den Duft seines Kaffees eingesogen hatte, er bevorzugte ihn mit zerstoßenen Nelken und Mandelmilch, begann er bereitwillig nachzudenken. Doch, sagte er schließlich, er habe da eine Erinnerung, aber nur eine sehr schwache. Da sei einmal so etwas gewesen, bald nach seiner Heirat, also müsse es an die dreißig Jahre her sein, und wer erinnere sich schon so lange zurück? An Namen? Nein, ganz gewiß nicht. Er habe sich auch damals nie an Schiffen beteiligt, die auf den gefährlichen Routen fuhren. Heute tue das ja sowieso kein vernünftiger Kaufmann mehr.

«Aber es gibt jemanden, der sich da auskennen muß. Warum fragst du nicht in der Admiralität? Die wissen doch alles, was mit der Seefahrt zu tun hat, und haben auch die Gerichtsbarkeit für diese Belange. Gewiß gibt es alte Akten. Oder geh doch gleich zu Claus Gerckens.»

«Claus Gerckens?» fragte Claes.

«Der Schreiber der Admiralität. Er ist zugleich der Sklavenvater», erinnerte ihn Wagner.

«Natürlich, Gerckens. Eine ganz vorzügliche Idee. Ich danke dir, Bocholt. Wißt Ihr, wo er zu finden ist, Wagner? In der Admiralität?»

Der nickte, aber Bocholt erklärte: «Du mußt bis morgen warten, besser bis übermorgen. Ich habe heute in der Börse gehört, daß er in Glückstadt ist. Es geht da um einen Matrosen aus dem Dänischen, der in unsere Kasse eingezahlt hat.»

«Die Leute verreisen einfach zuviel», sagte Claes, und Bocholt, der selten Scherze machte und deshalb auch keine verstand, nickte ernsthaft.

«Wahr gesprochen, sehr wahr gesprochen. Aber nun muß ich gehen.»

Er klopfte Claes zum Abschied auf die Schulter, ignorierte Wagner, warf Jensen eine Münze zu und machte sich auf den Weg zu seiner Frau und den vorzüglichen Ergebnissen der Kunst seiner Köchin. An diesem Tage würde es besonders delikat sein, denn er erwartete einen Gast. Kosjan wußte eine gute Küche zu würdigen. Heute war er zu jungem Hühnchen mit Sauerampfersoße geladen und zu einem großen Schinken, der schon seit dem Morgen in der Bocholtschen Küche in mit Zimt, Nelken und Pfeffer gewürztem Burgunder geköchelt hatte und nun mit zarten Schalotten ganz delikat braun und krustig gebraten wurde. Auch der schwere Rote, den Bocholt schon im Frühjahr bei Cäsar Godeffroy bestellt hatte, würde ihm Eindruck machen. Godeffroy war eben doch der beste Händler für spanischen Wein.

Wagner, befreit von der beklemmenden Gegenwart des anderen Kaufmanns, wollte nun endlich seine peinliche Frage stellen. Er rührte mit dem Löffel in seiner leeren Kaffeetasse, faßte sich ein Herz und kam direkt zur Sache.

«Euer Sohn ist gesehen worden, Monsieur Herrmanns, verzeiht, aber es ist nun mal so. In der Nacht, in der der Kapitän starb, ritt er Van der Smissens Weg hinauf, und er ritt wie der Teufel. Er muß der gewesen sein, der im Garten einen Streit mit dem Kapitän hatte. Einen bösen Streit. Wißt Ihr davon?»

Er hatte leise gesprochen, niemand außer Claes konnte ihn hören. Der senkte den Kopf und antwortete genauso leise:

«Ja, Wagner, ich weiß davon. Ich hätte es Euch sagen müssen.» Er seufzte schwer. «Aber ich hatte gehofft, wir finden den Täter schnell, das war natürlich sehr unvernünftig. Ja, er war dort, er hatte auch einen Streit mit Stedemühlen. Christian war dumm genug, sich mit der Tochter des Kapitäns im Garten zu treffen, und Stedemühlen hat die beiden erwischt. Aber ich schwöre bei Gott, Christian hat mit der Sache nichts zu tun.»

«Das will ich wohl glauben, aber es kann nicht verschwiegen werden. Das würde den Verdacht nur erhärten, Ihr versteht das gewiß. Er wurde gesehen, und damit ist er verdächtig.»

«Wann wurde er gesehen? Und von wem?»

«Vom Nachtwächter. Um Mitternacht.»

«Struensee sagt, der Kapitän sei erst gegen Morgen gestorben.»

Wagner schwieg und sah ihn traurig an.

«Gut.» Claes nickte ergeben. «Ihr müßt ihn befragen, es läßt sich nicht vermeiden. Ich weiß es. Aber könnt Ihr uns noch einen Tag Frist geben? Christian läuft nicht weg, und es wäre wirklich nur ein Tag. Ich bin ganz sicher, daß wir in der Admiralität und vom Sklavenvater Wichtiges erfahren werden. Ich bitte Euch.»

Wagner errötete. «Bittet mich nicht. Aber ein Tag wird wohl nicht schaden. Ich vertraue auf Euer Wort.»

Wagner wußte, daß er in den nächsten beiden Nächten schlecht schlafen würde. Auch er konnte sich nicht vorstellen, daß Christian Herrmanns die beiden Männer getötet hatte. Andererseits war er schon vielen begegnet, denen niemand eine solche Tat zugetraut hatte, die aber doch schuldig gewesen waren.

Der Uhrzeiger am Turm von St. Petri näherte sich der Sieben, als Rosina endlich das Marburgersche Kontor verlassen konnte. Sie war müde, immer noch klebrig und sehnte sich nach frischer Luft. Vor allem hätte sie gerne die warmen Männerkleider ausgezogen. Sie schimpfte stets über das lästige Korsett und beneidete die Männer um ihre viel bequemere freie Kleidung. Aber im Sommer, so dachte sie, während sie die Dammtorstraße hinauflief und versuchte, ihre Halsbinde zu lockern, möchte ich um nichts in der Welt für länger als ein oder zwei möglichst kühle Tage tauschen.

Sie passierte das Tor, atmete froh den leichten Duft der Wiesen und wanderte schon munterer an der Außenalster entlang. Gerade als sie bei Böckmanns Garten neugierig versuchte, durch ein Loch in der hohen Hecke zu sehen, hörte sie einen Reiter hinter sich. Claes Herrmanns zügelte sein Pferd neben ihr und stieg ab. Er hatte sie gleich an den roten Haaren erkannt.

«Mylau», sagte er lächelnd, «das ist eine Überraschung.»

«Verzeiht, wenn ich Euch in Eurem Garten störe, aber es gibt Neuigkeiten, und ich dachte, die wollt Ihr sicher gleich erfahren.»

«Ganz sicher. Und Anne wird sich freuen, Euch zu sehen.»

Anne freute sich sogar sehr, und sie erlaubte Claes erst, mit Rosina zu reden, nachdem die sich in Annes Kabinett erfrischt und umgekleidet hatte. Ein luftiges Gartenkleid von Anne, aus leichtem, mit grünen Ranken und zarten Heckenrosen bedrucktem Kattun, verwandelte Sven Mylau wieder in Rosina. Es war zu lang, aber es stand ihr wunderbar. Das fand zumindest Christian.

Während Elsbeth Petersiliensuppe servierte und Blohm Platten mit geräucherten Forellenfilets, weißem Käse aus den Marschen, salzigem, mit Kräutern gebackenem Dinkelbrot und eine große Schale mit Erdbeeren und Pfirsichen ins Gartenzimmer brachte, konnte Rosina ihre Neuigkeiten berichten. Anne war mindestens so neugierig wie ihr Mann und ihr Stiefsohn.

Rosina erzählte schnell von ihrem Besuch in der Zuckersiederei und ihrer Überzeugung, daß es mit einigem Geschick wohl möglich sei, eine Zuckerhutform unbemerkt aus dem Haus zu bringen, besonders eine der kleineren, die man ja auch auf der Bastion bei Marburger gefunden habe.

«Die Arbeit in der Siederei», fuhr sie fort, «beginnt schon am Morgen um zwei. Aber einige der Knechte und Jungen kommen stets später, weil sie am Nachmittag die Formen und die Schürzen waschen. Es sind an jedem Tag andere, für einen von ihnen wäre es sicher möglich gewesen, bei Sonnenaufgang auf der Bastion zu sein. Die Meisterknechte würden bemerken, wenn einer viel später kommt, aber es ist dort eng, mehr als dreißig

Männer und Jungen drängen sich an den Siedepfannen und im ganzen Haus bei den verschiedenen Arbeitsgängen. Es ist gewiß leicht, zu behaupten, man sei auf einem der anderen Böden oder im Lager aufgehalten worden.»

Und sicher sei es ganz besonders leicht, fügte Claes hinzu, wenn alle den Nachzügler deckten. Also könne der Mord an Marburger eine gemeinsame Rache gewesen sein, vielleicht sogar ein Komplott mit Oswald. Der sei bei den anderen Knechten sehr beliebt gewesen.

«Und auch wenn Marburgers Tod mit den Unruhen zusammenhängt, die seit Wochen unter den Männern in allen Siedereien gären, wenn alle oder nur einige diesen Mord geplant und einen ausgewählt haben, ihn auszuführen ...»

«Aber wie haben sie ihn um diese Stunde auf die Bastion gelockt?» fragte Rosina, der seine Gedankenspiele viel zu theoretisch waren. Claes, der sich sehr wohl vorstellen konnte, wer und was einen Mann mitten in der Nacht an einen einsamen, idyllischen Ort locken konnte, schwieg.

«Warum überhaupt so umständlich», gab Anne zu bedenken und griff nach der Karaffe, um sich und Rosina Wein nachzuschenken. «Wenn sie ihn wirklich töten wollten, weil er ein so fürchterlicher Patron war, wie man hört, wäre es nicht einfacher gewesen, ein Unglück in der Siederei zu arrangieren? Das ist doch ein gefährlicher Ort. Wäre das möglich, Rosina?»

«Ganz bestimmt. Die Treppen sind steil, alles ist klebrig, und es ist leicht, auszurutschen. Die Siedebottiche sind riesengroß, und die kochende Masse dampft und brodelt beängstigend. Sicher kann man dort eine Möglichkeit finden.»

«Es ist doch auch ganz leicht», phantasierte Anne mit sichtlichem Behagen weiter, «einen Toten aus den Luken in ein Boot abzuseilen und verschwinden zu lassen, in den Fleeten oder gar in der Elbe. Dann findet niemand mehr heraus, wer es getan hat. Oder in einem Zuckerfaß?»

«Nein, Anne, dazu war Marburger wohl zu groß und zu dick.»

Rosina amüsierte sich über Annes Eifer, und das Vergnügen,

das Claes Herrmanns' Frau an diesem unfeinen Thema hatte, nahm ihr die letzte Scheu.

«Dann eben in die Elbe», sagte Anne, nickte und steckte sich ein großes sonnengelbes Pfirsichstück in den Mund. «Die ist doch breit und tief genug für jeden.»

«Ganz bestimmt.»

«Ich glaube», sagte nun Christian, der bisher schweigend zugehört hatte, «daß der, der ihn erschlagen hat, gar nicht wollte, daß der Tote verschwindet. Warum sonst die Farce mit der Tonform? Die kann er doch nur inszeniert haben, weil er unbedingt wollte, daß man Marburger findet und denkt, er sei mit dieser Zuckerhutform erschlagen worden. Mir scheint, da legt einer Spuren und wartet, ob wir klug genug sind, sie zu lesen und zu verstehen.»

Alle schwiegen. Nun waren sie wieder dort, wo sie am Morgen von Marburgers Tod begonnen hatten.

«Das Problem werden wir sicher noch lösen, wenn wir mehr wissen.» Rosina liebte es nicht, zu lange bei scheinbar Unlösbarem zu verweilen, und die eigentliche Neuigkeit hatte sie noch nicht erzählt. «Ich habe nämlich noch etwas viel Interessanteres erfahren. Wir haben doch gedacht, Monsieur Herrmanns, die toten Männer hätten nichts miteinander zu tun gehabt. Aber das schien nur so. Tatsächlich war Marburger mit Billkamp gut bekannt, sogar gut genug für einen lauten Streit.»

Claes war es, als sei das blitzende Wetterleuchten, das gerade am Abendhimmel über die Alster zuckte, durch ihn hindurchgefahren. «Seid Ihr sicher? Und ich habe heute gehört, daß Billkamp Stedemühlen gekannt hat. Vor vielen Jahren zwar, aber wohl recht gut. Doch davon gleich, sagt uns zuerst, was Ihr gehört habt.»

Rosina berichtete, was ihr das Spülmädchen verraten hatte. Danach hatte sie beschlossen, Pagerian gründlich auszufragen. Das war ganz einfach. Sie schrieb schnell die Briefe, die er ihr aufgetragen hatte, und brachte sie in großer Eile zur Post. Als sie ins Kontor zurückkam, kehrte der Schreiber gerade mit roten

Wangen und innigem Lächeln von seinem Besuch bei der betrübten Witwe seines toten Herrn zurück.

Ein langer Besuch, fand Rosina, aber das war nur von Vorteil, denn Pagerian war durch die Huld der Dame in gönnerhafter Stimmung und schnell bereit zu plaudern. Rosina nutzte ihre Chance.

Auf der Poststation habe man erzählt, begann sie, der selige Herr sei ein alter Freund dieses Dichters gewesen, der erst kürzlich einem geheimnisvollen Leiden im Pesthaus erlegen und am Samstag in der Gruft von St. Petri seine letzte Ruhe gefunden habe. Das sei doch recht tragisch – zwei Freunde und innerhalb von wenigen Tagen dahingerafft.

«Nun ja», Pagerian hüstelte zögernd, aber seine Schwatzhaftigkeit und der Stolz, in die privaten Belange seines Herrn eingeweiht gewesen zu sein, siegten über die Verschwiegenheit, die seiner Stellung gebührte. «Der Herr hielt nicht sehr viel von der Dichtkunst, er war ein Mann von echtem Schrot und Korn, wie wir in dieser Stadt sagen, die Füße fest auf heimatlichem Boden und den Prinzipien des Handels. Ja, das war er gewiß. Und Billkamp – Ihr sprecht doch von Billkamp?»

Rosina nickte eifrig.

«Billkamp war da ganz anders.» Er schnalzte mißbilligend mit der Zunge. «Ein Dichter eben, wenig verläßlich und den Kopf immer in den Wolken, wenn Ihr wißt, was ich meine. Aber Ihr habt recht, er war vor einigen Wochen hier. Kurz nach Ostern? Nein, jetzt erinnere ich mich genau. Es war drei Tage vor Ostern, am Tag von Madame Marburgers Geburtstag, sie ist ein echtes Frühlingskind, müßt Ihr wissen, eine zarte Narzisse. Ach ja.»

«Er war also hier und besuchte den Herrn? Oder Madame Marburger?»

«Wo denkt Ihr hin? Sie ist eine Dame. Natürlich den Herrn, in seinem Kontor. Und tatsächlich», er senkte die Stimme, als könne der ihn noch hören und für seine Indiskretion strafen, «gab es nach einer Weile einen mächtigen Disput. Das war erstaunlich, denn zuerst hatten sie sehr nett miteinander geplaudert. Wohl über ein Leiden des Dichters, und der Herr gab Rat. Ja, er war immer hilfreich bei den Leiden Schwächerer.»

«Und worum ging es bei dem Streit?»

«Das weiß ich natürlich nicht, denkt Ihr, ich habe gelauscht? Aber der Dichter rief, er war einfach nicht zu überhören, immer wieder rief er, es müsse ans Licht, er werde es schreiben, mein Herr könne ihn nicht hindern, es werde sie beide vor der Hölle retten und solcherlei Dinge. Von Bekenntnissen vor Gott und den Menschen sprach er noch. Vielleicht sagte er auch Bewandtnisse, es war nicht so genau zu verstehen. Nun, ich sagte ja schon, den Kopf immer in den Wolken. Warum sollte auf meinen Herrn, der doch immer so selbstlos für das Waisenhaus und die Sklavenkasse gespendet hat, die Hölle warten?»

Rosina dachte, was der Tod aus den Menschen doch für Lügner mache. Das einzige, was sie in der Poststation tatsächlich gehört hatte, war, daß alle glaubten, Pagerian müsse heilfroh sein, weil der Sensenmann seinen Herrn geholt habe und er nun endlich nicht mehr schikaniert werde wie ein lahmer Gaul.

«Und das war das einzige Mal, daß der Dichter hier war?» Rosina hoffte inständig, Pagerian werde ihre völlig unangemessene Neugier nicht auffallen, bevor sie genug gefragt hatte.

«Mein Herr war, wie ich schon sagte, stets darauf bedacht, anderen zu helfen. Schon am nächsten Tag schickte er einen Jungen in die Gröninger Straße. Dort wohnte Billkamp, müßt Ihr wissen, in einem ungewöhnlich reichen Haus für einen wie ihn. Nun ja, der Junge, ich habe das nur zufällig gehört, sollte ihn für den nächsten Tag hierher bitten.»

«Und er kam?»

«Pünktlich mit dem Glockenschlag. Es war eine gute Unterredung. Kein lautes Wort, mein Herr war immer für schnelle Versöhnung. Der Dichter ging schon nach ganz kurzer Zeit. Die Herren hatten allerdings noch von der neuen Lieferung Rum von St. Thomas probiert, und als er das Kontor verließ, trug er ein Geschenk meines Herrn in der Hand.»

«Was war es?» Rosina ahnte die Antwort und platzte fast vor Ungeduld.

Pagerian rieb sich die Hände und kicherte verschämt.

«Nun, Ihr seid noch ein wenig jung für diese Dinge, Mylau, aber ich will es Euch erklären. Es war ein gläserner Napf. Ich sah ihn ganz zufällig, als der Herr ihn am Vormittag jenes Tages in seinen Kontorschrank stellte und so vor meinen Augen verbarg. Er wollte seinen Freund, denn er muß wohl doch ein Freund gewesen sein, nicht decouvrieren. Es war eines dieser Mittel, das uns hilft, wenn, nun ja ... wenn die Manneskraft, Ihr versteht, wenn sie ein wenig zu wünschen übrigläßt. Nicht daß mein Herr so etwas je benötigt hätte, aber er wußte von diesen Dingen, weil er eben ein hilfreicher Mensch war und sich immer – nun ja.»

Als Rosina ihren Bericht hier endete, war ihr Kopf mindestens so rot wie Pagerians bei seiner Erklärung der Probleme gewisser männlicher Kräfte.

«Die Hexensalbe», sagte Claes tonlos. «Marburger hat sie ihm gegeben?»

Rosina nickte. «Es kann nur die Hexensalbe gewesen sein. Der gläserne Napf, den ich in seiner Kammer im Pesthof gefunden habe. Ich hatte noch keine Gelegenheit, Euch zu berichten, aber Matti und Lies sind ganz sicher, daß Hexensalbe darin war. Sogar von der wirksamsten Sorte, sagt Matti.»

«Jetzt verstehe ich gar nichts mehr», Claes rieb sich unwillig die Stirn. «Dann haben wir uns geirrt. Die Wirkung der Salbe war gar keine böse Absicht, sondern ganz im Gegenteil eine Hilfe unter Männern ...»

«Aber nein, versteht Ihr denn nicht, was sie *tatsächlich* bewirken sollte?»

«Nun sag es uns, Rosina», rief Anne. «Wir verstehen gar nichts.»

«Also noch einmal von vorn», sagte Claes. «Worum haben sie sich gestritten, und wozu sollte die Hexensalbe dienen?»

«Es ist ganz klar», erklärte Rosina. «Mir fiel es aber auch erst ein, als ich vorhin über den Gänsemarkt ging. Monsieur Ackermann, der Prinzipal des neuen Theaters, trat gerade aus dem Gang zum Opernhof. Theater, versteht Ihr? Monsieur Billkamp sprach in dem Streit von etwas, das er schreiben wollte. Er meinte natürlich das Stück, das er uns versprochen hatte. In seinem Brief an Jean stand doch, es handele von einer wahren Begebenheit, die zwar lange zurückliege, aber dennoch großes Aufsehen erregen werde. In Hamburg und in Altona.»

«Altona», flüsterte Anne aufgeregt. «Der Kapitän lebte in Altona.»

Aber niemand hörte ihr zu.

«In seinem Stück drehte es sich ganz bestimmt um etwas, das mit Marburger zu tun hatte, irgend etwas, das er geheimhalten wollte, vielleicht mußte. Ein Verbrechen, eine Schande, was weiß ich?»

«Aber warum hat er es dann Marburger erzählt?» Claes konnte sich nicht vorstellen, daß einer, der einen Skandal anzetteln will, sein Opfer vorher warnt.

«Ich weiß es nicht, aber ich glaube, ich weiß, warum der ihm die Salbe gegeben hat. Er muß gewußt haben, welche seltsamen Wirkungen sie hat. Und tatsächlich haben alle geglaubt, Billkamps Geist sei verwirrt. Und so einer», schloß sie triumphierend, «kann schreiben und sagen, was er will. Niemand wird ihm glauben.»

Claes griff nach der Karaffe, aber sie war leer.

«Blohm», brüllte er, «bring uns noch Wein. Vielleicht hilft der mir, dieses Wirrwarr zu verstehen», fügte er stöhnend hinzu. «Also: Marburger und Billkamp hatten ein gemeinsames Geheimnis. Offenbar ein ganz übles. Billkamp wollte es mit seinem Theaterstück bekannt machen. Warum? Er hätte es doch einfach allen erzählen können?»

Rosina zuckte mit den Schultern und dachte an ihren Prinzipal. Jean hätte es wahrscheinlich genauso gemacht, nichts ging ihm über einen deftigen dramatischen Auftritt.

«Ein Stück auf dem Theater», sagte sie dann, «macht größeren Skandal. Und vielleicht wollte er auf diese Weise endlich berühmt werden.»

«Eine verrückte Idee.»

«Verrückt, mon ami», rief Anne, die sich überhaupt nicht mehr vorstellen konnte, daß sie sich jemals in Hamburg gelangweilt hatte, «aber perfekt. Alle wären ins Theater gelaufen. Ich auch. Du etwa nicht?»

Claes brummte etwas Unverständliches, dann stützte er seufzend den Kopf in die Hände.

«Das hilft uns aber immer noch nicht bei der Frage, wer Marburger und Stedemühlen getötet hat.»

«Und warum ausgerechnet ich den einen gefunden und mit dem anderen kurz vor seinem Tod lautstark gestritten habe», fügte Christian beklommen hinzu. «Ich kann nur schwer glauben, daß das Zufall war.»

«Merde», sagte Anne.

Damit waren alle einverstanden.

«Christian, versteht mich nicht falsch, ich glaube nicht, daß Ihr mit diesen Toden zu tun habt, aber sicher wird Wagner Euch danach fragen müssen: Wo seid Ihr gewesen, nachdem Ihr den Stedemühlenschen Garten verlassen habt?»

Christian nickte. Natürlich nahm er Rosina diese Frage nicht übel. Sie wollte es wissen, aber sie wollte ihn auch auf die Fragen des Weddemeisters vorbereiten.

«Ich war so zornig», begann er, «ich habe gar nicht über meinen Weg nachgedacht, ich galoppierte mir einfach die Hitze aus dem Leib. Es war ja tiefe Nacht, und die Hamburger Tore waren längst verschlossen, so ritt ich über das Vorland und an der Sternschanze vorbei nach Eppendorf. Ich war viel zu unruhig, um schlafen zu gehen oder auch nur irgendwo herumzusitzen und zu grübeln, also überquerte ich die Alster und ritt auf dem Uferweg immer weiter. Wohl bis irgendwo hinter Wellingsbüttel, genau weiß ich das aber nicht mehr, diese kleinen Weiler erscheinen mir in der Nacht alle gleich. Dort ließ ich mein Pferd verschnaufen, es war schweißnaß, deshalb rieb ich es mit Heu ab, das da auf der Wiese zum Trocknen lag. Dann ließ ich mich einfach ins Gras fallen und starrte in die Sterne. Vielleicht schlief ich sogar für ein paar Minuten ein, ich weiß auch das nicht genau, jedenfalls war es längst hell, als ich hierher zurückkehrte.»

«Wann wird es jetzt hell?» fragte Rosina. «Um fünf? Und hat Euch irgend jemand gesehen?»

Christian schüttelte unglücklich den Kopf. Er begriff, das sein nächtlicher Ritt alles andere als ein Beweis für seine Unschuld war. «Als ich den Leinpfad an der Alster hochritt, war es noch dunkel, wer sollte da ein Boot treideln oder in die Dörfer an der Oberalster unterwegs sein? Zurück folgte ich nicht dem Pfad, sondern ritt über die östlichen Wiesen um Winterhude und dann zurück über die Eppendorfer Furt auf den mittleren Weg. Da überholten sich zwei kleine Fuhrwerke, mehr nicht. Es war ja noch sehr früh. Als ich durch die Furt ritt, kam von Norden zwar ein Alsterkahn, ich weiß nicht, ob der Mann an der Stake mich bemerkt hat, aber angesehen hat er mich sicher nicht. In dem Boot stand eine Kuh, die er wohl zum Schlachthaus bringen wollte, jedenfalls war das Tier sehr unruhig, und er hatte keine Augen für frühe Reiter.»

«Und Ihr wart erst kurz, bevor Euer Vater Euch auf der Terrasse traf, zurück?»

«Vielleicht eine Viertelstunde.»

Blohm brachte den Wein, füllte ungewöhnlich umständlich die Gläser und rieb sich dann verlegen die roten Hände.

«Was ist los, Blohm?» fragte Claes.

«Die Tür war offen», sagte der Alte, «man hört draußen ein bißchen, aber nur Elsbeth und ich, und wir sind – ich wollte nur sagen, der Zuckerbäcker hat immer viel für die Sklavenkasse gegeben. Das hat Mamsellken Rosina doch vorhin auch gesagt. Alle wissen das und denken, er hat gespendet, weil er früher selbst zur See gefahren ist und erst, als sein Vetter von einer Seereise nicht zurückkam, die Siederei geerbt hat. Aber komisch ist das doch. Und Ihr, Herr Claes, habt gesagt, da war mal vor Jahren was mit dem Freikauf. Das wollte ich nur sagen.»

«Blohm, mein Alter», rief Claes plötzlich, sprang auf und drückte dem erschrockenen Diener einen Kuß auf die Stirn, «gelobt seien deine guten Ohren und unsere offene Tür.»

Blohm, der seinem Herrn niemals näher gekommen war als eine Tellerbreite, flüchtete in die Küche, wo er Elsbeth berichtete, der Herr habe heute ausnahmsweise zuviel getrunken, und gewiß verstärke das Wetter die Wirkung des Weins.

Es war nun schon fast dunkel, und Rosinas tapferer Entschluß, eilends nach Altona zurückzukehren, stieß auf heftigen Protest. Man müsse noch so viel besprechen, mahnte Anne, und genau planen, was morgen am dringlichsten und zuerst zu tun sei. Der Weg sei zu weit, sagte Claes, und es sei für niemanden, aber besonders für eine junge Frau nicht mehr die Zeit, allein über das Vorland zu gehen. Auf sein Angebot, Rosina mit dem Zweispänner nach Altona zu bringen, erntete Christian nur einen strengen Blick seines Vaters und schwieg.

Um die Komödianten, die gewiß schon in großer Sorge waren, zu beruhigen, wurde Benni, der Pferdejunge, in die Elbstraße geschickt. Helena, versicherte ihm Rosina, werde einen Schlafplatz für ihn finden, damit er nicht in dieser ungemütlichen Nacht zurückreiten müsse.

Dennoch flüchteten an diesem Abend viele der Kaninchen, Feldmäuse, Hasen und selbst ein einsamer Dachs, die auf dem freien Feld des Hamburger Bergs wohnten, vor dem in rasender Jagd unter dem dunklen, wetterleuchtenden Himmel galoppierenden Boten. Benni hatte bei dem Wettnehmer an der Trostbrücke darauf gesetzt, daß der Komet ein großes Feuer ankündige. Und so allein auf dem ungeschützten Land vor den Wällen war es nicht unwahrscheinlich, daß dieses Feuer zuerst ihn traf.

13. KAPITEL

Die junge Frau, die gerade aus dem Haus trat, war wie ihre Begleiterin ganz in Schwarz gekleidet. Sie blickte den Mann neugierig an und beobachtete, wie er sein Pferd an den Eisenring neben dem Portal band. Sie nickte ihm zu, vielleicht hätte sie ihn sogar begrüßt, wenn ihre Begleiterin, eine ältere, äußerst honorig wirkende Dame, nicht energisch ihren Arm genommen und sie mit strengem Flüstern auf den Weg unter den Bäumen entlang der Palmaille gezogen hätte.

Claes klopfte den Hals des unruhig schnaubenden Pferdes und sah den beiden nach. In den Augen des Mädchens hatte ein Lächeln des Wiedererkennens aufgeleuchtet, und auch sie schien ihm nicht fremd, obwohl er sie nie zuvor gesehen hatte. Das konnte nur Lucia gewesen sein. Offenbar glich er seinem Sohn tatsächlich mehr, als er selbst es sah. Und sie? Sie ähnelte Gunda nur wenig, sie wirkte größer und dunkler, aber sicher war es dieser Zug um den lächelnden Mund, die Haltung des Kopfes, irgend etwas, das ihn doch an Gunda erinnerte.

Wieder führte ihn das Mädchen bereitwillig über die Treppe hinauf in den kleinen Salon, und kurz darauf trat Gunda, nun auf einen Stock gestützt, ein. «Nimm Platz», sagte sie, ohne ihn zu begrüßen, und wie vorher bot sie ihm auch diesmal keine Erfrischung an. Das Mädchen schob ihr das Bänkchen für den verletzten Fuß zurecht und verließ knicksend den Raum.

«Laß uns keine unnütze Konversation machen, Claes. Morgen ist die Beerdigung, und ich habe viel zu tun.»

267

Ihre Kühle verletzte ihn, und seine Hoffnung, sie möge bereitwillig ihre Geheimnisse mit ihm teilen, und womöglich doch noch den Weg für Christians Liebe zu Lucia öffnen, schwand.

«Gewiß», sagte er steif, «ich werde dich nicht länger als notwendig aufhalten. Inzwischen habe ich herausgefunden, daß der kürzlich verstorbene Dichter, du erinnerst dich gewiß, tatsächlich vor langer Zeit mit dem Kapitän bekannt war. Er ist sogar auf einem seiner Schiffe mitgefahren, und es ist ziemlich sicher, daß sie gemeinsam in einen Barbareskenüberfall gerieten. Hat er je davon erzählt?»

Gunda schüttelte den Kopf.

«Nein, daran würde ich mich erinnern. Er erzählte allerdings nie viel von seinen Fahrten, er hatte eine eigentümliche Scheu davor, wohl weil er glaubte, daß das eine Frau langweilen oder erschrecken könnte. Was ist damals geschehen?»

Claes erzählte ihr das wenige, das er wußte, und sie hörte mit wachsender Spannung zu.

«Ich hoffe», schloß er, «daß es irgendwelche Papiere in seiner Hinterlassenschaft gibt, die mir weiterhelfen, in denen steht, wer noch mit auf dem Schiff war, und besonders, wer außer ihm und Billkamp den Barbaresken entkommen ist. Das ist unser einziger Hinweis. Drei Männer sind tot, sie kannten sich, aber obwohl sie so nahe beieinander lebten, pflegten sie diese Bekanntschaft nicht. Das einzige, was zumindest zwei, wahrscheinlich sogar alle drei verband, war eine Schiffsreise vor etwa drei Jahrzehnten, bei der sie einem Barbareskenüberfall entkamen, der später zu Unstimmigkeiten mit der Sklavenkasse führte. Ich glaube, daß die Morde damit zusammenhängen müssen.»

«Sind deine Schlüsse nicht ein wenig verwegen, Claes? Nur weil es vor so vielen Jahren offenbar Schwierigkeiten mit der Auslösung gegeben hat, in die mein Mann vielleicht, wirklich nur vielleicht, verwickelt war, sollte ihn deshalb jemand getötet haben? Und erst jetzt?»

Sie dachte an die anderen Sklaven, an denen der Kapitän reich geworden war. Spielte Claes auch darauf an? Oder hatte er das vergessen? Warum sprach er nicht davon? In ihrem Kopf vermischten sich die Bilder, und es kostete sie große Mühe, weiter ruhig zu erscheinen.

«Wir haben nicht die leiseste Ahnung, warum er nach all diesen Jahren deswegen getötet worden sein soll», fuhr Claes fort, «aber es gibt einige Hinweise, die das nahelegen. Ich will dich damit gerade heute nicht aufhalten, es ist eine sehr verwickelte und immer noch recht rätselhafte Geschichte. Hast du seine Papiere schon durchgesehen?»

«Ja.» Gunda nickte nachdenklich. «Flüchtig, es gibt nur sehr wenige. Und das ist wirklich erstaunlich. Da sind Berechnungen für allerlei Gestirne und Planeten und auch für diesen Kometen, von dem alle sprechen. Einige Verträge auch, aber nur über den Kauf dieses Hauses und ähnliche Angelegenheiten, die alle aus den letzten Jahren stammen.»

«Keine Briefe? Keine alten Aufzeichnungen? Als Kapitän war er doch gewohnt, ein Logbuch zu führen, vielleicht hat er auch private Gedanken und Ereignisse aufgeschrieben. Vielleicht hast du auch noch nicht genug Muße gehabt, um alles . . .»

Wieder schüttelte sie den Kopf.

«Nein, da gibt es einfach nichts. Ich bin auch sicher, daß ich nichts mehr in irgendeinem verborgenen Winkel finde. Das war nicht seine Art, und bevor wir Bristol verließen, hat er sich lange in sein Arbeitszimmer zurückgezogen und dann eine Kiste mit Dokumenten im Garten verbrannt. Unnötiges altes Zeug, sagte er, nur Ballast und zu nichts nütze.»

Claes verkniff sich einen deftigen Fluch. Das waren sie ganz sicher gewesen, die Unterlagen, die er nun so dringend brauchte.

«Dann muß ich auf andere Weise weitersuchen.» Er hoffte, sie werde den Ärger in seiner Stimme nicht bemerken. Nichts wünschte er sich in diesem Moment so sehr, als sie milde zu stimmen. Wie sollte er von ihrer Abreise vor mehr als zwanzig Jahren, die mehr einer Entführung geglichen hatte, beginnen?

«Mehr kann ich dir nicht sagen, Claes.»

Sie wollte, daß er ging, natürlich.

Also begann er hastig einfach mit dem Anfang: «Gunda, ich muß das jetzt fragen. Stimmt es, daß deine Eltern dich damals, als du so überstürzt aus Hamburg abreisen mußtest, mit Laudanum betäubt haben? Weil du dich sonst geweigert hättest abzureisen?»

Ihr Gesicht wurde klein und blaß, ihr ganzer Körper schien zu schrumpfen. Dann lehnte sie sich zurück und schloß erschöpft die Augen.

«Wer hat dir das gesagt», flüsterte sie. «Von wem weißt du das?»

«Von meiner Tante. Aber sorge dich nicht, sie ist klug und verschwiegen. Sie wird es niemals jemand anderem anvertrauen als mir. Es stimmt also?»

Sie nickte schwach und öffnete die Augen, aus ihrem Blick war alle Kälte verschwunden.

«Und nun willst du die ganze Geschichte hören.»

«Wir haben beide mehr als zwanzig Jahre geglaubt, daß wir feige vom anderen verlassen wurden, Gunda. Wir wissen jetzt, daß deine Eltern uns das mit gefälschten Briefen glauben machten. Wenn sie dich trotzdem auf diese Weise zwingen mußten, das Land zu verlassen, müssen sie Gründe gehabt haben. Sag mir, welche, Gunda.»

«Du kannst nicht vergessen haben, was wir taten. Was *ich* tat, denn für einen Mann ist das wohl nicht ungewöhnlich. Ich vergaß in dieser Stunde alles, was ich über Moral, Ehre und Würde gelernt hatte. Ich …»

Was in jener Nacht vor vielen Jahren geschehen war, hatte Claes niemals vergessen, aber es war von Schmerz und Scham zugedeckt so weit in seinen Erinnerungen vergraben gewesen, daß es ihm schon lange unwirklich erschienen war, fast, als wäre es niemals geschehen.

Er nahm erschrocken ihre Hand, und diesmal hielt sie sich an seiner fest.

270

«Es war nicht deine Schuld, Gunda, ich war der Schuldige, ich war es, der alles vergaß, und, mein Gott, wir waren so glücklich. Und so jung. Und wir glaubten doch beide, daß sie uns dann erlauben würden, erlauben mußten, zu heiraten.»

Er hielt ihre Hand und spürte, wie die Wärme in sie zurückkehrte.

«Du hast es ihnen gesagt, deshalb brachten sie dich fort und strickten diese widerwärtige Intrige?»

Sie lächelte matt.

«Ja, ich habe es ihnen gesagt. Aber erst einige Wochen später. Du warst in Amsterdam gewesen, und ich wartete mit meiner Beichte, bis du zurück warst, weil mich deine Nähe stärkte. Ich hatte große Angst davor, in meinem Herzen hatte diese Nacht nichts Schmutziges, nichts Sündiges, doch ich ahnte, *sie* würden nur die Sünde sehen. Aber sie waren meine Eltern, und ich vertraute ihnen, so wie sie mich gelehrt hatten, immer auf Gottes Gnade zu vertrauen. Erspare mir, zu wiederholen, was sie sagten. Es war schrecklich.» Sie schluckte und zwei Tränen rannen über ihre Wangen. «Am nächsten Morgen gaben sie mir deinen Brief und schlossen mich ein. In der übernächsten Nacht brachten sie mich auf das Schiff.»

Und dann erzählte sie ihm die Geschichte ihrer Reise in ihr neues Leben, von der Nacht an der Reling, als Stedemühlen kam und begann, ihr die Sterne zu erklären, daß sie in Lissabon, wo ihre Reise enden sollte, an Land ging, aber nur, um den Kapitän zu heiraten und ihm in sein Haus auf Madeira zu folgen.

«Aber er war dir fremd. Liebtest du ihn? So schnell?»

«Bist du gekränkt?» Endlich entzog sie ihm ihre Hand. «Nein, du bist nur dumm. Damals liebte ich ihn nicht, aber ich achtete ihn und hatte keine Wahl. Später habe ich ihn auch geliebt, für eine Weile, aber in den ersten Jahren war ich nur dankbar, daß er mit mir als seiner Frau lebte, trotz des Makels, den ich trug. Ich hatte es nicht erwartet, aber er hat Lucia sehr geliebt. Seit ihrem ersten Schrei. Mein Erlösungskind, nannte er sie immer. Wohl weil sie ihn aus dem einsamen Leben erlöste, das er bis dahin geführt hatte.»

«Das hattest du doch schon getan. Und warum sollte er sein erstes Kind nicht lieben?»

«Warum? Weil sie nicht sein Kind ist. Begreifst du denn nicht, warum eine Verbindung zwischen Lucia und Christian unmöglich ist? Sie ist nicht Stedemühlens Kind. Lucia ist deine Tochter.»

Als Claes Herrmanns an der Kirche St. Pauli vorbeiritt, schlug die Glocke, aber er zählte nicht, wie es sonst seine Gewohnheit war, die Schläge. Er beachtete auch nicht, daß der Wind plötzlich in kühlen Böen über den Hamburger Berg stolperte, sein Hut davonwehte und der Himmel über Altona schwarz war wie in tiefer Nacht. Blitze zuckten und von ferne rollte der Donner, als nehme er Anlauf für den großen Sprung in die Stadt hinter den Festungsmauern. Die junge Stute spürte die Gewalt des Unwetters und tänzelte nervös, doch erst als sie in einen unruhigen Galopp fiel, kehrte Claes zurück in die Gegenwart.

Lucia war seine Tochter. Und der Kapitän hatte es gewußt. Er hatte dieses Kind als seines anerkannt, hatte dafür gesorgt, daß während des Umzugs nach Bristol die Geburtspapiere verschwanden, und in England neue anfertigen lassen, die das Mädchen um ein Jahr jünger machten, seine Geburt mehr als ein Jahr nach der Hochzeit bezeugten. Tatsächlich war sie nicht, wie sie selbst glaubte, im gleichen Jahr geboren wie Christian, sondern schon ein Jahr zuvor.

Gunda hatte dem Kapitän alles erzählt, bevor sie in diese Ehe einwilligte. Aber er hatte es schon gewußt. Die Tante, die Gunda begleitete, hatte ihm als dem Kapitän des Schiffes erklärt, wer unter seinen Segeln reiste. Alles sei Gottes Vorsehung, versicherte er Gunda später, auch die Sünde. Es sei nur Seinem Willen unterworfen, wer erwählt und wer verworfen werde. Die Aufgabe der Menschen, die in Seinem Geist wandelten, sei es, gefallene Brüder und Schwestern zu stützen und auf Gottes Weg

zurückzuführen. Vielleicht sei es sein Auftrag, sie, Gunda, zurückzuführen. Sie möge das Buch Hiob lesen, es werde sie trösten.

War dieser Mann wirklich so milde gewesen? Einer, der mit
Sklaven handelte?

Was sollte er nun tun? Auch wenn sie beteuerte, Stedemühlen
sei ein guter Gatte gewesen, so hatte er, Claes, doch Gundas
Leben zerstört. Weil er dumm gewesen war, selbstsüchtig und
unbeherrscht. Wie sollte er diese Schuld jemals begleichen?

Und wie sollte er seinem Sohn sagen, er könne seine Liebe
nicht zum Altar führen, weil sie seine Schwester sei?

Der Himmel zerriß, gleißende Blitze jagten durch das violette
Schwarz der Wolkenwand, über dem Land zerbarst dröhnend
der Donner, und Regen fiel wie eine Sintflut vom Himmel, aus
den ersten warmen Schauern wurde eiskalt prasselndes Strömen,
das die Augen blind und die Ohren taub machte. In wilder Panik
jagte die Stute dahin, Claes beugte sich tief über ihren Hals,
spürte das harte Schlagen ihres Herzens, das Pulsieren in ihren
Adern, und die Qual seiner Seele wurde aufgesogen von dem
Wüten des Himmels. Ohne darüber nachzudenken, zwang er die
rasende Stute nicht in den Schutz der nahen Stadt, sondern an
den Mauern und Gräben entlang zu Anne in ihrem friedlichen
Haus unter den Bäumen.

DIENSTAG, DEN 17. JUNIUS,
NACHMITTAGS

Als der vierte Donner grollte, hatte sich Pagerian milde gezeigt
und seinem fleißigen Hilfsschreiber erlaubt, sich schon am
Nachmittag auf den Heimweg nach Altona zu machen. Er möge
sich beeilen, hatte er Mylau munter nachgerufen, auf dem freien
Feld vor den Wällen suche der Blitz nach allem, was sich bewege. Aber so weit kam Rosina gar nicht. Sie bog gerade erst in
die Fuhlentwiete ein, als das Unwetter begann. Sie flüchtete in
den *Bremer Schlüssel*, ihre Jacke war schon völlig durchnäßt.

Ein paar tränende Kerzen erhellten den nachtdunklen Raum nur notdürftig. Einige alte Männer hockten auf einer Bank nahe dem Schanktisch. Jakobsen stand am Fenster, die Stirn in besorgten Falten, und blickte auf die Straße. Der Wirt drehte sich um, er erkannte Rosina nicht sofort, aber dann, beim zweiten Blick, zog sich ein breites Grinsen über sein rundes Gesicht. Sie legte rasch den Finger auf den Mund, und er nickte. Er liebte Rosinas Scharaden, von dieser neuesten hatte ihm Titus unter dem Siegel der Verschwiegenheit schon erzählt, er würde die Komödiantin gewiß nicht verraten. Er führte sie in die Küche hinter der Schenke, drückte ihr ein Leinentuch in die Hand und ging wieder an seinen Schanktisch. Sie trocknete sich notdürftig ab, auf dem Handtuch blieb ein rötlicher Schimmer zurück, und sie hoffte, daß ihre Halsbinde weiß geblieben war.

Die Küche war leer, auf dem nur mehr glosenden Herdfeuer köchelte eine wunderbar duftende Ochsenschwanzsuppe in einem großen Eisentopf. Sie füllte eine Kelle davon in eine Schale, brach ein Stück von dem frischen Roggenbrot, das auf dem Tisch lag, und trug beides in den Schankraum.

Jakobsen war nicht zu sehen, wahrscheinlich rannte er durch sein Haus, um zu prüfen, ob alle Fenster fest verriegelt waren und der Regen an der dünnen Stelle im Dach über Linekens Kammer bereits durchtropfte.

Rosina saß wohl schon eine Stunde in der Schenke, und das Unwetter tobte, als wolle es die ganze Stadt kurz und klein schlagen, als Jakobsen endlich Zeit fand, sich zu ihr zu setzen. Er trug frische Kleider, aber sein Haar war noch naß. Die Schuppentür habe sich losgerissen, erzählte er vergnügt, er habe sie erst vernageln müssen.

«Aber mal ganz ehrlich: Es geht doch wenig über so ein richtiges Unwetter. Was, Mylau?»

Mit seinem üblichen dröhnenden Gelächter schlug er auf Rosinas gepolsterte Schulter, stutzte, lachte noch dröhnender und rieb sich die Hände.

«Irgendwann muß es ja aufhören», sagte er immer noch glucksend, «dann kann der Herr Hilfsschreiber in herrlich frischer, kühler Luft nach Altona laufen.»

Rosina nickte mißmutig. Im Gegensatz zu Jakobsen fand sie das Unwetter nur bedrohlich und äußerst störend. Im Kontor hatte sie heute nichts Neues erfahren können, und sie ertrug es schwer, bis morgen auf den Sklavenvater warten zu müssen. Womöglich verzögerte das Unwetter seine Rückkehr noch. Jakobsen, der sonst alles hörte, was in dieser Stadt geschah, hatte diesmal nicht helfen können.

Einer der Alten auf der Bank langweilte sich. So ein Unwetter machte ihn nicht munter, er hatte schon ganz andere erlebt, damals, in der Biskaya oder im Skagerrak. Und einmal, als er auf dem wurmzerfressenen Engländer angeheuert hatte, da – ach was, uralte Geschichten, die keine lebende Seele mehr interessierten. Mit den Jahren erzählten er und seine Kumpane sich immer dieselben Geschichten, und auch wenn die anderen schon zu dösig waren und es nicht merkten, er wußte ganz genau, daß die Hälfte davon nicht stimmte.

Aber Märchenerzählen war besser als nichts. Hörte nur keiner mehr richtig zu. Nicht mal dem, was er heute wußte. Das hatten sie ihm einfach nicht geglaubt. Er werde wohl bald blind, hatten sie gesagt, die unverständigen Kerle.

Er blinzelte gegen die Kerze und entdeckte den rothaarigen Jungen, der bei Jakobsen hockte und aussah, als ob man ihm noch erzählen könnte, wie es im Leben zugeht. Er schob seine steifen Knochen über die Bank, schlurfte durch den Raum und setzte sich neben Rosina.

«Na, Broder», feixte Jakobsen, «suchst du ein Ohr für deine ollen Geschichten? Dann laß mal hören.» Jakobsen war nicht nur ein guter, sondern auch ein freundlicher Wirt.

Der Alte grinste und fing eifrig an zu erzählen. Rosina war schläfrig und hörte nicht richtig zu. Die Gewitterluft klopfte in ihrem Kopf, und die dicken Polster unter den Männerkleidern bedeuteten die reinste Schwitzkur. Aber dann fiel ein Wort, das sie hellwach werden ließ.

«Was hat er gesagt?» fragte sie den Wirt. «Hat er was vom algerischen Bagno gesagt?»

Der Alte sprach zwar verständlicher als die Zuckersieder, aber vielleicht hatte sie sich doch verhört.

«Genau», sagte der Alte. «Ich hab ihn gesehen, auf der Steinstraße. Fein wie ein Herr, und alle dachten, der ist bei den Barbaresken verfault.»

«Bring noch Branntwein, Jakobsen», flüsterte Rosina dem Wirt zu. Laut sagte sie: «Sicher trinkt Ihr ein Glas mit mir, ich möcht Euch gerne ein bißchen zuhören.»

«Nicht so vornehm, mein Junge, sag einfach Broder.»

«Ist mir eine Ehre, Broder. Sag doch noch einmal, was du eben erzählt hast. Wer ist im Bagno verfault? Und wann?»

«Also», Broder nahm den Branntweinbecher, prostete diesem jungen Mann zu, der noch auf die Lebenserfahrungen der Alten hielt, trank und leckte sich genüßlich die Lippen.

«Unser Jakobsen hat den besten Branntwein», sagte er, «und nu hör zu, Junge.»

Zuerst erzählte er ziemlich umständlich, wie er sein erstes Schiff bekam, und gerade als Rosina überlegte, ob der Branntwein eine gute Idee gewesen war, wurde es spannend.

«Aber das wolltest du ja gar nicht wissen, was? Also der aus dem Bagno. Da war eine Sache, ganz lange her, das muß spät in den Dreißigern gewesen sein, mein Bruder war gerade vor Spitzbergen geblieben, da fuhr mein anderer Bruder, ich hab nämlich sechs davon gehabt, sind aber alle tot, auf einem Schiff, das haben die Barbaresken aufgebracht.»

Nun folgte eine ziemlich blutrünstige Schilderung des Überfalls, und Rosina brauchte ihren ganzen, notorisch kleinen Vorrat an Geduld, um den Alten nicht zu unterbrechen.

«Meinen Bruder ham sie zuletzt auch noch ausgelöst», sagte er schließlich. «Der hat immer ordentlich in die Sklavenkasse gezahlt, da ist das nur recht und billig. Und als er nach vier Jahren wiederkam, hat er erzählt, daß da noch welche übrig sind. Aber das wollte keiner hören. Das waren welche, ham sie gesagt, die sie nicht auslösen durften, weil die feige vor dem Feind waren. Mein Bruder, der ist nu auch schon lange tot, mein Bruder hat gesagt, das stimmt nicht. Er war dabei und hat gesehen, wie die gekämpft haben. Wie Stiere, sagt er, aber keiner hat gehört. Die anderen, die gesehen haben, daß die feige waren, galten eben mehr in der Stadt. Der Kapitän war ja auch dabei, und da kann ein einfacher Matrose viel reden. Hat mein Bruder dann auch nicht mehr gemacht, sonst hätte er wohl nie wieder 'ne Heuer gekriegt. Gegen einen Kapitän aussagen, das ist nicht gut. Stimmt doch, Jakobsen, oder?»

«Aber du hast vorhin noch was anderes gesagt, Broder», drängte Rosina, die sich endlich vorm Ziel sah. «Du hast einen von denen, die damals im Bagno bleiben mußten, in der Stein-straße gesehen? Wann? Und wie heißt er?»

«Genau. In der Steinstraße. Die da», er zeigte mit dem gichti-gen Daumen über seine Schulter zu den dösenden Männern auf der Bank, «die sagen, ich spinne. Im Bagno wird keiner alt, und zurück kommt auch keiner, wenn er nicht ausgelöst wird. Aber ich hab immer noch Augen wie ein Adler. Ich kenn den, weil ich mal mit ihm auf einem Schiff gefahren bin, da war er noch Schiffsjunge. Ich hab ihn gern gehabt, war 'n kleiner kräftiger Kerl, und schlau, der ist sogar zur Schule gegangen und war auf dem Schiff von meinem Bruder wohl schon zweiter Steuermann. Hast du noch einen Schluck, Jakobsen? Das ist fein. Ich hab ihn gleich erkannt, nicht nur weil dem an der linken Hand ein halber Finger fehlt. Den hat er in die Leinen gekriegt, kommt oft vor, wenn die Jungs noch grün sind.»

Er zeigte kichernd auf seine rechte Hand, an deren Mittelfin-ger die obersten beiden Glieder fehlten.

«Wer ist er? Weißt du seinen Namen nicht mehr?»

«Nee. Augen wie 'n Adler, aber Namen? Nää.»

«Macht ja nichts», sagte Rosina. «Aber vielleicht war er in Begleitung? Oder ging er in ein bestimmtes Haus?»

«Nee. Und ja. Er ging in kein Haus, aber er war mit Bocholt unterwegs, den kenn ich auch, weil ich mal 'ne Zeit auf seinem

Speicher im Grimm an der Seilwinde gestanden habe. Hat die Nase immer hoch, der Bocholt, zahlt auch nicht gut. Wo willst du denn so eilig hin, Junge? Ich wollt dir doch noch erzählen, der Oswald, den der Marburger bankrott gemacht hat, der hat auch mit ihm gesprochen, ist ja klar, wo sein Onkel auch auf dem Schiff war und nich wiedergekommen is.»

Es war immer dasselbe, keiner hörte ihm richtig zu.

Rosina war nun klar, wer der Mann auf der Steinstraße gewesen war. Sie mußte sofort zu Claes Herrmanns. Wo mochte er jetzt sein? Ganz sicher hatte er Anne in diesem Unwetter nicht allein gelassen. Aufgeregt zog sie den Wirt beiseite.

«Gib mir dein Pferd, Jakobsen», flüsterte sie, «ich muß sofort nach Harvestehude. Bitte, du bekommst es heil zurück.»

Er nickte und eilte ihr voraus in den Stall hinter der Schenke. Das Gewitter war weitergezogen, und der Regen machte gerade eine Pause, aber es war innerhalb der letzten beiden Stunden kalt wie im April geworden. Jakobsens Pferd schnaubte unwillig, als er den Riemen um den ausladenden Bauch des Tieres festzurrte. Es war gewöhnt, schwere Fuhren zu ziehen, einen Sattel hatte es schon lange nicht mehr gespürt. «Sei vorsichtig, Rosina», rief Jakobsen ihr nach, «die Braune kennt dich nicht, und manchmal ist sie störrisch.»

Aber Rosina war schon aus dem Hof geritten und trabte durch die matschige Fuhlentwiete nach Norden zum Dammtor.

«Und an so einem verrückten Abend», sagte er darum zu sich selbst, «weiß man nie, was einem vor den Wällen begegnet. Und wer – vor allem, wer.»

DIENSTAG, DEN 17. JUNIUS,
ABENDS

Claes Herrmanns hatte Mühe, seine aufgeregte Stute in den Stall zu bugsieren. Es kam ihm wie ein Wunder vor, daß er zwar naß bis auf die Haut, aber ohne von den Blitzen erwischt worden zu

sein und mit heilen Knochen den Hof seines Hauses in Harvestehude erreicht hatte. Der Donner krachte zum letzten Mal, als er
die Tür aufstieß und in die Diele trat. «Anne», rief er. Aber sie
kam nicht, und die unsinnige Angst, er werde sie nie wiedersehen, krallte sich in sein Herz.

Dann stand sie plötzlich in der Diele, und er fühlte ihre Arme,
ihren warmen Körper, hörte ihre zärtlich schimpfende Stimme,
wie könne er nur so verrückt sein, in diesem Wetter herzureiten,
das vertraute Durcheinander von aufgeregten englischen und
französischen Worten, und wußte, alles wurde gut. Sie nahm
sein Gesicht in beide Hände, sah die Tränen, die sich mit dem
Regen vermischten, der von den Haaren herab und über sein
Gesicht lief, und hielt ihn ganz fest. Sie wußte nicht, was geschehen, aber sie wußte, bei wem er gewesen war. Sie hatte Angst vor
dieser Frau, dieser großen Liebe aus einer Zeit, als das Leben
noch alles versprochen und die nicht sie, sondern diese andere
Frau mit ihm geteilt hatte. Aber dann war Elsbeth da, praktisch
und flink, und eine halbe Stunde später saß Claes im Salon, von
Kopf bis Fuß eingehüllt in heiße Wickel, Blohm brachte Glut für
den Kamin aus der Küche, legte trockene Birkenscheite auf und
blies so lange, bis er hustete und das Feuer zu knistern begann.
Elsbeth scheuchte derweil Benni aus der Küche in den Stall,
damit er die Stute trockenrieb und beruhigte.

Gehorsam leerte Claes den Becher mit dampfendem, honigsü-
ßem Salbeitee, den Elsbeth ihm in die Hand gedrückt hatte. Er
sah über den Rand des Bechers Annes Gesicht, fühlte, wie die
Liebe in ihren Augen ihn ruhig werden ließ, und dann erzählte er
ihr alles.

Er sprach lange, diesmal ließ er nichts aus, auch nicht, was ihn
tatsächlich mit Gunda verband, warum er sie so schnell vergessen und Maria geliebt hatte. Er suchte in den tiefen Falten der
Vergangenheit nach jeder Einzelheit, suchte Gründe und Entschuldigungen und fand immer wieder neue Schuld. Anne hörte
still zu, versuchte ihm in diese längst vergangenen Jahre zu folgen, versuchte den jungen Mann, der er einmal gewesen war, zu

verstehen. Sie sah ihn vor sich, aber er blieb ihr fremd. Und je mehr er erzählte, um so ferner wurde er ihr.

Als sie Claes vor fast zwei Jahren auf ihrer Insel kennenlernte, traf sie einen freundlichen, auch klugen, aber doch recht steifen Deutschen, der viele Monate brauchte, bis er begriff, daß sie einander liebten. Sie mußte ihm erst nach Hamburg nachreisen und ihn über seinen eigenen Schatten schubsen, sonst hätte er sich nie getraut, diese Liebe auch zu fühlen. War das der gleiche Mann, dessen Leidenschaft einst alle Grenzen von Sitte und Moral übersprungen hatte? Der die eine nahm und nach einem halben Jahr eine andere liebte? Wie lange würde er sie lieben?

«Anne? Warum sagst du nichts? Kannst du mir nicht verzeihen?»

«Habe ich dir etwas zu verzeihen?»

Er sah sie ratlos an. Er hatte Trost und Absolution erhofft. Aber ihre Stimme klang kühl und fremd.

«Warum hast du mir nach eurem ersten Treffen erzählt, daß ihr einander nur flüchtig kanntet? Warum hast du mir nicht vertraut, sondern mich belogen? Habe ich dir nur das zu verzeihen?»

Sie sah ihn an, aber er verstand ihren Blick nicht zu deuten.

«Oder liebst du sie immer noch?»

«Nein», flüsterte er, «natürlich nicht. Wie könnte ich sie neben dir lieben? Nein, das ist es nicht. Aber ich bin schuldig. Ich habe ihr Leben zerstört, auch wenn ich das nicht wollte, ich wollte, daß sie glücklich ist, mit mir glücklich ist. Wir waren sicher, daß ihre Eltern nachgeben müßten, wenn wir ihnen unsere Sünde beichteten. Aber ich habe sie unglücklich gemacht. Ihr Leben wäre besser gewesen, wenn ich nicht ...»

«Woher willst du all das wissen, Claes? Du hast sie *vielleicht* unglücklich gemacht, aber ganz *gewiß* haben ihre bigotten Eltern das getan. Sie hätten sie lieber ein uneheliches vaterloses Kind zur Welt bringen lassen, als sie dir zur Ehefrau zu geben. Nur weil ihre Religion gegen die Ehe mit Andersgläubigen steht? Du bist kein Muselmane, kein Jude, deine Religion ist der ihren verwandt wie ein Bruder, andere Mennonitenfamilien verbinden sich auch mit Lutherischen. Und was hatten sie mit dem Kind und seiner Mutter vor? Wollten sie es in irgendeiner portugiesischen Familie verschwinden und ihre Tochter als unberührte Jungfrau heimkehren lassen? Neue Ware für den heimischen Brauthandel? Oder sollte sie dort bleiben, ihr Leben als Verbannte fristen? Die Mennoniten sind milde Leute, ihr Gott ist gnädig, und auch die Sünde ist für sie Gottes Wille. Nein, Claes, vielleicht wart ihr, du und Gunda, schwach und dumm, aber ihre Eltern waren die Sünder.»

Zornig schritt sie im Zimmer auf und ab, die Schritte kurz und hart wie ihre Worte. Claes starrte sie an, er wußte, daß sie heftig sein konnte, in ihrem Übermut wie in ihrem Zorn. Aber er hatte sie nie zuvor so aufgebracht gesehen. Und wie zuvor das Unwetter auf dem freien Feld nahm ihr Zorn ihm seine Beklommenheit, ließ ihn wieder frei atmen und klar denken.

Aber Anne hatte noch mehr zu sagen. «Etwas muß ich dir dennoch vorhalten, Claes. Es mangelt dir an Demut. Woher weißt du, ob sie an deiner Seite glücklicher geworden wäre? Woher weißt du, ob eure Liebe nicht im Alltag der Ehe bald schal geworden wäre? Geschieht das nicht oft? Und hat sie nicht gesagt, der Kapitän sei über viele Jahre ein guter Ehemann gewesen und sie habe gelernt, ihn zu lieben? Er ist nun tot, aber Gunda ist nicht nur eine wohlhabende Witwe, hat nicht nur ein schönes Haus und wohlgeratene Kinder. Gunda lebt, Claes. Du hast an ihrer Stelle Maria geheiratet. Und Maria ist tot.»

Ihre letzten Worte waren heiß und leise gewesen, aber er spürte jedes wie einen Messerstich.

Und ich? wollte sie schreien. Wer bin ich gegen diese schönen zerbrechlichen Frauen aus deiner Welt? Wer bin ich gegen diese Lieben aus deiner Vergangenheit?

Doch dann sah sie sein weißes Gesicht, und ihr Schrei erstickte in einem trockenen Schluchzen.

«Verzeih mir, Claes. Das wollte ich nicht sagen. Marias Tod ist dir eine schreckliche Qual, und ich bin ...»

Ein lautes Klopfen unterbrach ihre Worte. Die Tür wurde aufgestoßen, Kosjan schob sich energisch an Blohm vorbei, der vergeblich versuchte, ihn aufzuhalten.

«Ich weiß, daß ich störe», stieß er hervor, immer noch atemlos vom scharfen Ritt, «es tut mir leid, aber mein Anliegen duldet keinen Aufschub. Ich brauche Euch, Herrmanns. Oswalds Frau war gerade bei Bocholt und hat ihm gestanden, daß ihr Mann Marburger erschlagen hat. Und schlimmer noch. Er wußte, daß Mademoiselle Rosina ihm heute auf die Spur gekommen ist und hat sie entführt. Ich weiß, wohin. Euer Pferd wird schon gesattelt. Wenn wir schnell reiten, können wir sie vielleicht retten.»

Blohm, der zugehört hatte, brachte trockene Kleider, und einen Augenblick später eilten die beiden Männer hinaus. Kosjan saß schon im Sattel, da rannte Claes noch einmal zurück ins Haus. Anne stand immer noch wie erstarrt vor dem erlöschenden Kamin. Mit zwei Schritten war er bei ihr und umschlang sie fest.

«Es gibt nichts», flüsterte er, «nichts auf dieser Welt, im Himmel oder in Gottes Universum, das uns jemals trennen kann. Nichts.»

Dann war er verschwunden.

Es hatte aufgehört zu regnen, aber der Himmel war immer noch in Aufruhr. In der Ferne grollte dumpf hallender Donner, letzte Blitze bäumten sich auf, und schwarzblaue Wolkenwände schoben vom Horizont graue Fetzen über die Stadt. Die Finsternis des Himmels verschwamm mit der beginnenden Dunkelheit des Abends, und es war kalt geworden. Nach der wochenlangen Dürre und Hitze hatte das Unwetter die Kälte des Eismeeres herangejagt, wie es im Juni in nördlichen Ländern manchmal geschieht. Aber an einen so mächtigen Temperatursturz konnte Claes sich nicht erinnern. Vor ihm galoppierte Kosjan über den regenschweren Boden, er ritt wie ein weit jüngerer Mann, und als habe er sein Leben lang nichts anderes getan.

Claes hatte so viele Fragen: Wieso war Gerlinde zu Bocholt gegangen? Hatte Oswald auch Stedemühlen getötet? Und was hatte Billkamp mit alledem zu tun? Wohin ritten sie, wohin brachte Oswald Rosina? Er würde sich gedulden müssen. In seiner Seele kämpften heftige Gefühle miteinander. Das Entsetzen über Annes Worte, die unerschütterliche Liebe, die er für sie fühlte, die Sorge um Rosina. Und Christian? Wußte er von Oswalds Schuld? Hatte er für seinen Freund aus Kindertagen gelogen? Waren die Menschen, die er liebte, alle so anders, als er glaubte, so unberechenbar?

Nebel zog auf, wurde immer dicker und nahm die Sicht. Claes schob seine Zweifel beiseite. Er brauchte nun alle Kraft für diesen Ritt, wohin der auch immer führen mochte.

Anne zitterte. Sie sehnte sich danach zu weinen, immer noch steckte der Schrei in ihrer Kehle, das Entsetzen über die Worte, die sie ihm entgegengeschleudert hatte, als er schwach war und ihre Hilfe brauchte. Aber ihre Augen blieben trocken, der Schrei war in ihrem Körper gefangen. Sie spürte wieder seine Arme um ihren Körper, seine warmen Hände um ihr Gesicht, als er flüsterte, daß nichts sie trennen könne, und begriff endlich doch, wie er damals gewesen war. Wie er immer noch war.

«Madame?» Elsbeth stand schüchtern in der Tür und hielt ein Tablett mit dampfendem Wein in ihren Händen. «Trinkt das, es wird Euch stärken und die Ruhe geben, die Ihr nun braucht. Bitte, Madame.»

Anne nickte und nahm mit einem vorsichtigen Lächeln das Glas entgegen.

«Kleine Schlucke», befahl Elsbeth, die schon ein wenig von ihrer vertrauten Resolutheit zurückgewonnen hatte. «Es wird sicher eine ganze Weile dauern, bis er zurück ist», fügte sie hinzu. «Aber er wird Rosina finden, und beide werden, noch bevor der Morgen kommt, gesund und sicher wieder hier sein.»

An der Tür drehte sie sich noch einmal um. «Wenn Ihr mich braucht», sagte sie sanft, «ruft mich. Blohm und ich werden auch auf den Herrn warten.»

Sie schloß leise die Tür, und als sie das befreite Schluchzen ihrer Herrin hörte, nickte sie zufrieden und ging zurück in ihre stille Küche.

Anne trank den Wein, in kleinen Schlucken, wie Elsbeth befohlen hatte, und fühlte die stärkende Wärme in ihrem Körper und in ihrer Seele. Immer noch wetterleuchtete es über dem Garten, und sie wünschte sich, ein Mann zu sein. Wäre sie ein Mann gewesen, hätten sie sie mitgenommen.

Und dann hörte sie ein Geräusch, sie sprang auf, lauschte, schwere Hufe klapperten auf dem Hof. Sie riß die Tür auf, rannte in die Diele und hörte eine helle Stimme.

«Schnell, Elsbeth», rief die Stimme, «ich muß sofort Monsieur Herrmanns sprechen. Ich weiß jetzt, wer die Männer getötet hat.»

Sie erkannte zuerst die Stimme. Dann die Gestalt, die atemlos und mit aufgelöstem Haar von einem dicken schwerfälligen Pferd sprang. Rosina stand vor ihr, und Anne wußte, daß Kosjan gelogen hatte, und im gleichen Moment wußte sie auch, warum.

Als Rosina plötzlich in der Diele des Gartenhauses stand und aufgeregt nach Claes Herrmanns fragte, fürchtete Elsbeth, Madame Herrmanns, die sich doch gerade erst von ihrem bösen Streit erholte, werde gleich in Ohnmacht fallen. Sie stand kreidebleich in der Tür zum Salon und starrte die seltsam verkleidete Rosina an wie einen Wassergeist.

Aber Anne fiel nicht in Ohnmacht. «Schnell», rief sie, «der Wagen. Wir müssen ihnen nach. Wir müssen sie einholen.»

«Das schaffen wir nicht», sagte Blohm, den der Lärm in die Diele gelockt hatte. «Die haben schnelle Pferde. Aber kann sein, ich weiß, wo sie hin sind. Kann auch nicht sein, aber ich glaube doch.»

«Wohin, Blohm?»

«Er hat was vom Fluß gesagt, Madame. Als ich ihn nicht reinlassen wollte. Daß Oswald auf dem Fluß ist. Es gibt da Inseln, tückische Dinger, man weiß nie, wann sie unter Wasser sind und wann nicht. Ich weiß, wo das ist, und vielleicht ...»

«Jetzt ist keine Zeit für vielleicht, Blohm. Ruf Benni und spannt schnell an. Und du, Elsbeth, nimmst den anderen Wagen und fährst in die Stadt. Mach Tee. Und stell Suppe aufs Feuer. Wenn wir zurückkommen, wird er hungrig sein.»

«Mach viel heißes Wasser», rief Blohm noch, als er in den Hof hinauseilte, «und weck Brooks, er soll Feuer im Zimmer vom Herrn machen.»

Kurz darauf saß Rosina auf dem Kutschbock und raste mit Anne und dem alten Blohm aus dem Hof.

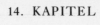

14. KAPITEL

Sie ritten nach Süden auf die Elbe zu, und je näher sie dem breiten Strom kamen, um so dichter wurde der Nebel. Als sie das Ufer erreicht hatten, lenkte Kosjan sein Pferd auf einem schmalen Pfad die Böschung hinunter und trabte am Strand entlang elbabwärts. Es war nun völlig dunkel, der Fluß dampfte, und Claes hielt nah auf, um ihn in diesem unwirklichen Nebel nicht zu verlieren.

All seine Sinne waren hellwach, er hörte das Schmatzen des Wassers im Wurzelwerk der Uferweiden, roch den ranzigen Geruch von den nahen Tranbrennereien, ein Vogel schrie, wohl eine Möwe, aber er konnte die Stimme und Art nicht erkennen.

Kosjan zügelte sein Pferd und sprang aus dem Sattel.

«Steigt ab», rief er leise, «von hier geht es mit dem Boot weiter.»

Er schlang die Zügel um den dicken unteren Ast einer Weide, und Claes tat es ihm nach. Obwohl sein Hemd vom hitzigen Ritt schweißdurchnäßt war, fröstelte er.

«Wieso . . .» hub er an.

«Sprecht leise», zischte Kosjan, «soll er uns jetzt schon hören? Helft mir, das Boot ins Wasser zu schieben.»

Claes zögerte einen Moment, er glaubte entfernte, leise Ruderschläge zu hören, aber er erinnerte sich gut daran, daß Nebel und dunkles Wasser Meister der Täuschung waren. Das Gefühl der Gefahr, das er in seinem Nacken wie eine Warnung spüre, war ja richtig, Oswald *war* ein gefährlicher Mann. Ärgerlich schob er den anderen Grund seiner Furcht beiseite. Es war albern für einen erwachsenen, weitgereisten Kaufmann, sich vor dem heimatlichen Nebel und vor dem glucksenden Fluß zu fürchten. Und es war dumm, auf diese wispernde innere Stimme zu hören, die ihn vor dem Mann warnte, der gerade begann, das Boot über den nassen Sand zu schieben.

«So helft mir doch, wir haben jetzt keine Zeit zum Grübeln.»

«Woher wißt Ihr denn, wo Oswald ist?» flüsterte Claes.

«Erst das Boot. Auf dem Fluß haben wir genug Zeit für Erklärungen.»

Es schien ein gutes, wenn auch kleines Boot zu sein, und weil es auf der Seite gelegen hatte, war es nicht wie die anderen beiden voll Regenwasser.

«Setzt Euch in den Bug», flüsterte Kosjan, «ich rudere zuerst, Ihr könnt mich später ablösen.»

Mit wenigen Schlägen hatte er das Boot in die Strömung gebracht, der Fluß ging noch träge, aber schon bald würden die vielen kleinen Flüsse und Entwässerungskanäle, die das Land stromaufwärts durchzogen, die überreiche Wasserernte des Unwetters in das breite Flußbett tragen. Claes drehte sich um, aber da war nichts als Nebel.

«Wie findet Ihr in diesem Dunst unser Ziel?» wisperte er.

Das Gesicht ihm gegenüber, nur ein blasser Fleck, verzog sich zu einem Lächeln.

«Ich kenne es, und ich finde immer mein Ziel», antwortete der Mann an den Riemen. «Wir müssen zu einer der kleinen Inseln. Die ist mein Ziel. Und wenn Ihr wollt – jetzt ist die richtige Zeit für Eure Fragen.»

Claes sah ihn prüfend an, Kosjan ruderte ruhig, aber er schien nun keine Eile mehr zu haben.

«Kosjan?» begann Claes, aber dann wußte er nicht, welche Frage er zuerst stellen sollte, das seltsame Lächeln des anderen verwirrte ihn.

«Ich frage gerade mich selbst», fuhr er schließlich fort, «warum ich Euch so vorbehaltlos folgte und nun nicht mehr sicher bin, ob ich Euch trauen darf. Ihr schweigt? Dann will ich beginnen zu fragen. Sagt mir, warum kam Gerlinde zu Bocholt und nicht zu mir? Sie wußte, daß ich Marburgers Mörder suche.»

«Eine kluge Frage. Laßt mich überlegen. Vielleicht, weil Ihr fern wart und Bocholt so nah? Es ist nicht weit von dem Hof hinter der Steinstraße bis zum Grimm.»

Claes nickte. Dagegen war nichts einzuwenden.

«Fragt weiter», sagte Kosjan. «Ich bin gespannt, was Ihr wissen wollt.»

«Selbst wenn Gerlinde Euch verraten hat, wohin ihr Mann Rosina bringen will, bleiben zwei Fragen. Zum einen, warum bringt er sie dorthin, warum diese umständliche Entführung in die Mitte des Flusses? Und dann: Ihr seid zwar seit geraumer Zeit in der Stadt und oft Bocholts Gast, aber doch fremd hier. Wieso glaubt Ihr, Oswald finden zu können? Wieso konntet Ihr Euch überhaupt vorstellen, welche der vielen Inseln Gerlinde meinte?»

Kosjan lachte leise.

«Das waren mehr als zwei Fragen, mein neugieriger Freund, mit welcher soll ich beginnen?»

Er zog langsam die Riemen durch das schwarze Wasser und fuhr fort: «Ich wußte, daß Ihr gefährlich klug seid, und glaube, es wird Zeit, Euch endlich ganz aufzuklären. Zunächst: Vergeßt Eure Sorge um die entzückende und gewiß äußerst talentierte Komödiantin. Ich bin sicher, sie schläft tief und friedvoll in ihrem eigenen Bett und träumt vom Glanz ihrer nächsten Premiere. Vielleicht auch von Euch, wer weiß? Auch ist es wahrscheinlich, daß Oswald in seinem Bett liegt, ich hoffe, mit seiner glücklichen Frau. Die beiden ...»

«Wer seid Ihr?!»

«Eure Stimme klingt gar nicht mehr milde. Nun, ich will mich Eurer Ungeduld beugen. Ich kenne die Inseln in diesem Fluß, weil ich auf ihnen als Junge zu Hause war. Ihr seht, ich bin nicht so fremd, wie es scheint. Wollt Ihr die ganze Geschichte hören oder nur den letzten Teil? Ich empfehle Euch die ganze Geschichte, so gewinnt Ihr Zeit. Aber es ist gewiß aufschlußreicher, wenn Ihr mir zuhört, als darüber nachzudenken, wie Ihr Eurem Dilemma entfliehen könntet. Vergeßt nicht, Ihr könnt nicht schwimmen.»

Wieder lachte er, und für einen Moment fühlte Claes Panik. Dann sah er Anne vor sich, seinen Sohn und sein Haus. Aber noch ertrank er nicht. Er würde zuhören und warten, bis seine Chance kam.

Kosjan benutzte die Riemen jetzt nur noch, um das Boot in der Strömung ruhig zu halten und zugleich in die Richtung zu lenken, die er wünschte. «Ich fuhr schon etliche Jahre zur See», begann er, «als ich unter Stedemühlen als zweiter Steuermann anheuerte. Unsere Fahrt ging nach Malaga im Süden des spanischen Königreiches, aber wir erreichten den Hafen nie. Bald hinter Gibraltar sahen wir ihre Segel, sie holten schnell auf. Es waren zwei mächtige Schiffe, das größere eine Bark, wohl in England gebaut und nun unter der Flagge der algerischen Korsaren, die Ihr Barbaresken nennt, auf Kaperfahrt. Sie waren schneller als wir, und gewiß hatten sie auch die besseren Mannschaften. Wir kämpften entschlossen, aber es dauerte nicht lange, dann lagen die meisten von uns in Fesseln auf den Decksplanken.

Ich weiß nicht, wie viele unter den Hieben der Barbaresken ihr Leben ließen, sie wollten ja nicht mehr als nötig töten, sondern uns als Sklaven verkaufen oder gegen Lösegeld zurückschicken. Aber ich weiß, daß einer von uns nicht durch einen algerischen Säbel verblutete. Ein scharfes Messer aus dieser Stadt schnitt ihm die Kehle durch. Und wenn ich auch zuerst glauben wollte, da habe ihn einer im Getümmel, Schreien un Pulverdampf mit einem der Kaperer verwechselt, wußte doch von Anfang an, daß es nicht so war. Ich hatte gesehen, unser Bootsmann seinen Vetter tötete, einen jungen Kaufr der als Passagier in Geschäften mit uns reiste. Ich sah auc ein anderer ihm dabei half. Und daß unser Kapitän, der dem Achterdeck stand und hilflos Befehle schrie, auf niemand mehr hörte, es auch gesehen hatte. Ich blic entsetztes Gesicht, dann trafen meine Augen die des Mannes mit dem blutigen Messer, ich sah seinen Triumph und zugleich das Erschrecken, als er merkte, daß ich wußte, was er getan hatte. Da traf mich von hinten ein Hieb, und ich kam erst wieder zu mir, als ich gefesselt mit vielen anderen unter Deck lag. Die Korsaren hatten unser Schiff übernommen, der Wind war gut, und schon nach wenigen Tagen liefen wir in den Hafen von Algier ein.»

Sand knirschte leise unter dem Kiel, und Claes zuckte zusammen. Wo immer Kosjan hin wollte, sein Ziel war erreicht. Der Nebel war noch dick – auch wenn Claes gerade erst bemerkt hatte, daß er sich nicht mehr wie eine undurchdringliche Wand, sondern schon in Fetzen über das Wasser bewegte, wurde er hier über den Inseln wieder dicht wie Milch. Kosjan zog die Riemen ein und sprang behende aus dem Boot, die klamme Kälte schien ihm, der doch zehn oder mehr Jahre älter sein mußte als Claes, nichts auszumachen.

«Steigt aus», sagte er. «Ihr wolltet doch so gerne mein Ziel wissen. Wir sind da.»

Zum zweiten Mal in dieser Nacht jagten Hufe über die regenschwere Erde von Harvestehude zum Fluß hinunter. Rosina, die gewöhnt war, die gemütlichen Pferde vor den hoch beladenen Komödiantenwagen zu lenken, war froh, daß der schwere Boden half, die feurigen Füchse im Zaum zu halten. Und sie hoffte inständig, in dieser nebeltrüben Finsternis nicht vom Wege abzukommen.

Der Fluß war lang, doch weder Anne noch Rosina wagten, Blohm zu fragen, warum er glaube, daß diese Inseln das richtige Ziel seien. Das geheimnisvolle Wissen des Alten war ihre einzige Hoffnung. Er hätte auch kaum antworten können, er wußte es einfach. Vor vielen Jahren hatte er Claes, der noch ein Kind war und sich weit östlich der Stadt verirrt hatte, aus den Sümpfen gerettet. Seit jener Nacht lebte er nicht mehr in den Marschen, sondern im Haus der Herrmanns', und war Claes nah wie ein

Schatten. Selbst als der nach London in die Lehre ging, hatte Blohm es mit stiller Beharrlichkeit geschafft, ihn dorthin zu begleiten.

Er wies Rosina die Richtung zu Roosens Tranbrennereien am Fuß des Steilufers nicht weit von Altona. Der Weg erschien ihnen endlos, aber dort, so wußte Blohm, lagen immer Boote.

Er hatte recht gehabt. Sie nahmen das kleinste. Es war halb voll Wasser, aber sie fanden bei den Tranbrennereien zwei alte lederne Schöpfeimer, und schließlich waren sie auf dem Fluß. Das Rudern war schwer, und Rosina bemerkte erstaunt, daß auch Anne kräftige Arme hatte und am besten mit dem Ruderboot umzugehen verstand. Sie wußte nicht, daß Anne es seit ihrer Kindheit geliebt hatte, auf die Bucht von St. Aubin hinauszurudern, ohne das erstickende Korsett und mit den weit ausholenden kraftvollen Bewegungen, die einer Dame an Land nicht erlaubt waren.

Sie ruderten stromaufwärts, es war trotz des auflaufenden Wassers harte Arbeit, aber sie wechselten sich ab. Blohm wies die Richtung, auch jetzt fragten sie ihn nichts. Sein Ziel war das einzige, das sie hatten. Der Nebel war dichter geworden. Schließlich stieg die erste Insel vor ihnen aus dem Wasser. Sie war leer, nicht mal ein dürres Gebüsch hatte hier Wurzeln geschlagen.

«Claes!» rief Anne. Bevor sie ein zweites Mal rufen konnte, legte Rosina ihr schnell die Hand auf den Mund.

«Nicht rufen, Anne», flüsterte sie. «Wir müssen leise sein, Kosjan soll nicht wissen, daß wir hier sind.»

Wer weiß, was er dann tut? dachte sie. Aber diese Sorge sprach sie nicht aus. Sie tauchte die Riemen wieder ins Wasser und lenkte das Boot zurück in den Fluß. Es gab noch viele andere Inseln.

Claes kletterte steifbeinig aus dem Boot – das Wasser reichte fast bis an seine Knie –, und versuchte zu erkennen, was ihn erwartete. Die flache Insel, nicht mehr als eine Sandbank mit ein paar

grünen Büscheln und einigen Flecken niedrigen Weidenge-
strüpps, schien kaum größer als die Diele seines Hauses im
Neuen Wandrahm. Aber vielleicht wurde der Rest nur im Nebel
verschluckt.

«Ihr werdet zwar ganz bestimmt *nicht* mit in diesem Boot zu-
rückfahren», hörte er Kosjan hinter sich sagen, «aber da Ihr es
dennoch hofft, werdet Ihr mir gewiß helfen, es weiter auf den
Sand zu schieben, damit es mir nicht heimlich davonschwimmt.»

«Und nun?» fragte Claes atemlos, als das Boot einige Fuß höher auf dem Sand lag. «Was sieht Euer Plan nun vor?»

«Ich würde Euch gerne ein wenig fürstlicher bewirten, so wie
ich es dort, wo ich die letzten Jahrzehnte verbracht habe, gewöhnt bin. Aber leider», er breitete die Arme aus und sah sich
bedauernd um, «ich kann Euch nicht einmal einen Diwan bieten. Setzt Euch. Dort in den Sand.» Er zeigte auf das Weidengebüsch.

Claes sah sich um und dachte fieberhaft nach. Er mußte jetzt
handeln, vielleicht war das die einzige Gelegenheit, er mußte
ihn niederschlagen, in das Boot springen und zurückrudern, irgendwo würde er schon an Land kommen. Aber er wartete zu
lange, er war nicht gewohnt, zuzuschlagen, und bevor er auch
nur einen Entschluß faßte, hörte er wieder Kosjans Stimme.

«Setzt Euch», wiederholte der, und als Claes sich zu ihm um-
drehte, sah er eine alte, mit Silber belegte Pistole in Kosjans
Hand. «Kommt nicht auf leichtfertige Gedanken. Mit einem
Loch in der Brust könnt Ihr erst recht nicht schwimmen.»

Claes blickte verblüfft auf die Waffe. «Ihr wart der Mann, der
mich in dem Gang hinter der Steinstraße gerettet hat?»

Der andere nickte. «Dumm von mir, nicht wahr?»

«Und nun? Wollt Ihr mich jetzt auch töten?»

Wieder lachte Kosjan dieses leise, spöttische Lachen, und
diesmal wurde Claes wütend. Er hatte diesen Mann in sein Haus
geladen, er hatte ihn mit seinen Freunden bewirtet und, schlimmer noch, er hatte ihn gemocht. Er fühlte sich betrogen, und das
Spiel, das Kosjan mit ihm spielte, demütigte ihn zutiefst.

«Ihr seht grimmig aus», hörte er Kosjan weitersprechen. «Einer wie ich, der schon zwei andere Männer getötet hat, schreckt vor einem dritten kaum zurück. So denkt Ihr gewiß, und vielleicht habt Ihr recht. Aber ich möchte Euch nicht töten. Jedenfalls nicht jetzt. Jetzt möchte ich Euch meine Geschichte zu Ende erzählen. Was nützt meine Rache, wenn niemand um ihre Ursache weiß? Wir Menschen sind eigenartige Geschöpfe. Wir nähren Jahre, gar Jahrzehnte die Lust auf Rache, und wenn wir am Ziel sind, bleibt eine trübe Leere zurück.» Er seufzte. «Wirklich enttäuschend. Ich spüre keine Reue, aber auch keine Genugtuung. Jedenfalls nicht genug, längst nicht genug. Bleibt sitzen! Und glaubt nicht, Ihr könntet mich übertölpeln.»

«Dann erzählt mir doch endlich Eure Geschichte. Sagt mir, was Euch das Recht gab, nach dieser langen Zeit zurückzukommen, nur um einen Mord zu sühnen, mit dem Ihr gar nichts zu tun hattet. Drei Menschen sind dafür gestorben. Seid Ihr Gottes Racheengel?»

«Ich habe nur zwei zu verantworten. Eigentlich habt Ihr recht, drei Köpfe standen auf meinem Plan. Aber den einen hatte mir schon Marburger abgenommen. Ich wüßte zu gerne, wie er es geschafft hat, Billkamp auf diese doch recht listenreiche Weise in die Hölle zu befördern. Und zu Eurem wirklich ehrbaren Einwand, nein, ich bin nicht Gottes Racheengel, sondern mein eigener. Macht mir die Freude, hört ein wenig zu. Wo waren wir, als unser Boot auf Sand lief? Ich lag gerade verschnürt wie ein Schinken unter Deck. Ach nein – wir liefen ja schon in Algier ein. Eine wunderbare Stadt, aber das entdeckte ich natürlich erst später. Sehr viel später. Übrigens heiße ich nicht Kosjan, mein christlicher Name ist Carsten Laurentus. Soll ich Euch meine Geschichte nun weitererzählen?»

«Habe ich eine Wahl?»

«Wohl kaum.» Kosjan, oder Laurentus, setzte sich Claes gegenüber in den feuchten Sand. «Wenigstens einer in dieser Stadt muß wissen, was damals wirklich geschah. Aber glaubt nicht, ich könnte darüber vergessen, auf Euch achtzugeben.» Er strich leicht über den Lauf der Pistole. Dann fuhr er fort: «Gleich nach der Ankunft in Algier legten sie uns Ketten an und brachten uns in die Bagnos. Marburger wurde wohl in ein anderes gebracht, jedenfalls bin ich ihm dort niemals begegnet. Ich vergaß den Mord, den ich beobachtet hatte, nicht, aber dachte zuerst auch nicht mehr daran. Mich bewegte nur eine einzige Frage: Wann man mir endlich erlauben würde, den Brief nach Hamburg zu schreiben, der der Sklavenkasse bezeugen würde, daß ich lebte, und die Summe nannte, für die ich freigekauft werden konnte.

Viele der Männer wurden schon in den ersten Tagen auf dem Sklavenmarkt verkauft, andere blieben wie ich im Bagno. Tagsüber arbeiteten wir an den Festungsmauern, am Palast, der in jenen Jahren erweitert wurde, oder in den Steinbrüchen. Dorthin wurde auch ich Tag für Tag gebracht. Ich sah dort Männer, die ich für stärker als mich selbst gehalten hatte, unter der harten Arbeit in der trockenen Hitze zusammenbrechen, die Lungen voller Steinstaub. Wir bekamen nie genug zu trinken, auch nie genug Brot. Es dauerte nicht lange, bis ich mich an der nächtlichen Jagd auf die Ratten beteiligte. Unzählige lebten in den dunklen, übervölkerten Kammern des labyrinthischen Bagnos, sie waren wie die Flöhe und Wanzen durch nichts zu vertreiben. So viele wir auch erschlugen, Nacht für Nacht drängten neue durch die Mauerritzen, angezogen von der Wärme und dem Gestank der gefangenen Männer.

Wir waren mehrere tausend Sklaven, die damals in den Bagnos der Barbarei vegetierten, Christen aus aller Herren Länder. Viele hatten vergessen, wie lange sie schon hier waren, und hegten keine Hoffnung auf Heimkehr, weil es niemanden gab, der das hohe Lösegeld für sie aufbringen konnte. Wir Hamburger Seeleute vertrauten auf die Lösung durch die Sklavenkasse. Und wir vertrauten auf die Menschen in unseren Kirchspielen, deren Spenden die nie ausreichende Kasse auffüllten.

Viele von uns hatten ihre Briefe schon lange geschrieben, als sie es endlich auch mir erlaubten. Ein Wächter brachte Feder, Tinte und Papier, und ich schrieb an meinen Vater, der den Antrag auf Lösung bei der Admiralität stellen mußte. Der Brief gab mir neue Hoffnung, und mehr denn je versuchte ich, meinen Stolz zu bezähmen, um die Wachen, auch wenn sie mich oder einen meiner Freunde demütigten und quälten, nicht zu reizen. Ich wollte das Bagno überleben, wollte gesund zurückkehren, ohne zum Krüppel geschlagen worden zu sein.»

«Viele wären heute froh, wenn Euch das mißlungen wäre!»

Laurentus' Gesicht lag im Dunkel. Claes konnte nicht erkennen, ob der Mann, der ihm mitten im Fluß gegenüber saß und die Pistole auf ihn richtete, ihn auch nur gehört hatte.

«Aber dann verkauften sie mich und vier andere an einen Dei», fuhr Laurentus fort, «einen osmanischen Heerführer, der ein Gebiet regierte, das mehrere Tagesreisen weit südlich der afrikanischen Küste lag. Ich solle mich nicht sorgen, erklärte mir einer von denen, die ihre Sklavenjahre nicht mehr zählten. Wenn das Lösegeld komme, werde es an den Dei weitergeleitet, und ich würde dann von dort aus in die Heimat zurückgeschickt werden. Das komme oft vor. Ich solle froh sein, wenn man mich nicht auf eine Galeere bringe, denn das bedeute tatsächlich das Ende aller Hoffnung.

Ich zwang mich, auf die Worte des Alten zu vertrauen, und mein Trost war, daß mit mir Pieter Graat auf den Weg in den noch heißeren Süden verkauft wurde.

Pieter war ein halbes Jahr nach mir in das Bagno verschleppt worden, er war fast noch ein Kind, und aus gutem Haus. Nur mit größter Beharrlichkeit war es ihm gelungen, seinem Vater die Erlaubnis abzuringen, zur See zu fahren. Er liebte das Meer, aber er war nicht zum Seemann gemacht. Ich war ganz anders, aber ich fühlte eine tiefe Verwandtschaft mit dem Jungen, und ich beschützte ihn, wo ich konnte.

Nachts, wenn wir unter der Hitze der Steine im Gestank der engen Verliese nicht schlafen konnten, erzählte ich ihm von meinem freien Leben auf See, erklärte ihm die Kunst der Navigation und versuchte, ihm durch den Lichtschacht die Sterne zu zeigen. Der Junge aus dem Patrizierhaus in Amsterdam sog meine

Abenteuer und mein Wissen auf, und erzählte mir dafür von den Büchern, die er gelesen hatte.

Das neue Leben nahe dem maurischen Palast, den der Dei mit seinem Gefolge und seiner Familie bewohnte, erschien uns zuerst paradiesisch. Immer noch waren wir Sklaven, immer noch arbeiteten wir von Sonnenaufgang bis Sonnenuntergang, aber es gab nun genug zu essen und zu trinken; die Hütten, in denen wir die Nächte verbrachten, waren luftig und nicht viel schlechter als die Ställe für die Pferde, die der Dei so liebte. Auch die Arbeit in den Steinbrüchen war nun zu Ende. Unser neuer Herr ließ einen großen Garten anlegen, und diese Arbeit erschien uns wie ein Geschenk.

Aber meine frohe Stimmung hielt nicht lange an. Schon mehr als zwei Jahre waren vergangen, seit mein Schiff gekapert worden war, und meine Lösung war überfällig. Dann überstürzten sich die Ereignisse. Neue Sklaven wurden gebracht. Die Gefangenen waren nach dem langen Marsch erschöpft, Pieter und mir wurde befohlen, ihnen Wasser zu bringen. Die Männer tranken gierig und dankbar, auch der letzte, dem ich den Krug an die Lippen hielt. Aber dann sah er auf, seine Augen wurden schmal, und er spuckte das Wasser, das noch in seinem Mund war, in mein Gesicht. Von einem Verräter nehme er nichts, stieß er hervor, und wenn er verdurste.

Ich empörte mich nicht, ich wußte, daß die afrikanische Sonne einen erschöpften Geist leicht verwirrte. Aber dann erkannte ich den Mann, er war ein einfacher Matrose aus der Hamburger Neustadt, mit dem ich vor einigen Jahren auf dem gleichen Schiff gefahren war. Das Rätsel dieser Verachtung löste sich schnell, und ich erfuhr, warum mein Freikauf so lange auf sich warten ließ. In den Akten der Admiralität stand, daß ich, Carsten Laurentus, zweiter Steuermann auf der *Anna Marie*, beim Überfall der Korsaren nicht nur Feigheit gezeigt, sondern den Feinden auch freiwillig das Ruder übergeben hatte, um für mich selbst Schonung zu erkaufen. Die Lösung aus der Sklavenkasse war deshalb abgelehnt worden. In Hamburg wußten alle davon.

Der Kapitän und sein Bootsmann Marburger waren als Zeugen vermerkt. Stedemühlen war als erster freigekauft worden, so entsprach es der Tradition, und er hatte in seinem Brief gebeten, man möge seinen Bootsmann wegen dessen besonderer Verdienste um das Schiff mit ihm vor den anderen auslösen. Das geschah, und, so berichtete der Neustädter noch, der Bootsmann trage schwer am Tod seines Vetters und habe ihm zu Ehren seine Liebe zur Seefahrt geopfert, um als nächster in der Erbfolge seine Pflicht in der Marburgerschen Zuckerbäckerei zu erfüllen.

Endlich begriff ich, warum Marburger seinen Vetter getötet hatte. Er war nie, wie er nun vorgab, mit Leib und Seele zur See gefahren, und er hatte den Mann, der in der Erbfolge als einziger vor ihm stand, immer neidisch gehaßt. Vielleicht hatte der Bootsmann diesen Mord lange geplant, vielleicht sogar bei seinem letzten Landgang in Hamburg mit Billkamp ausgetüftelt. Das weiß ich nicht, er hat es mir nicht mehr verraten. Aber wenn es so gewesen war, schenkte ihm der Überfall der Korsaren die beste Gelegenheit, den Platz an der Spitze seiner Familie und der Raffinerie zu erreichen, und die Käuflichkeit des Kapitäns ließ ihn auch noch als Helden aus seinem Verbrechen hervorgehen. Er war ein gemeiner Mörder, aber nun stand er an der Spitze seiner Familie und der Zuckerbäckerei.

Er mußte die beiden anderen sehr teuer gekauft haben. Billkamp war ein Kaufmannssohn aus Hamburg und wie Marburgers Vetter nur ein reisender Gast auf der *Anna Marie* gewesen. Ich kannte ihn nicht und wußte auch nichts von ihm oder von seinen Beziehungen zu dem Bootsmann. Aber der Kapitän war doch immer ein honoriger Mann gewesen, ein wenig schwach vielleicht. Ohne die harten Gesetze auf See und die natürliche Autorität seines ersten Steuermanns, der in vorderster Reihe durch die Hand eines Korsaren gefallen war, hätte es viel Unruhe auf seinem Schiff gegeben. Was war sein Preis gewesen? Nur Geld? Oder wußte Marburger Geheimnisse, die zumindest dem Kapitän gefährlich werden konnten? Mich, den Zeugen ihrer Untat, wollten sie jedenfalls in den Kerkern verrotten lassen.»

Laurentus schwieg. Er starrte auf die Pistole, als habe er vergessen, wo er sich befand.

Claes räusperte sich. «Aber wenn es wirklich so war, wie Ihr sagt, warum hat keiner der ausgelösten und heimgekehrten Matrosen für Euch gesprochen?»

Laurentus nickte. «Das quälte mich am meisten. Immer wieder habe ich mir diese Frage gestellt. Ich fand nur eine Erklärung: Wahrscheinlich hatte in diesem Kampf gegen die wilde Übermacht der Korsaren niemand beobachtet, was tatsächlich geschehen war. Und wer würde es auch wagen, gegen seinen Kapitän auszusagen? Ich würde es tun. Ich mußte es tun. Nun mehr denn je. Auf die Lösung konnte ich nicht mehr hoffen, so begann ich in der folgenden Nacht meine Flucht zu planen. Ich wußte, es war fast unmöglich, den Besitz des Deis zu verlassen und dann einen sicheren Weg durch dieses unwirtliche Land zu finden. Selbst wenn mir das gelang, wie sollte ich, der keinen Piaster besaß und dem man trotz der verbrannten Haut den Europäer sofort ansah, in einem der afrikanischen Häfen ein Schiff nach Norden finden? Eine Flucht, auch das wußte ich, bedeutete meistens den Tod. Doch nun hatte ich nichts mehr zu verlieren.

So glaubte ich in jener Nacht. Schon am nächsten Abend erfuhr ich, daß das ein Irrtum gewesen war. Einer der Wächter hatte sich schon lange, niemand wußte, warum, ausgerechnet Pieter als Ziel für seine Quälereien ausgesucht, diesen sanften Jungen, der still seine Arbeit tat und sich am Werden des Gartens freute. An diesem Abend, als wir Sklaven gerade zur Nacht in unsere Hütten gebracht werden sollten, sorgte er dafür, daß Pieter in einen der frisch ausgehobenen Wassergräben stolperte. Der Junge versuchte aus dem steinigen Schlamm zu kriechen, er hatte sich verletzt und war von des langen Tages Arbeit erschöpft. Als er das dritte Mal in den Graben zurückgestoßen wurde, sprang ich endlich vor und half ihm. Sofort sausten harte Schläge auf mich und den Jungen nieder. Sicher hätte der Wächter in seinem rasenden Zorn über die Aufsässigkeit eines Ungläubigen zum Säbel gegriffen, wenn er nicht um den hohen Wert der Sklaven gewußt hätte. Schließlich bezähmte er sich und befahl den Abmarsch. Pieter hatte sich über mich, der ihn doch schützen wollte, geworfen und die meisten Schläge abbekommen, er war ohne Bewußtsein, und ich schleppte ihn zurück zu den Hütten. Niemand von den anderen half uns – dem vermeintlichen Verräter und seinem Freund.

Es wurde Nacht. Pieter lag unruhig auf seinen Lumpen, und das Licht des fast vollen Mondes, das durch ein Fenster hereinfiel, leuchtete fahl auf seinem Gesicht. Ich saß bei ihm, hielt seine Hand, wischte den kalten Schweiß von seiner Stirn und betete flehend und zornig um diesen Jungen. Die Wachen gingen vor der Hütte ihre Runden, einer brachte frisches Wasser, den Finger auf die Lippen gelegt, damit mein Dank ihn nicht an den Aufseher verriete.

Kurz bevor der Mond hinter den Dächern des Palastes verschwand, schlug Pieter die Augen auf, sah mich an, drückte matt meine Hand und verzog die weißen Lippen zu einem Lächeln. Ich griff nach der Wasserschale, aber als ich mich ihm wieder zuwandte, atmete er nicht mehr. Mir war, als habe mein eigenes Herz aufgehört zu schlagen, ich rief Pieters Namen, erst leise, flüsternd, dann immer lauter, aber Pieter war tot und hatte mich allein zurückgelassen.

Ich hörte ein Rauschen in meinen Ohren, und ich hörte eine Stimme, die in der erkaltenden Nacht sang, Worte sang und schrie, die sich in einer eigentümlichen Melodie fanden.

Es war meine eigene Stimme, es waren die Worte eines Chorals aus einer alten Passion. Wieder und wieder schrie ich das Lied, ich hörte und spürte nicht das Mahnen der anderen, nicht das böse Schütteln des Wächters, nicht den ersten Schlag, ich hielt den Jungen fest und sang, als könne ich das Entsetzliche damit bannen.

Plötzlich war der Aufruhr um mich vorbei. Die Wächter zogen sich zurück, und die Männer auf ihren Lagern duckten sich. Eine leise Stimme, deren Worte ich nicht verstand, drang in

mein Bewußtsein, noch ein letztes Mal flüsterte ich die Anfangs-
worte des Chorals ‹Wer hat dich so geschlagen›, dann war es
still.»

Auch auf der Insel in der Elbe war es nun still.

«Ihr habt ihn sehr geliebt», sagte Claes nach einer Weile.

«Er war mein Bruder. Oder mein Kind. Ein reiner Mensch,
und es gab niemanden sonst.» Laurentus' Stimme war tonlos.
Als koste es ihn Mühe, aus jener fernen, lange vergangenen Qual
in die Gegenwart zurückzukehren.

Er atmete tief. «Wäre ich nicht zu ihm in den Graben gesprun-
gen, hätte der Wächter vielleicht von ihm abgelassen, und er
würde heute noch leben. Seine Eltern waren sehr reich, sie hätten ihn um jeden Preis gelöst. Doch ist es nicht seltsam? Sein
Tod gab *mir* ein neues Leben.»

«Aber der Wächter schlug Euch.»

«Nur anfangs. Dann bekam er andere Befehle. Die zweite
Frau des Deis hatte meinen Gesang gehört und ihren Diener
nach mir geschickt.»

«Aber was geschah dann? Wieso seid Ihr jetzt hier?»

Laurentus sah ihn an, seine Miene war in der Dunkelheit
kaum zu erkennen. «Von den restlichen achtundzwanzig Jahren
ist rasch berichtet. Die Dame liebte meinen Gesang, aber da ich
das Frauenhaus nicht betreten konnte, wurde ich in den Palast
des Deis gebracht. Es dauerte nicht lange, und er begriff, daß ich
mehr konnte als singen. Und gewiß sang ich nie wieder wie in
dieser Nacht. Ich bin ein guter Organisator, ich weiß mit Zahlen
umzugehen und bin talentiert im Erlernen fremder Sprachen.
Nach wenigen Jahren war ich, Ihr würdet sagen, sein Kämmerer.
Der Dei war ein kluger, gebildeter Mensch, ich sprach gerne mit
ihm und er mit mir. Fragt mich nicht, warum, aber er vertraute
mir schon bald, und obwohl ich nie seinen Glauben annahm,
lebte ich in einem eigenen Haus. Inzwischen habe ich fast hundert Pferde und viele Diener», nun lachte er wieder sein leises
übermütiges Lachen, «ich bin reich. Er gab mir sogar eine Frau
und war nicht beleidigt, als ich nur diese eine annehmen wollte.

Ich bin ein Mörder und liebe meine Frau und meine Kinder. Und meine Pferde. Findet Ihr das befremdlich?»

«Und doch kamt Ihr erst jetzt?»

«Weil ich immer sein Sklave blieb. Meine Flucht hätte meinen Tod bedeutet, gerade weil ich dem Dei lieb und wertvoll geworden war. Seine Ehre und die Sitten des Landes hätten nicht zugelassen, mich nach einer Flucht zu verschonen. Aber als er im letzten Sommer starb, gab mir sein Sohn die Freiheit, wie sein Vater es gewünscht hatte. Ich trauere um so mehr um ihn. Sein Sohn bat mich, trotz meiner Freiheit zu bleiben und ihm zu dienen, wie zuvor dem alten Dei. Er gewährte mir ein Jahr Urlaub, und ich reiste hierher in den Norden. Den Rest meiner Geschichte kennt Ihr. Und nun werde ich dorthin zurückkehren.»

Er griff die Pistole fester und richtete sie wieder auf Claes.

«Versucht jetzt nicht, mich aufzuhalten. Ich will Euch nicht verletzen, aber ich müßte es tun. Wenn Ihr morgen zurück in der Stadt seid, bin ich weit genug fort. Ich hatte gedacht, es würde mich trotz meiner Pläne glücklicher machen, wieder zu Hause zu sein. Ich hatte ja so unendlich lange davon geträumt, mehr als mein halbes Leben. Aber es machte mich vom ersten Tag an traurig. Wohl, weil mein Zuhause schon lange nicht mehr hier, sondern an einem anderen Ende der Welt ist. Dort raubte mir das Heimweh oft den Schlaf, und nun quält es mich wieder.»

«Sagt mir noch: Wer war Kosjan?»

«Ein armer Kerl. Ich traf ihn in Marseille, er starb dort am Wechselfieber, das oft aus den Sümpfen nahe der Stadt herüberzieht. Er wohnte in der gleichen Herberge wie ich, und es ergab sich, daß ich einen Blick in seinen Reisesack werfen konnte. Es wird Eure schlechte Meinung von mir bestätigen, zu hören, daß ich auch zum Dieb wurde. Ich brauchte für meinen heimlichen Besuch in dieser Stadt einen neuen Namen, und so stahl ich seine Papiere. Vor allem das Empfehlungsschreiben von Bocholts Partner in Bordeaux schien mir ein Geschenk des Himmels. Nur Allah weiß, was er damit im fernen Marseille gemacht hatte. Das Schreiben war auf den Namen Kosjan ausgestellt und an den mir ganz unbekannten Kaufmann in Hamburg gerichtet, also nannte ich mich fortan Kosjan. Obwohl mir der Name nie gefiel. Aber er wird mich noch ein wenig begleiten müssen, bis ich wieder guten algerischen Boden unter den Füßen habe. Bocholt übrigens war es auch, der mir erzählte, wie nah Ihr mir auf der Spur wart. Nach dem Studium der Akten in der Admiralität hättet Ihr nicht mehr lange gebraucht, mich zu finden.»

Laurentus stand auf und reckte seine vom Sitzen in der nebeligen Nachtluft nun doch steifen Glieder, ohne Claes aus den Augen zu lassen.

«Und gestern begegnete mir ein Alter, dem ich ansah, daß er mich erkannte. Ich entkam ihm nur knapp, ich glaube, er war der, der mich als Schiffsjunge die ersten richtigen Knoten lehrte. Von meiner Familie lebt schon lange niemand mehr, und da kommt so ein vergessener Alter und erkennt mich. Das war lästig, aber ich muß gestehen, es rührte mich auch. Auch wenn ich nicht erkannt werden wollte, war es bitter, heimzukehren und nur in gleichgültige Gesichter zu sehen.»

Er warf einen kurzen Blick auf das Boot. «Bleibt sitzen, mein Freund. Diesmal brauche ich Eure Hilfe nicht. Das Wasser ist hoch genug aufgelaufen. Und sorgt Euch nicht um Euer Leben, ich habe nicht alles verlernt. Diese Insel behält auch bei hoher Flut eine kleine trockene Kuppe. Die wird für Euch reichen.»

Claes erstarrte. Laurentus würde ihn um keinen Preis wieder in das Boot einsteigen lassen. Aber auch wenn er jedes Zeitgefühl verloren hatte, war er sicher, daß das Wasser noch höher auflaufen würde. Und um nichts in der Welt wollte er in dieser finsteren Nacht auf einer winzigen Insel, die immer mehr zu versinken schien, allein zurückbleiben.

«Warum so umständlich?» rief er schrill. «Warum habt Ihr die Zuckerhutform neben Marburger gelegt?»

Laurentus stemmte sich gegen das Boot und schob es, die Pistole fest auf Claes gerichtet, langsam mit dem Rücken in den Fluß.

«War das nicht eine nette Komödie? Ich hoffe, Ihr seid darauf hereingefallen. Wie auf den Kometenbeschwörer. Hat der auch Euch verwirrt? Nirgends hört man so viele Neuigkeiten wie als schweigsamer Heiliger auf einem großen Markt. Und ich gebe gerne zu, es war mir eine Lust, Verwirrung zu stiften in dieser Stadt, in der Ihr alle so satt und selbstgewiß seid.»

«Ihr habt nicht uns Satte und Selbstgewisse, sondern die Armen und Törichten verwirrt.»

«Ich hoffe, ich habe sie auch ein wenig aufgewiegelt.»

«Niemand wird aufgewiegelt, wenn man ihm vorgaukelt, ein Prophet zu sein», rief Claes, dessen Angst in Wut umgeschlagen war, «wenn man ihn glauben macht, ein Stern sei für sein Los verantwortlich. Das macht die Leute nur dumm und folgsam wie junge Hunde.»

«Seid Ihr ein Rebell, Herrmanns? Ich wußte doch, daß es noch einen anderen Grund als Eure liebliche, kluge Gattin in ihrem schönen Garten und Eure gute Küche gibt, warum ich Euch mag. Vielleicht habt Ihr recht. Wie schade. Nun, die Komödie auf dem Markt hat mich dennoch gut unterhalten. Und obwohl ich mein himmlisches Unwesen in Hamburg trieb, war Stedemühlen im dänischen Altona weit jenseits Eurer Festungsmauern doch zutiefst von meinen Prophezeiungen verstört. Ich glaube, daß er nichts dagegen hatte, zu sterben. Dabei wollte ich ihn nicht unbedingt töten, ich wollte ihn zuerst nur erschrecken und vor aller Welt bloßstellen, aber dann waren da plötzlich mein alter Zorn und diese Treppe. So etwas geschieht eben. Und tatsächlich merke ich nun, daß ich doch eine gewisse Genugtuung über seinen Tod spüre. Wenn auch nicht so sehr wie über Marburgers Ende.» Ein zufriedenes Lächeln glitt über sein Gesicht. «Marburger war ein Schwein, ein Teufel. Ich bin ja nicht einfach in diese Stadt gekommen und habe zugeschlagen. Ich habe zuerst den Leuten zugehört, habe gehört, was diese drei aus ihrem Leben, aus ihrem Reichtum gemacht haben, der mit jenem Mord begann und mit meiner Verleumdung gesichert wurde.»

«Und? Hättet Ihr Marburger verschont, wenn er ein braver, stiller Mensch geworden wäre?»

Laurentus überlegte. «Vielleicht. Aber nein, wohl doch nicht. Marburger nicht. Und Stedemühlen? Wußtet Ihr, daß er das Geld, mit dem ihn Marburger damals bestach, im englischen Sklavenhandel vervielfacht hat? Ist das nicht kurios? Ausgerechnet mit dem Sklavenhandel? Sagt mir, Claes Herrmanns, ehrbarer Kaufmann, liebender Gatte und Vater, was hättet Ihr an meiner Stelle getan?»

Verzeihen, wollte Claes rufen, auf Gottes Gerechtigkeit vertrauen. Aber er schwieg.

«Euer Schweigen ist beredt.» Laurentus stieg in das Boot und stemmte die Riemen ins seichte Ufer. «Höchste Zeit für mich. Der Nebel wird sich gewiß bald lichten. Obwohl es immer noch kalt ist und der Morgen neuen Dunst bringen wird, wie Ihr besser wißt als ich. Ich bin nur noch die heißen Regionen gewöhnt, in denen ist ein solcher Nebel kaum bekannt.»

Er stieß das Boot behutsam ab. «Ich werde Euch nun auf diesem hübschen Eiland zurücklassen. In ein paar Stunden, wenn der Tag beginnt, wird Euch ein Fischer finden. Bis dahin schont Eure Stimme. Wenn Ihr früher um Hilfe ruft, werden die Leute nur die Daunen noch fester über ihre Ohren ziehen, weil sie fürchten, der Fliegende Holländer oder die Hunde der Geisterjäger seien unterwegs. Also geduldet Euch. Das gibt mir die Zeit, die ich brauche, um genug Meilen zwischen meinen Kopf und Eure Wedde zu bringen.»

Die letzten Sätze klangen schon gedämpft durch den Nebel, in dem das Boot mit leise klatschenden Ruderschlägen verschwunden war.

«Lebt wohl», klang die Stimme noch einmal aus der milchigen Finsternis zurück. «Hätten wir uns unter anderen Umständen getroffen, wäre ich gerne Euer Freund geworden.»

Claes stand noch immer auf der gleichen Stelle, aber das Wasser, das vorher noch einige Fuß entfernt gewesen war, leckte nun schon beinahe an seinen Schuhen. Seit Laurentus diese Insel als

Junge erforscht hatte, waren viele Jahre vergangen, er hatte vergessen, daß der Lauf der mäandernden Flußarme immer in Bewegung war. Und daß nach einem Unwetter wie am vergangenen Tag die Fluten aus den Marschen kamen und das Wasser schnell und heftig steigen ließen. Claes wußte, daß diese kleinsten Inseln in den letzten Jahren nach solchen Regenstürmen stets überflutet gewesen waren.

Die Panik krallte sich in seinen Rücken, er stand starr, lauschte in die unerträgliche Stille und schrie Kosjans Namen. Die Angst vor dem Wasser hatte ihn vergessen lassen, daß Kosjans Name Laurentus war.

15. KAPITEL

Der Nebel wurde lichter, aber immer noch verschluckte er alle Geräusche. Nicht einmal das Glucksen des Flusses war zu hören, weil es kein Ufer, kein Wurzelwerk mehr gab, an dem sich seine Fluten brechen konnten. Die Insel, auf der Laurentus Claes Herrmanns zurückgelassen hatte, war verschwunden. Die Flut reichte ihm nun schon fast bis zur Taille, und nur weil dieser sandige Hügel im Fluß abseits der tieferen und schnelleren Strömung lag, gelang es ihm, die Füße im Gesträuch und auf dem letzten festen Grund zu behalten. Aber seine Beine waren schon taub, seine Kräfte erlahmt, er wußte, er würde dem Druck des Wassers nicht mehr lange standhalten können. Gab das Wurzelwerk unter seinen Füßen nicht schon nach? Es würde bald ausgespült sein und davontreiben.

Alte Geschichten von Nixen und Wassergeistern fielen ihm ein. Er konnte sich nun vorstellen, warum sie in den Köpfen der Küstenmenschen so lebendig waren. Auch er hatte in der letzten Stunde – oder waren es nur Minuten? – Schemen vorbeihuschen sehen, hatte die tödliche Versuchung gespürt, ihnen nachzugeben, dem Wasser und den Irrbildern zu folgen, sich treiben zu lassen und in der Umarmung des Flusses zu versinken. Zuerst hatte er um Hilfe gerufen, aber niemand hörte ihn, die Häfen lagen verschlossen und die Menschen in tiefem Schlaf.

Mußten die Fischer nicht längst hinausfahren? Noch einmal versuchte er einen Ruf, seine Stimme krächzte, und die Gleichgültigkeit, die ihn nach einer Welle von Angst und Zorn gefangenhielt, ließ ihn wieder verstummen. Das Wasser stieg immer noch, langsamer jetzt, aber es stieg. Für einen Moment riß der Nebel auf, ein wenig nur, und wieder glaubte er einen Schemen zu sehen, dann schloß die Wand sich wieder. Er beachtete das Irrbild so wenig wie die Geräusche, die täuschend echt wie Ruderschläge aus einer anderen Welt herüberklangen. Er war froh, daß er vor dem hastigen Aufbruch noch einmal zu Anne ins Haus gelaufen war. So würde sie nicht mit dem quälenden Gedanken an ihre harten und doch so wahren Worte zurückbleiben, sondern mit der Erinnerung an seine Umarmung und die Versicherung seiner unabänderlichen Liebe.

Er hörte sie rufen. «Claes», rief sie, «Claes, wo bist du?»

Er lächelte. Sie klang so besorgt.

«Claes», klang es wieder durch die Dunkelheit, und da merkte er, daß es kein Trug war, Sie rief ihn. Sie rief ihn hier, mitten im Wasser.

«Anne», schrie er krächzend, «ich bin hier! Anne.»

Er hörte eilige Ruderschläge. Kamen sie näher? Entfernten sie sich? Er konnte es nicht unterscheiden.

«Dorthin», rief eine andere Stimme, «es war mehr dort drüben.»

Die Ruderschläge kamen näher, sie kamen tatsächlich näher, und dann sah er sie. «Anne», flüsterte er.

Aber sie hatte ihn schon entdeckt.

Sie hockte im Bug eines kleinen Bootes, das nun vor ihm aus dem Dunst auftauchte, und ihre Arme streckten sich ihm entgegen.

«Claes», schluchzte sie auf, «wir haben dich gefunden. Mein Gott, ich danke dir. Er ist da, er lebt.»

Dann war das Boot neben ihm, und eine andere Gestalt, er glaubte Rosina zu erkennen, schob die aufgeregte Anne zur Seite. «Könnt Ihr ins Boot klettern?»

Es war Rosina, auch wenn sie immer noch aussah wie Mylau, was ihn in diesem Moment auf ganz absurde Weise amüsierte.

«Könnt Ihr?»

Er nickte. «Sicher», flüsterte er und umklammerte das rauhe Holz. Aber seine Beine waren steif und fühllos, sie gehorchten ihm nicht. Das Boot schwankte gefährlich.

«Wartet», schrie Rosina. «Anne, Blohm, lehnt euch auf der anderen Seite über den Rand, aber nicht zu weit. Haltet das Boot in der Balance. So paßt doch auf!»

Wieder neigte sich das Boot tief zur Seite und trieb einige Fuß weit ab. Dann kam es zurück, er umklammerte wieder den Rand, und mit einer letzten Kraft, die er sich nicht mehr zugetraut hatte, stieß er sich aus dem Weidengebüsch ab und rutschte mit der Hilfe von Rosinas kräftigen Armen ins Boot.

MITTWOCH, DEN 18. JUNIUS,
MORGENS

Als die Sonne aufging, herrschte im Herrmannsschen Haus am Neuen Wandrahm schon Betrieb wie auf einem Jahrmarkt. In Elsbeths Küche dampfte und brutzelte es, die Mädchen liefen die Treppen hinauf und hinunter, schleppten heißes Wasser und Tücher, balancierten große Platten mit Eiern auf köstlich duftendem gebratenem Speck, mit Schinken und weißem Käse, Weizenbrot und kalter Pastete, Konfitüren, Sahneerdbeeren und den ersten Kirschen. Sie trugen Kannen mit heißem Tee und frischer Milch, und daß keine die Treppe hinunterstolperte, war das reinste Wunder. Brooks brachte Berge von Buchenscheiten, um das Feuer, das er im Zimmer des Herrn im Kamin entfacht hatte, tüchtig zu füttern. Nur Blohm war nicht zu bewegen, von der Seite seines Herrn zu weichen.

Claes lag eingewickelt in heiße feuchte Tücher in seinem Bett, halb vergraben unter Bergen von Daunendecken, die Anne aus dem ganzen Haus herbeigeschleppt hatte. Er war benommen, aber er wollte nicht wieder im Dunkel versinken und kämpfte gegen den Schlaf. Unter den wärmenden Decken hielt er Annes Hand umklammert, als sei sie seine einzige Verbindung zum Leben.

Immer wenn er doch die Augen schloß, glaubte er wieder in dem schwarzen Fluß zu versinken. Aber dann fühlte er Annes Hand, und schließlich gelang es ihm, in den Bildern der Finsternis über dem Wasser die Bilder seiner Rettung zu sehen.

Als er endlich in dem schwankenden Boot gelegen hatte, hatte Rosina die Riemen übernommen, und Anne und Blohm begannen eilig, ihm die nassen Kleider auszuziehen. Er wehrte sich, es sei alles in Ordnung, er friere nur ein bißchen.

Unsinn, brummte Blohm, die Sachen müßten runter, sonst hole ihn der Tod doch noch. Blohm hatte sein halbes Leben auf einem Hof in den Marschen gedient, er kannte die Überfälle der Hochfluten und wußte mit Leuten, die zu lange im Wasser gewesen waren, umzugehen. Sie rieben Claes' Beine, bis er wieder Leben in ihnen spürte, und wickelten ihn in alle Kleider, die sie selbst entbehren konnten. Die vielen Tücher, die die schlanke Rosina zum fülligen Mylau aufgepolstert hatten, leisteten nun noch einmal gute Dienste. Dann half Blohm Rosina an den Riemen, und es gelang ihnen, nahe dem wartenden Zweispänner wieder ans Ufer zu kommen.

Kurz vor Sonnenaufgang erreichten sie das Millerntor, und die verblüfften Wachen, die gerade erst Ketten und Balken lösten, gaben dem Wagen mit der seltsamen Fracht sofort den Weg frei.

Rosina lenkte die Füchse vom Tor über den Kuberg und das Johannisbollwerk hinunter auf die Straßen, die am Hafen entlang führten. Der Weg durch die innere Stadt war vielleicht kürzer, sie wußte es nicht so genau, aber diese Straßen waren breiter und erlaubten eine eiligere Fahrt, auch wenn im beginnenden Tag schon die ersten Wagen unterwegs waren.

Bei den Mühren, kurz bevor sie auf die Jungfernbrücke und hinüber auf die Wandrahminsel rollten, überholten sie drei Männer, einen Jungen und ein Pferd. Die grasgrüne Joppe und der strohgelbe Haarschopf des dicksten unter ihnen konnten nur Titus gehören.

Titus und Sebastian, dem wie immer Muto wenige Schritte vorauslief, hatten sich bei Morgengrauen auf den Weg nach

Hamburg gemacht. Rosina war nicht nach Hause gekommen, und auch wenn sie glaubten, daß sie wegen des Unwetters dortgeblieben und irgendwo Unterschlupf gefunden hatte, sorgten sie sich. Helena und Jean gingen nach Harvestehude, denn Helena dachte, Rosina sei gewiß bei Anne im Gartenhaus. Die anderen wollten zuerst bei Jakobsen im *Bremer Schlüssel* fragen, aber am Millerntor hörten sie die Wachen darüber reden, daß Herrmanns im Sterben liege und daß seine Köchin, zornig wie eine Furie, in der letzten Nacht durchs Tor in die Stadt gefahren sei.

Sie hasteten weiter und trafen als ersten Struensee, der die Nacht im Schimmelmannschen Palais verbracht hatte, weil die Gräfin gewiß war, daß ihr kleiner Friedrich, der jüngste Sohn, die Masern hatte. Es waren nur Hitzeflecken gewesen, aber Struensee hatte zur Seelenruhe der Mutter die Nacht am Bett des Kindes gewacht.

Als er die beunruhigenden Nachrichten aus dem Hause Herrmanns hörte, schloß er sich den Komödianten an und war gleich zur Stelle, als der vor Kälte immer noch zitternde Claes mühsam aus der Kutsche stieg.

Im Neuen Wandrahm wurden sie schon erwartet. Elsbeth hatte Benni gleich den zweiten Wagen anspannen lassen und sich mit dem Jungen auf den Weg durch die dunkle Nebelnacht gemacht. Am Dammtor hatte es sie viel Zorn und Geschrei gekostet, bis die verschlafenen Wachen bereit gewesen waren, das Tor noch einmal zu öffnen. Schließlich hatten sie gegen ein hohes Torgeld auch den Wagen passieren lassen.

Dann stand Elsbeth in ihrer Küche, schürte das Feuer und wurde ganz ruhig. Die drei würden es schaffen, hatte sie sich immer wieder versichert, sie würden ihn finden und heil zurückbringen. Sie hatte sich keinen Zweifel erlaubt und mit den verschlafenen Küchenmädchen gearbeitet, als gelte es, ein Fest vorzubereiten.

Claes wurde nun versorgt wie ein neugeborenes Kind, niemand achtete auf seine schwachen Proteste. Nachdem er schließlich an Annes sicherer Hand doch in den Schlaf der Erschöpfung hinübergeglitten war, wurde im Salon ein fürstliches Frühstück serviert. Immer wieder mußte Rosina von der nächtlichen Suche erzählen, und je mehr sie erzählte, um so mehr wurde das Abenteuer auf dem Fluß zur Posse, um so mehr vertrieb Gelächter die Angst und das Entsetzen der letzten Stunden. Nur Christian fiel das Lachen ziemlich schwer. Er glaubte nicht, daß er sich jemals verzeihen könne, diese Nacht verschlafen zu haben. Und ebensowenig würde er Elsbeth verzeihen, daß sie ihn erst geweckt hatte, als Claes sicher zurückgekehrt war.

Gerade als Muto sich das letzte Würstchen von einer der Platten angelte, trafen Helena und Jean ein, und in der Küche begann das Brutzeln und Köcheln von neuem.

Auch Wagner war da, Rosina hatte gleich nach ihrer Ankunft im Neuen Wandrahm nach ihm geschickt und das wenige, das sie schon wußte, berichtet. Monsieur Herrmanns lag zu Bett und war noch nicht in der Lage, ihm mehr zu erzählen. Aber für ihn gab es nun sowieso nichts mehr zu tun als zuzuhören. Der Mann, der den Kapitän und den Zuckerbäcker getötet hatte, war ans südliche Ufer der Elbe gerudert und von dort auf Nimmerwiedersehen verschwunden, dessen war Wagner gewiß. Sein Pferd und auch die Herrmannssche Stute hatte einer der Weddeknechte gerade dort gefunden, wo die beiden Männer die Tiere in der Nacht angebunden hatten. Also mußte er einen anderen Fluchtweg vorbereitet haben, und da er ja schon in der Mitte der Elbe gewesen war, schien es nur vernünftig, nicht nach Hamburg zurück-, sondern weiter ans südliche Ufer zu rudern. Wagner hatte bereits einen Boten mit Nachricht über den Flüchtigen über die Elbe ins Hannoversche geschickt. Aber selbst wenn man sich dort entschloß, ihn zu verfolgen, war sein Vorsprung viel zu groß, als daß ihn noch jemand fangen könnte.

Aber vielleicht, hoffte Wagner still, bricht er sich ja unterwegs den Hals.

So saß er mit den anderen am Tisch, freute sich über das unerwartete gute Frühstück und betrachtete Rosina.

Leider saß sie nicht bei ihm, sondern neben Sebastian. Sie trug wieder eines von Annes Kleidern und wärmte sich in einem ihrer großen weichen Tücher. Wenn sie zuerst auch gedacht hatte, sie sei so wach, daß sie nie wieder schlafen könne, dauerte es nicht lange, bis die fröhlichen Stimmen um sie herum ihr nur noch wie ein fernes Murmeln erschienen. Sie lächelte dem Weddemeister noch einmal schläfrig zu und stahl sich, behaglich und sicher an Sebastians Schulter gelehnt, in den Schlaf davon.

Auch Titus hörte nicht mehr, was im Salon geschwatzt wurde. Der hatte Rosina, kaum, daß er sie in der dämmerigen Diele entdeckte, an seine breite grasgrüne Brust gedrückt, etwas von ‹Mach so was nie wieder, Mädchen› gemurmelt und sich ganz unauffällig zu Elsbeth in die Küche geschlichen. Aber das ist eine andere Geschichte.

Doktor Struensee und Gret, das Pferd, das er wie alle anderen
Paladin nannte, hatten sich aneinander gewöhnt. Zwar zog der
große Apfelschimmel immer noch ab und zu die gelben Zähne
über die Oberlippe, aber wenn er scheinbar unwillig seine
Mähne schüttelte, war das nur ein Zeichen von Übermut. Der
Mann auf seinem breiten Rücken hatte ihn heute morgen aus
dem dunklen Mietstall an der Finckentwiete geholt; sein eigenes Pferd, ein sensibler Fuchs, leistete sich wieder einmal eine
völlig überflüssige Malaise, und nun ging es hinaus aus der Stadt
und über guten festen Boden hinauf nach Elmshorn.

Struensee war nicht nur Stadtphysikus in Altona, sondern
gleichzeitig Landphysikus der benachbarten Grafschaft Rant-
zau. Dort lag vieles im argen, aber die Zustände in den Apotheken entrüsteten ihn am meisten. Gegen die Kurpfuscherei,
gegen sogenannte Geheimmittel, Wundertränke und Zauber-
salben, die fast alle Kot und Urin von verschiedenstem Getier
enthielten, in Apotheken teuer verkauft wurden und niemanden
gesund machten, zog er immer wieder verbissen zu Felde. Die
Quacksalberei nahm überhand, und wenn der Physikus nicht ab
und zu eine unerwartete Kontrolle durchführte und dafür sorgte,
daß verstaubte Krüge und Büchsen voller ungewisser Ingredien-
zen in stinkenden Fetten aus den Regalen verschwanden, würde
den Leuten weiter getrocknetes Katzenhirn gegen Schwindelge-
fühle und mit Branntwein vermischter Schaf- und Gänsekot gegen die Blattern aufgeschwatzt werden. Oder das gefährliche Ar-

315

senik gegen das Wechselfieber, während die heilsame China-
rinde gemieden wurde wie Teufelswerk. Die Leute nahmen die
ekelhaften Mittel ein, und wenn sie sich darauf nur heftig erbra-
chen, war ihnen schon die heilsame Wirkung bewiesen. Es war
ein Kampf gegen Windmühlenflügel.

Aber die Apotheken im Rantzauischen waren noch weit, jetzt
wollte Struensee nur den Ritt durch den frischen sonnigen Morgen genießen. Der Himmel strahlte in tiefem Blau, dicke weiße
Schönwetterwolken schoben sich hoch über das satte grüne
Land, und der Weiße Steinklee am Rande des Weges duftete
süß.

Er ritt in leichtem Trab, beugte sich vor und klopfte den kräftigen, etwas gedrungenen Hals des Pferdes.

«Ist das nicht herrlich, Paladin?» rief er und blickte glücklich
über die weite Ebene. Der Sommerwind trieb sanfte Wellen
durch die zartblauen Blütenseen der Flachsfelder, auch der Rog-
gen stand schon hoch, und die Luft prickelte vom herben Geruch des Heus, das die Bauern auf den Wiesen wendeten.

Er dachte an das Fest im Herrmannsschen Garten vor drei Wochen. Claes Herrmanns hatte sein nasses Abenteuer mit einem
leichten Fieber, das allerdings nur zwei Tage anhielt, überstanden. Zu Johanni luden er und Anne in den Harvestehuder Garten. Wer in der Stadt auf sich hielt, war der Einladung gefolgt
und drängte sich zwischen den Bäumen an der Alster. Selbst der
alte Telemann war da und wich Herrmanns' Tante Augusta, die
zu aller Freude endlich aus Pyrmont heimgekehrt war, nicht von
der Seite. Er hatte seine Stadtmusiker mitgebracht, und die bewiesen, wie gut sie sich auch auf die allerweltlichsten Melodien
verstanden.

Die Komödianten erfreuten die Gäste mit einem hübschen
Singspiel, das nicht zu lang ausfiel, obwohl darin auch sehr schön
getanzt wurde. Alle klatschten großen Beifall, allerdings waren
viele später der Meinung, daß Claes Herrmanns doch ein wenig
zu weit ging, als er die Fahrenden nach der Aufführung nicht in
die Küche oder gleich zurück zu ihren Wagen schickte, sondern

zu den anderen Gästen führte und sie auch als solche behandelte. Daß er selbst einen Weddemeister eingeladen hatte, bereitete nicht weniger Unbehagen. Madame Bocholt jedoch, das hatte Struensee genau gesehen, als er und Gerson sich von Elsbeth ihren neuen Kräutergarten zeigen ließen, hatte sich erstaunlich schnell mit der Anwesenheit dieser seltsamen Menschen arrangiert. Sie saß auf einer Bank hinter der Ligusterhecke und ließ sich von Prinzipal Jean, der in ganz besonders prächtigen Samt gekleidet war, hingebungsvoll die Vorzüge des Hexameters erläutern. Aus irgendeinem Struensee nicht erkennbaren Grund mußte er dazu ihre beiden Hände halten, was sie aber ganz offensichtlich ebenso entzückte wie Jeans Vortrag.

Rosina hatte zu ihrem Ärger nicht verhindern können, daß ihre Rolle als Mylau und ihre Verdienste bei der Mörderjagd und der Rettung Claes Herrmanns' bekannt wurden. Sie war nun eine Berühmtheit in der Stadt und würde in diesen Mauern wohl nie wieder als junger Mann herumlaufen können, ohne daß man sie erkannte, welche Haarfarbe sie auch wählen würde. Aber die Theaterbude in Altona war, egal, welches Stück gegeben wurde, seither bei jeder Aufführung ausverkauft. Muto trat nun auch auf, Helena hatte entdeckt, daß das Spiel auf der Bühne ihn über alles freute, und seither fügte Rosina kleine Szenen für ein stummes Kind in die Stücke ein – als Engel oder Kobold –, die beim Publikum sehr beliebt waren. Struensee hatte Muto gründlich untersucht und festgestellt, daß sein Körper gesund war. Der Grund, warum er nicht sprechen konnte, mußte an einem Leiden seiner Seele liegen. Struensee hatte von solchen Fällen gehört. Auch, daß die Stimme eines Tages plötzlich zurückkehren konnte.

Den Höhepunkt des Abends, das war das einzige, worin sich alle einig waren, bestritt jedoch Rudolf, der stillste unter den Komödianten. Das Feuerwerk, das er mit Gesines Hilfe an den Himmel hoch über der Alster zauberte, war vielleicht nicht ganz so prächtig wie jenes, das der Senat im vergangenen Jahr zu Ehren des neuen Kaisers entzünden ließ, aber es begeisterte nicht nur Herrmanns' zahlreiche Gäste, sondern auch alle, die sich auf den Wällen drängten oder ihre Boote auf den See hinausgerudert hatten, um dem feurigen Spektakel zuzusehen.

Christian Herrmanns war ganz gegen Struensees Erwartung nicht vom Liebeskummer niedergedrückt, obwohl er allen Grund dazu gehabt hätte. Denn kaum war sein Vater halbwegs genesen, hatte Christian ihm mitgeteilt, daß er sich bei Madame Stedemühlen nicht mehr für seine Verbindung mit Lucia einsetzen müsse. Die sei ihm nicht ernsthaft genug und auch zu wankelmütig. Einige Wochen habe er sie nicht gesehen, und schon habe Cornelius van Smid ihr Herz gewonnen, der doch wirklich als langweiliger Mensch bekannt sei.

Diese Wendung schien Christian aber nicht vernichtet zu haben, denn an jenem Abend im Garten sah Struensee, wie er Camilla, Senator van Wittens jüngste Tochter, verfolgte, bis sie ihm errötend erlaubte, ihr ein Glas Bowle zu bringen.

Madame Stedemühlen und ihre Tochter erschienen an diesem Abend nicht, was jedoch niemanden wunderte. Nicht nur, weil sie gerade erst Witwe geworden war, sondern weil die nach so vielen Jahren ruchbar gewordene Schande ihres Gatten auch die ihre war und sie aus der guten Gesellschaft ausschloß, bis man mit Anstand vorgeben konnte, alles vergessen zu haben.

Allerdings trug Gunda die Schmach mit Würde und Gelassenheit. Kürzlich hatte Struensee sie in der Halle der Hamburger Börse getroffen, wo sie bei der Versteigerung einer äußerst kostbaren Sammlung optischer Geräte das wertvollste Teleskop, einige andere, kleinere Apparate und ein Buch über die neuesten Erkenntnisse von der Messung der Längengrade auf See ersteigerte. Es sei doch sehr angenehm, erklärte sie, als er sie begrüßte, nun, da niemand außer ihm ihr noch die Hand gebe, müsse sie nicht mehr auf die Sitten achten. Sie könne sogar wie ein Mann bei einer Versteigerung mithalten, und das sei endlich einmal etwas Amüsantes in diesen dunklen Wochen. Im übrigen danke sie ihm für seine Dienste und hoffe, in Bristol einen ebenso aufgeschlossenen Arzt zu finden. Denn dorthin werde sie mit ihrer Tochter und den beiden Söhnen nun zurückkehren. Die Kinder seien sowieso mehr am Avon zu Hause als an der Elbe, und sie selbst halte hier nichts als bittere Erinnerungen. Auch Cornelius van Smid, fügte sie lächelnd hinzu, werde seinen Wohnort nach Bristol verlegen, um dort für seine Familie ein Kontor zu führen.

Madame Marburgers Fehlen hatte nichts zu bedeuten, die Herrmanns' waren einfach nicht mit ihr bekannt. Es solle ihr trotz des Eklats um die üblen Taten ihres toten Gatten recht gut gehen, so hatte die Bilserin Struensee erzählt, und im übrigen sehe man nun stets Pagerian an ihrer Seite, und das nicht nur in der Kutsche, am letzten Sonntag habe er sogar ihre Kirchenbank geteilt und noch vor ihren fünf Töchtern neben ihr gesessen.

In der Stadt wurde die Zuckerbäckerwitwe eher bedauert als gemieden. In spätestens einem Jahr, dachte Struensee, würde niemand mehr von Marburger als einem Mörder, Betrüger und Despoten sprechen. Man würde seiner als eines verdienstvollen Bürgers dieser Stadt und als eines bedauernswerten Opfers gedenken, eines Mannes, der wohl in seiner Jugend ein wenig gefehlt, aber schwer dafür gebüßt hatte. Kosjan jedoch, oder Laurentus, würde als ein teuflischer Verbrecher im Gedächtnis der Leute bleiben, als ein Fremder, ein Barbar, der Unheil über diese brave Stadt gebracht hatte und der gerechten Strafe auf dem Rad und am Galgen entkommen war.

Wen hatte Struensee noch in Annes Garten gesehen? Götz Oswald und seine Frau Gerlinde. Sie standen ein wenig steif zwischen den reichen Bürgern, bis Claes sie fand, Gerlinde seiner an diesem Abend ganz besonders strahlenden Gattin anvertraute und mit dem jungen Zuckerbäcker für einige Zeit im Haus verschwand. Rosina, die Struensee gestern wegen einer verstauchten Hand konsultiert hatte, über deren Ursache sie leider nichts verraten wollte, erzählte ihm, Götz gehe nun doch nicht ins Preußische. Dort hatte man ihm einen hochbezahlten Posten in einer der neuen königlichen Zuckermanufakturen angeboten, die wie überall in Preußen zwar über alle nötigen Gerätschaften verfügten, deren Arbeiter sich aber nicht so gut auf die Kunst des Raffinierens verstanden wie die Hamburger, die ja unbestritten den besten Zucker weit und breit machten. Er werde statt dessen eine neue Zuckerbäckerei in Hamburg eröffnen. Er habe einen wohlhabenden Kompagnon gefunden, der mit ihm einen äußerst günstigen Vertrag abgeschlossen habe.

Struensee war heute sehr vergnügt. Dieser bedrückende Juni mit all seinen Schrecken hatte sich endlich zum Guten gewendet. Selbst die Witwen der beiden erschlagenen Männer schienen nicht am Abgrund seelischer Pein zu stehen.

Nur von dem armen Dichter Lysander Julius Billkamp sprach niemand mehr. Aber vielleicht erschien er Doktor Kletterich, der ihn im Pesthof auf diesen mörderischen Stuhl gebunden und zu Tode geschleudert hatte, noch ab und zu in einem Alptraum. So wäre auch er nicht ganz von der Erde verschwunden.

Ein Komet wurde in diesem Sommer übrigens nicht über der Stadt gesehen, nicht einmal ein winzig kleiner. Selbst der junge Astronom Bode konnte durch sein Teleskop keinen entdecken, der vielleicht der begrenzten Sehkraft der menschlichen Augen entgangen wäre, und auch aus anderen Städten kam keine Kunde von einem solch außerordentlichen Ereignis.

Struensee behauptete später, er habe sowieso nicht an den Humbug dieses Kometenbeschwörers geglaubt, und die Männer in den Kaffeehäusern waren ausnahmsweise ganz seiner Meinung. Gerson allerdings lächelte und schwieg. Er wußte zu genau um die Begrenztheit, der der menschliche Geist wie auch die Sehkraft unterworfen waren. Und er wußte, wie gering die Kraft einer noch so meisterhaft geschliffenen Linse war, wenn man sie an der Unendlichkeit des Himmels maß.

Struensee gab der dicken Gret alias Paladin die Sporen und galoppierte vergnügt nach Nordwesten.

Wovon er an diesem Morgen nichts ahnte und gewiß auch niemals erfahren würde, war die Ankunft eines ganz besonderen Briefes. Claes fand ihn eines Morgens in seiner Post. Er kam aus Marseille und war mit dem Namen Munadschim Abdullah unterzeichnet. Er schrieb, das Schiff, das ihn in seine Heimat zurückbringen werde, liege zum Auslaufen bereit. Nun sage er adieu und hoffe, Claes sei so wohlbehalten wieder in seine Stadt zurückgelangt wie er in diesen sicheren Hafen. Er möge ihm jene dunkle Nacht verzeihen, und der, den man Allah, Jehova, Gott oder Christus nenne, möge ihn immer beschützen.

Claes zeigte den Brief niemandem.

Außer Anne.

«*Alte Rabe*»   (Die weibliche Form leitet sich wahrscheinlich vom niederdeutschen «de Rave» her.) Das Gasthaus stand dort, wo heute die Alte Rabenstraße am westlichen Ufer der Außenalster endet. Im 18. Jahrhundert war es ein beliebter Erholungsort. Neben der Fähre nach St. Georg gab es einen Anleger für «Alsterarchen», kleine Boote für Vergnügungsfahrten.

Admiralität   hieß die 1623 gegründete Institution, die so eine Art frühe Schiffahrtsbehörde war. Sie organisierte, verwaltete und beaufsichtigte in Hamburg nahezu alles, was mit der Fluß- und Seefahrt zu tun hatte, nicht zuletzt war sie auch die Instanz für die Seegerichtsbarkeit.

Akzise   Wie der Zoll für alle anderen ein- und ausgeführten Waren wurde an den Toren auch die A. erhoben, eine Steuer auf alle Waren des täglichen Bedarfs, d. h. auf alles, «was ein jeder Bürger und Untertan dieser Stadt und des Gebietes um und in den Leib gebrauchet». Für jedes Pfund Butter, für jeden Streifen Klöppelspitze oder für jede Spargelstange mußte diese Abgabe geleistet werden. Da der Kleinschmuggel blühte, waren die Kontrollen oft sehr rigide.

Bagno   Bezeichnung für Gefängnisse im türkischen Machtbereich, nach den Sklavenunterkünften in Konstantinopel, die nahe bei den Bädern des Serails lagen. Auch in Frankreich wurden Gefängnisse für Schwerverbrecher und politische Gefangene als B. bezeichnet.

Barbaresken   Als B.staaten oder Barbarei wurden die nordafrikanischen Reiche zwischen Marokko und Tunis bezeichnet, die jahrhundertelang von Phöniziern und Römern besetzt waren, bevor die Araber, die Spanier und schließlich, im frühen 16. Jahrhundert, die Osmanen die Macht übernahmen. Die Seeräuberei war hier seit dem Mittelalter eine Haupteinnahmequelle, Gebietsherrscher waren von den Janitscharen, den türkischen Offizieren, gewählte Paschas und Deis, die der Regierung in Konstantinopel verantwortlich waren. Ihr despotisches Regime war berüchtigt. Seither wurde für die hochgefürchteten Piraten aus diesen Regionen die Bezeichnung ‹Barbaresken› oder auch einfach ‹Türken› üblich. Seeräuberei gab es auf allen Meeren, aber die Barbaresken betrieben sie wie ein öffentliches Gewerbe. Mehr als die Hälfte der Staatseinnahmen Algiers kam zu jener Zeit aus der Kaperei, besonders aus den Lösegeldern für die versklavten Schiffsbesatzungen. Als berühmtester Sklave der B. gilt Miguel de Cervantes, der Autor des *Don Quijote*, der von 1575 bis 1580 in Algier gefangengehalten wurde. Algerische Piraten segelten im Mittelmeer und vor den europäischen Westküsten, zeitweise bis in die Nordsee hinauf, marokkanische vor der Westküste Afrikas. Der Begriff ‹Barbarei› oder ‹Barbarien› entstand ursprünglich nach der Bezeichnung der Ureinwohner, die Berber. Der «barbarische» Klang vermischt sich für uns mit der Bezeichnung der antiken Griechen für Unfreie, Grausame, Rohe oder Feige. Die Römer nannten unter dem Einfluß von griechischer Kultur und Sprache insbesondere die aufmüpfigen Germanen Barbaren.

Bark   Ein großer, eher bauchig gebauter Dreimaster für die Handelsschiffahrt seit der Mitte des 18. Jahrhunderts.

Baumhaus   Das legendäre Gesellschaftshaus, bis zum Abriß 1857 Lieblingstreffpunkt des bürgerlichen Hamburg, bekam seinen Namen nach dem Standort am Eingang zum Binnenhafen (heute Ecke Baumwall/Steinhöft), der nachts durch «Bäume», aneinandergekettete schwimmende Stämme, versperrt war.

Blitzableiter Den allerersten B. konstruierte 1752 der amerikanische Autor, Naturwissenschaftler und Politiker Benjamin Franklin (1706–1790). Der erste in Europa wurde auf der Spitze des Leuchtturms angebracht, der 1756 bis 1759 auf dem Eddystone-Felsen 14 Meilen vor der südenglischen Küste im Englischen Kanal erbaut wurde. Der erste auf dem Kontinent krönte ab 1769 die Hamburger Jacobikirche.

Bode, Johann Elert (1747–1826) Als erste wiss. Arbeit veröffentlichte Bode 1766 die exakte Vorausberechnung der Sonnenfinsternis, die am 5. August 1766 stattfinden würde. Er war schnell als Astronom anerkannt und bekam schon 1772 eine Anstellung an der Sternwarte in Berlin, die er ab 1778 bis 1825 leitete. Sein Hauptwerk, der Sternatlas *Uranographia* mit 17 240 Sternen, erschien 1801.

Brandige Halsbräune ist die alte Bezeichnung für die damals sehr gefürchtete Diphtherie.

Bristol Obwohl B. im Südwesten Englands etwa elf Kilometer landeinwärts am schwer befahrbaren Fluß Avon liegt, war es bis ins letzte Drittel des 18. Jahrhunderts nach London die bedeutendste Hafenstadt des Landes und galt als Tor zum Atlantik und zur Neuen Welt.

Commerzdeputation Die Vorläuferin der Handelskammer wurde 1665 von Großkaufleuten als selbständige Vertretung des See- und Fernhandels gegenüber Rat und Bürgerschaft gegründet. Sie gewann schnell großen Einfluß auf Handel und Politik. Ihre 1735 gegründete Bibliothek besaß schon nach 15 Jahren etwa 50 000 Bücher und gehörte zu den größten und bedeutendsten Europas.

Dreckwall Bezeichnung für die Straße, die 1788 in Alte Wallstraße und 1843 in Alter Wall umbenannt wurde. Sie verläuft auf der Linie des alten, 1480 angelegten Stadtwalls, der nach dem Bau des neuen Walls 1562 eingeebnet und als Straße bebaut wurde. Da diese sehr schlecht war und in den ersten Jahrzehnten zudem gerne als Abladeplatz für Unrat mißbraucht wurde, entstand der Name Dreckwall.

Eimbecksches Haus Das Gebäude aus dem 13. Jahrhundert stand an der Straße Dornbusch. Es beherbergte zunächst Rat, Gericht und eine Schenke und wurde nach dem Bier aus Eimbeck (heute: Einbeck) benannt, das nur dort ausgeschenkt werden durfte. Als Gesellschaftshaus blieb es durch die Jahrhunderte ein beliebter Treffpunkt der Bürger. Im 18. Jahrhundert befanden sich hier u. a. außerdem auch ein Anatomisches Theater, eine Hebammenschule und ein Sezierraum, in dem «Selbstmörder und von unbekannter Hand gewaltsam Getötete entkleidet zur Schau gestellt und mitunter seziert» wurden. Von 1769 bis 1771 wurde das Haus prachtvoll neu erbaut. 1842 fiel es dem «Großen Brand» zum Opfer, nur die Bacchusstatue vom Eingang des Hauses wurde gerettet. Sie bewacht heute den Eingang zum Ratskeller im «neuen» Rathaus.

Englische Krankheit Volkstümliche Bezeichnung für Rachitis, eine durch Vitamin-D-Mangel bedingte Störung, zu deren äußeren Symptomen eine Verformung des Skeletts, besonders der Beine und des Brustkorbs, gehört.

Ewer ist der in den vergangenen Jahrhunderten meistgebaute deutsche Segelschifftyp. Für die Hamburger und die Anrainer der ganzen Unterelbe war er im 18. Jahrhundert sozusagen das Allroundschiff für alle Gelegenheiten. Das offene, einmastige Fahrzeug unterschiedlicher Größe wurde zum Beispiel zum Transport von landwirtschaftlichen Produkten und Brennmaterial aus dem Umland, als Fährschiff oder als Postewer, aber auch für die Flußfischerei eingesetzt.

Fleete werden die Gräben und Kanäle genannt, die seit dem 9. Jahrhundert zugleich als Entwässerungsgräben, Müllschlucker, Kloaken, Nutz- und Trinkwasserleitungen und als Transportwege dienten. Viele F. fallen bei Ebbe flach oder trocken, also wurden die Lastkähne mit auflaufendem Wasser in die Fleete zu den Speichern u. a. Häusern in der Stadt gestakt, entladen und mit ablaufendem Wasser zurückgestakt.

Freiheit, Kleine und *Große* Die beiden Straßen im heutigen Vergnügungsviertel von St. Pauli lagen im 18. Jahrhundert im Nordosten der Stadt Altona. Sie sind heute letzte Zeugen des etwa ab 1603 «Freiheit» genannten Gebietes, in dem der damalige Landesherr, der Schauenburger Graf Ernst, den Reformierten Zunftfreiheit gewährte und ihnen auch erlaubte, öffentlich ihre Gottesdienste abzuhalten. In den folgenden Jahren ließen sich hier sehr zum Ärger der Altonaer Zünfte auch Handwerker anderer Konfessionen nieder. Hier befanden sich auch die Gotteshäuser und Friedhöfe der reformierten, mennonitischen und katholischen Gemeinden.

Gavotte   Der ursprünglich provenzalische Volkstanz wurde zuerst am französischen Hof Mode und blieb weit bis ins 19. Jahrhundert in ganz Europa ein beliebter Gesellschaftstanz.

Gerckens, Claus (1716–1801),   war als Seemann selbst vier Jahre in algerischer Gefangenschaft, bevor er Hamburgs letzter *Sklavenvater* wurde. Die S.väter hatten die Sammlungen für die Sklavenkasse zu organisieren bzw. durchzuführen und die Lösegelder zu verwalten. G. übte das Amt etwa 50 Jahre aus. Nach seinem Tod übernahm die Admiralität auch diese Aufgaben. In seinem Jugendbuch *Es waren Räuber auf dem Meer* erzählt Günter Sachse von G.s Leben.

Gerson, Dr. Hartog Hirsch (1727–1801),   entstammte einer angesehenen Arztfamilie. Er kehrte nach dem Studium in England und Holland nach Altona zurück und wurde etwa 1758 wie vor ihm sein Vater David G. Arzt der jüdischen Gemeinde in Altona. Der hochgebildete und kluge Mann war Anhänger der von Juden wie Christen als ketzerisch abgelehnten Lehre des niederländischen Philosophen Spinoza und ein engagierter medizinischer Publizist. Wie seine Freunde und Kollegen J. F. Struensee und J. A. H. Reimarus war er im Kampf gegen den Aberglauben in der Medizin und insbesondere bei der Suche nach den Ursachen und der Bekämpfung von Infektionskrankheiten seiner Zeit weit voraus. Über Struensee gehörte er auch zu Lessings Bekanntenkreis.

Hanse   Seit dem 13. Jahrhundert ein genossenschaftlicher Ver-

bund von deutschen Kaufleuten zur Förderung und Sicherung
ihres Handels im Ausland. Während der Blütezeit im 14. und
15. Jahrhundert gab es zwischen der Zuidersee und dem finni-
schen Meerbusen 70 Hansestädte und weitere 130, die der H.
lockerer angeschlossen waren. Als letzte Niederlassung wurde
1598 der Stalhof in London geschlossen. In der 2. Hälfte des
17. Jahrhunderts setzten Hamburg, Bremen und Lübeck ge-
meinschaftlich die Tradition der H. fort.

Hooke, Robert (1635–1703), englischer Naturforscher, einer der
vielseitigsten Wissenschaftler seiner Zeit.

Kaffeehaus Das K., auch in Europa lange eine reine Männerdo-
mäne, war Anlaufpunkt für Reisende aus aller Welt und beliebter Treffpunkt der Bürger; es gab Spielzimmer, interna-
tionale Zeitungen und jede Menge wirtschaftlichen, politi-
schen und privaten Klatsch. Hamburgs erstes K. wurde nahe
Börse und Rathaus wahrscheinlich 1677 von einem englischen
Kaufmann oder 1680 von einem Holländer, dem späteren
Leibarzt am preußischen Hof, Cornelius Bontekoe, eröffnet.
Hamburg war zentraler Kaffee-Umschlagplatz für Nordeu-
ropa. Ab 1763 passierten jährlich ca. 25 Millionen Pfund den
Hafen, 1777 gab es 276 Kaffee- und Teehändler in der Stadt.

Leinpfad Vom L. aus wurden jahrhundertelang Alsterkähne mit
menschlicher oder tierischer Muskelkraft an Leinen flußaufwärts gezogen. Er verlief (und verläuft als schmale Fahr- und
exklusive Wohnstraße immer noch) als Grenze zwischen den
Hamburger Stadtteilen Winterhude und Eppendorf links des
Alsterflusses. Beide Ortschaften waren nur durch einen mora-
stigen Fußweg durch die Alsterniederung und einen Holzsteg
über das Flüßchen verbunden. Wenn die Alster wenig Wasser
führte, konnten Pferde und Fuhrwerke an der gleichen Stelle
eine Furt benutzen. Erst 1841 wurde eine Fahrbrücke gebaut.

Mennoniten Eine aus der Täuferbewegung im 16. Jahrhundert
entstandene protestantische Glaubensgemeinschaft. Namen-
geber war der ehemalige Priester Simon Menno (ca.
1496–1561), der die friedlichen Täufer nach der Zerschlagung

des «Täuferreichs zu Münster» 1536 zusammenführte. M. praktizieren die Erwachsenentaufe; Glaubensgrundlage und oberste Lebensnorm ist für sie die Bibel und, da sie in der konsequenten Nachfolge Christi leben wollen, besonders das Neue Testament und die Bergpredigt. Zu ihren obersten Prinzipien gehören Nächstenliebe und Wahrhaftigkeit. Der Lebensstil eines M. soll einfach sein, um Gottes Aufruf zur Demut zu entsprechen. Kriegsdienste werden generell abgelehnt, die Entscheidung darüber kann aber individuell gefällt werden. Auch Eide werden abgelehnt, da sie einen Eingriff in die Zukunft bedeuten, über die allein Gott entscheiden kann. Nach dem alten Grundsatz der Meidung der (übrigen) Welt führte eine Mischehe bis etwa 1750 zum Ausschluß vom Abendmahl. Aber in Altona versuchte noch 20 Jahre später die Gemeinde die Wahl der Ehepartner zu beeinflussen. Am gesellschaftlichen Leben, besonders dem der Aufklärer, nahmen die Hamburger und Altonaer Mennoniten kaum teil, um die Geschlossenheit ihrer Gemeinden nicht zu gefährden. Trotz der Geringachtung weltlicher Güter gehörte die große und sehr geachtete mennonitische Familie van der Smissen in Altona zu den ersten und reichsten der Stadt.

Mutterkorn wird ein Getreide-Pilz genannt, der vor allem in feuchtwarmen Jahren gedeiht. Er enthält chemische Substanzen, die der in LSD enthaltenen Lyserg-Säure verwandt sind, und verursacht neben Kopfschmerzen, Kribbeln in den Gliedmaßen, Gewebenekrosen, Krämpfen und Schwindel auch Halluzinationen und manische Zustände. Schon im Jahre 922 sollen dieser Vergiftung in Spanien und Frankreich 40000 Menschen zum Opfer gefallen sein. Es wird vermutet, daß viele Opfer der Hexenverfolgung mit Mutterkorn befallenes Getreide gegessen hatten.

Neuer Wandrahm Der Name benennt seit dem 17. Jahrhundert die Verlängerung des Alten W. Beide Straßen liegen auf der Wandrahminsel, im Areal der heutigen, ab 1885 erbauten Speicherstadt. Bis zur Verlegung auf den noch südlicheren Gras-

brook vor den Wällen im Jahre 1609 standen hier die Wandrah-
men, große Gestelle, in die die Tuchmacher das gefärbte Tuch
(Wand, Lein-Wand) zum Trocknen und Glätten einspannten.
Der Begriff Wand für Tuch geht auf das 8. Jahrhundert zurück.
Er bedeutete in gotischer Zeit Rute und übertrug sich über die
aus Ruten geflochtene (mit Lehm verputzte) Haus‹wand› auf
das wie dieses Flechtwerk strukturierte Gewebte.

Palmaille Die lange Allee entlang dem Altonaer Hochufer über
der Elbe wurde 1638 angelegt. Graf Otto V., der letzte Schauenburger Herrscher über Altona, ließ 400 Linden in vier Reihen pflanzen, damit er und «seine» Altonaer in ihrem Schatten das damals besonders an den Höfen von Holland, England
und Frankreich sehr beliebte ‹Pallmail› spielen konnten. Bei
dem in Italien entstandenen Spiel muß ein hölzerner Ball
(palla) mit hölzernem Hammer (maglio) mit einer bestimmten
Anzahl von Schlägen durch einen eisernen Torbogen am
Ende der Bahn getrieben werden. Auf der Altonaer P. wurde
allerdings nie Pallmail gespielt, denn Graf Otto starb schon
1640, nach nur fünfjähriger Regentschaft und gerade 27 Jahre
alt, bei einem Gastmahl für die protestantischen Fürsten und
Heerführer zu Hildesheim. Wie es heißt, an Gift.

Pascal, Blaise (1623–1662) Französischer Philosoph, Mathema-
tiker und Physiker. P. gilt als der erste Wissenschaftskritiker;
er betonte gegen die Überzeugungen seiner Zeit, daß der an
Theorien und Analysen orientierte Verstand nur funktionsfä-
hig ist, wenn die Intuition, die «Logik des Herzens» (logique
du cœur), die von Gottes Gnade kommt, mit einbezogen wird.

Portugiesische Fayencen Repräsentative Fayencegefäße (auf der
Scheibe getöpfert, gebrannt und bemalt) gehörten im 17. Jahrhundert in Hamburg in jedes reiche Haus. Die traditionell als
«Hamburger Fayencen» bezeichneten, mit kunstvoller Blau-
und Gelbmalerei geschmückten Stücke wurden aber tatsächlich in Portugal hergestellt und vor allem zwischen 1620 und
1670 von Kaufleuten, meist sephardischen Juden, aus Lissabon über Amsterdam nach Nord- und Westdeutschland im-

portiert. Oft waren es Auftragsbestellungen mit vorgegebenen Mustern, auch dem Namenszug oder dem Wappen der Familie oder der Heimatstadt der Kunden. Die Dekore vermischten ostasiatische und europäische Motive und ersetzten in großbürgerlichen Haushalten das bei Adel übliche, sehr viel teurere chinesische Porzellan. Diese F. wurden deshalb auch «porcellanas de Lisboa» genannt. Erst mit der Gründung deutscher Porzellanmanufakturen im 18. Jahrhundert kamen F. als Prunkstücke endgültig aus der Mode.

Reeperbahn Eine langgestreckte überdachte Anlage zur Herstellung von Tauen und Seilen etwa auf dem Gelände der heutigen Seilerstraße, das von 1626 bis 1883 dem Amt (Zunft) der Reepschläger, der Seilmacher, überlassen worden war. Die später als Reeperbahn bezeichnete Amüsiermeile liegt wenige Schritte südlich. Sie war im 18. Jahrhundert ein Zufahrtsweg über das Feld vor den Wällen.

Schimmelmann, Heinrich Carl (1724–1782), war ein Finanzgenie. Ersten Reichtum erwarb er als preußischer Heereslieferant im Siebenjährigen Krieg (1756–63), ab 1757 lebte er in Hamburg, später in seinen Schlössern in Wandsbek und Ahrensburg und in einem Palais in Kopenhagen. Er herrschte über ein gewaltiges Wirtschaftsimperium, zu dem ein eigener Hafen in Neumühlen (Altona), riesige Zuckerplantagen in der Karibik, Kattunfabriken und die einzige Gewehrfabrik Dänemarks gehörten. Er war einer der Größten im berüchtigten ‹atlantischen Dreieckshandel›. Dabei wurden auf der Route Europa – Afrika – Westindien / amerikanische Kolonien – Europa europäische Produkte wie Flinten, Schnaps, Werkzeuge und Kattun nach Afrika gebracht und gegen Sklaven getauscht, die wiederum über den Atlantik nach Westen verschifft und dort vor allem gegen Zucker, Rum, Baumwolle und Kaffee verschachert wurden. Weil Sch. als königlich-dänischer Schatzmeister die marode Staatskasse sanierte, wurde er zunächst zum Grafen, dann zum Baron gemacht.

Schute In der Mitte des 18. Jahrhunderts ein flaches, meist offe-

nes Fluß- oder Hafenboot ohne Segel, das gezogen oder geschoben wurde. In den Häfen wurde die Sch. zum Transport
der Waren zwischen Schiffen auf Reede und Lagerhäusern
oder Märkten an Land eingesetzt. In den Hamburger Fleeten
und anderen flachen Gewässern wurden Sch. auch gestakt.

Sklavenkasse Die Hamburger S. wurde 1624 gegründet, um
hamburgische Seeleute aus der Sklaverei der Barbaresken
(siehe dort) freikaufen zu können. Alle Seeleute, die auf hamburgischen Schiffen fuhren, mußten einige Prozent ihrer
Heuer in die Kasse zahlen, die gleich einbehalten und an die
Admiralität abgeführt wurden. Die Abgaben wurden durch
Zahlungen der Reeder und der Admiralität aufgestockt. Damit war die S. wahrscheinlich die erste Pflicht-Sozialversiche-
rung Deutschlands. Außerdem wurden stets in den zwei Wochen nach Ostern, Johannis, Michaelis und Weihnachten
Sammelbecken für die S. an den Kirchentüren aufgestellt.
Wer ausgelöst wurde, mußte nach seiner Heimkehr ein Jahr
lang die Hälfte der Heuer an die S. zurückzahlen. Schon 1622
war die «Cassa der Stück von Achten» gegründet worden, die
allerdings freiwillig und nur für die «Führungskräfte», die Ka-
pitäne, Steuermänner und Schiffsschreiber, eingerichtet worden war. Aus der S. wurden auch kleine Beträge an in Not
geratene Familien von versklavten Seeleuten gezahlt. Wer sich
auf See feige verhalten hatte oder in der Gefangenschaft
zum Islam übertrat, wurde nicht ausgelöst.

Sonnin, Ernst Georg (1713–1794)   Nach dem Studium der Theo-
logie, Philosophie und Mathematik in Halle arbeitete S. in
Hamburg als Privatlehrer und entwickelte als genialer Tüftler
mechanische und optische Geräte. Erst mit 40 Jahren begann
er als Baumeister zu arbeiten. Seine aus fundiertem Wissen
entwickelten bautechnischen Methoden galten besonders
beim Turmbau als verwegen, wenn nicht gar teuflisch. Das
Hamburger Wahrzeichen, die Michaeliskirche, war sein be-
rühmtestes Werk. Eng verbunden mit den aufklärerischen

Kreisen Hamburgs, gehörte er zu den Gründern der *Patrioti-schen Gesellschaft.*

Spinoza, Baruch de (1632–1677)   Der niederländische Philosoph wurde als Abweichler von der traditionellen Lehre aus der jüdischen Gemeinde von Amsterdam ausgeschlossen und aus der Stadt verbannt. Er hielt Jesus zwar nicht für Gottes Sohn, aber für den bedeutendsten und edelsten Menschen, in dessen Nachfolge vielleicht alle Menschen über die Grenzen der Religionen hinweg geeint werden können. Er war überzeugt, daß Gott und Natur (alles Seiende) identisch sind, die Menschen ein (nicht übergeordneter) Teil der Natur, und daß die Worte der Bibel nicht Gottes Worte, sondern die von sehr unvollkommenen Menschen sind. Das galt Juden wie Christen als blanke Ketzerei. S. verdiente seinen Lebensunterhalt als Linsenschleifer; er litt an Tuberkulose, das ständige Einatmen des Schleifstaubes soll seinen frühen Tod beschleunigt haben. Vielen orthodoxen Geistlichen waren noch im 18. Jahrhundert Teleskop und Mikroskop auch deshalb suspekt, weil sie argwöhnten, die Linsen könnten von «dem holländischen Ketzer» geschliffen worden sein.

Struensee, Dr. Johann Friedrich (1737–1772),   wurde schon mit 20 Jahren Stadtphysikus von Altona, damit zugleich Armen- und Gefängnisarzt. Er war ein Freidenker und seiner Zeit besonders auf medizinischem und sozialpolitischem Gebiet weit voraus. Etwa 1767 beschloß S., dessen zahlreiche streitbare Publikationen immer wieder der Zensur zum Opfer fielen, dessen knapp bemessenes Gehalt kaum zum Leben reichte, nach Ostindien auszuwandern, um sich dort als Arzt niederzulassen. Aber kurz vorher, 1768, wurde er zunächst Reise-, ein Jahr später Hofarzt und dann Geheimer Kabinettsminister, so eine Art Regierungschef, des dänischen Königs Christian VII. Seine radikalen Reformen gegen die Interessen von Kirche, Patriziat und Adel (und vielleicht auch eine Liebschaft mit Königin Karoline Mathilde) führten zu seinem schnellen Sturz und zu seiner Hinrichtung. Die Königin wurde nach Celle verbannt, wo sie schon 1775, gerade 24 Jahre alt, starb.

Swammerdam, Jan (1637 – 1680)   Holl. Arzt und Naturforscher.

The Lovers Melancholy   Dr. Hartog Gerson sah während seines Medizinstudiums in England ein Stück mit diesem Titel und Inhalt und veröffentlichte später einen Aufsatz über seine Theorie. Wahrscheinlich handelte es sich jedoch um eines von John Ford (1586 – 1640), dessen Elegien und Dramen für ihre melancholischen und makabren Elemente berühmt waren. Knapp vierzig Jahre später empfahl der Anatom und Gehirnforscher Johann Christian Reil (1759 – 1813) ein gut ausgestattetes Theater für jedes Irrenhaus, damit Geistes- und Gemütskranke im Theaterspiel ihre Leiden und Wahnvorstellungen ausagieren könnten. Im Pariser Irrenhaus Charenton führten etwa um die gleiche Zeit tatsächlich Kranke Komödien auf. Die Anregung dazu kam von einem prominenten Patienten, der allerdings vor allem die Rolle des Regisseurs übernahm, von Marquis de Sade (1740 – 1814).

Tischbein   Große Malerfamilie. In diesem Roman geht Johann Heinrich Tischbein d. Ä. (1722 – 1789), Hofmaler und später Direktor der Kasseler Akademie, in Pyrmont spazieren. Er wird als «der Kasseler» bezeichnet in Abgrenzung zu seinem Neffen Johann Heinrich Wilhelm T. (1751 – 1829), der durch seine Freundschaft mit dem berühmten Literaten und seinem Bild ‹Goethe in der Campagna› auch Goethe-Tischbein genannt wird. Beide haben sich wie einige andere aus dem Tischbein-Clan geraume Zeit in Hamburg aufgehalten.

Wedde   Die Organisation der Hamburger Behörden und Verwaltungen im 18. Jahrhundert unterschied sich sehr stark von der heutigen. So ist auch die alte Wedde nicht mit der heutigen Polizei gleichzusetzen, aber auch zu ihren Aufgaben gehörte die Aufsicht über «die allgemeine Ordnung», damals von der Eheschließung über die Reinhaltung der Straßen bis zur Jagd auf Spitzbuben aller Art.

Wesley, John (1703 – 1791)   Der zunächst anglikanische Geistliche lernte als Missionar in der Kolonie Georgia (heute USA) die Herrnhuter Brüdergemeine kennen und begründete, von ihren Prinzipien beeinflußt, nach seiner Rückkehr nach England den Methodismus. Er war ein großer Prediger und ritt unermüdlich als Missionar für seine Überzeugungen durch England. Die erste Methodistenkapelle, den «New Room», eröffnete er 1739 in Bristol, wo er sich auch in späteren Jahren häufig und lange aufhielt.

Zuckerbäcker wurden in Hamburg die Zuckersieder genannt, die den importierten Rohzucker zu Zuckerhüten verarbeiteten. Sie sind nicht mit den «Confectbäckern» und «Conditoren» der Bäckerzunft zu verwechseln. Die Zuckersiederei wurde Ende des 16. Jahrhunderts von Niederländern an die Elbe gebracht, mit dem steigenden Kaffee- und Teekonsum stieg der Zuckerverbrauch explosionsartig. In der Mitte des 18. Jahrhunderts produzierten allein in Hamburg etwa 280 Siedereien Zuckerhüte, Kandis und Sirup. Zuckerknechte waren für ihre Grobheit und mangelnde Demut gegenüber bürgerlichen Autoritäten berüchtigt. 1766 ging ihre «Widersetzlichkeit», d. h., daß sie «ihren Herren ins Angesicht Trotz boten, ein Complott untereinander machten und bei der ersten Gelegenheit die Arbeit niederlegten», so weit, daß sich 144 der durch keine Zunft verbundenen Hamburger Zuckerbäcker gemeinsame Regeln schufen, mit denen sie ihre Knechte künftig erfolgreich disziplinierten.

DANKSAGUNG

Bis auf einige historisch verbürgte und bedeutsame Persönlichkeiten wie z. B. die Ärzte Struensee und Gerson, die im Glossar vorgestellt werden, sind Personen und Handlung dieses Romans Produkte meiner Phantasie. Ähnlichkeiten mit vergangener oder gegenwärtiger Realität wären reiner Zufall. Ich habe mich bemüht, das Leben im Jahr 1766 so authentisch wie möglich zu schildern, für Hinweise auf mögliche Fehler bin ich dankbar.

Die Topographie der Elbinseln allerdings habe ich noch ein wenig abenteuerlicher gestaltet, als diese Region ohnehin war. Wo sich heute das Industriegebiet Hamburger Hafen ausdehnt, lag damals eine außerordentlich idyllisch anmutende labyrinthische Flußlandschaft, deren unberechenbare Sände den Schiffsführern mächtige Probleme bereiteten.

Wieder habe ich aus dem großen Fundus der Hamburg-Literatur und der Hamburger Museen, Bibliotheken und Archive schöpfen können. Für besondere Hilfe bedanke ich mich bei der Bibliothekarin Meike Annuss, bei dem Spezialisten für Schifffahrt und Fischerei Dr. Boye Meyer-Friese, beide am Altonaer Museum/Norddeutschen Landesmuseum in Hamburg, und bei Heinz-Gustav Wagener, Kurdirektor von Bad Pyrmont. Professor Stefan Winkle und seinem Buch *Johann Friedrich Struensee. Arzt – Aufklärer – Staatsmann* verdanke ich nicht nur Informationen über den berühmten Arzt und seine vielfältigen Tätigkeiten, sondern auch viele Details über Politik und Alltag jener Jahre.

LITERATUR

Petra Oelker
Tod am Zollhaus
Gelesen von Doris Wolters

4 CD 471 770-2   ISBN 3-8291-1232-7

UNIVERSAL